KB152215

심초음파 |제 3 판|

쉽게 완성하기

Sam Kaddoura
BSc(Hons), BM BCh(Oxon), PhD, DIC
FRCP, FESC, FACC

Consultant Cardiologist
Chelsea and Westminster Hospital and
Royal Brompton Hospital, London, UK
Honorary Consultant Cardiologist
Royal Hospital Chelsea, London, UK
Honorary Senior Lecturer
Imperial College School of Medicine, London, UK

역자 : 오민석, 김학진, 김은영, 현성협, 안지현

ELSEVIER

군자출판사

ECHO made easy

Echo Made Easy, 3rd Edition
Copyright ©2016 by Sam Kaddoura. All rights reserved.
ISBN: 978-0-7020-6656-6

This translation of Echo Made Easy, 3rd Edition by Sam Kaddoura was undertaken by Koonja Publishing, Co. and is published by arrangement with Elsevier Ltd.

ECHO made easy, 오민석 외 4명

Korean ISBN 979-11-5955-420-9
정가 35,000원

Echo Made Easy, 3rd Edition by Sam Kaddoura의 번역서는
Elsevier Inc. 와 Elsevier Korea L.L.C. 와의 계약을 통해 (주)군자출판사에서 출간 되었습니다.

Notice

Knowledge and best practice in this fi eld are constantly changing. As new research and experience broaden our understanding, changes in research methods, professional practices, or medical treatment may become necessary.
Practitioners and researchers must always rely on their own experience and knowledge in evaluating and using any information, methods, compounds, or experiments described herein. In using such information or methods they should be mindful of their own safety and the safety of others, including parties for whom they have a professional responsibility.
With respect to any drug or pharmaceutical products identifi ed, readers are advised to check the most current information provided (i) on procedures featured or (ii) by the manufacturer of each product to be administered, to verify the recommended dose or formula, the method and duration of administration, and contraindications. It is the responsibility of practitioners, relying on their own experience and knowledge of their patients, to make diagnoses, to determine dosages and the best treatment for each individual patient, and to take all appropriate safety precautions.
To the fullest extent of the law, neither the Publisher nor the authors, contributors, or editors, assume any liability for any injury and/or damage to persons or property as a matter of products liability, negligence or otherwise, or from any use or operation

심초음파 쉽게 완성하기(3판)

ECHO made easy

셋째판 1쇄 인쇄 | 2019년 3월 22일
셋째판 1쇄 발행 | 2019년 3월 30일

지 은 이 Sam Kaddoura
역 자 오민석, 김학진, 김은영, 현성협, 안지현
발 행 인 장주연
출판기획 김도성
책임편집 배혜주
편집디자인 조원배
표지디자인 김재욱
발 행 처 군자출판사(주)
등록 제4-139호(1991. 6. 24)
본사 (10881) **파주출판단지** 경기도 파주시 회동길 338(서패동 474-1)
전화 (031) 943-1888 팩스 (031) 955-9545
홈페이지 | www.koonja.co.kr

ISBN 979-11-5955-420-9
정가 35,000원

머리말

최근 심초음파를 배우고 싶다는 선생님이 늘고 있습니다. 이에 부응하여 여러 학회에서 심초음파 강의와 핸즈온 강좌를 열고 있습니다. 하지만 막상 다시 공부하려고 하면 막막할 때가 많습니다.

이런 분들을 위해 적합한 참고서를 찾다가 오래 전 읽었던 「Echo Made Easy」가 떠올랐습니다. 놀랍게도 주위에 이 책의 신판 번역서를 기다리는 선생님이 많았습니다. 심초음파검사가 발전한 만큼 내용이 많이 업데이트되었습니다.

「Echo Made Easy」가 영국에서 심초음파 인증의 시험 대비에도 활용되는 것처럼, 이 책이 여러 학회의 인증의 준비에도 도움이 될 것으로 기대합니다. 이 책을 통해 심초음파를 더 쉽게 이해하고 진료 및 검사 현장에서 더 많이 활용할 수 있게 되기를 바랍니다.

2019년 3월

오민석, 김학진, 김은영, 현성협, 안지현

저자 서문

심초음파는 초음파를 이용해 심장을 검사합니다. 심초음파는 심혈관 연구에 널리 활용되는 강력하면서도 안전한 기술입니다. 의대생과 신규 의사의 수련에 종종 심초음파가 소개되고 있습니다. 영국의 MRCP (The Membership of the Royal College of Physicians)와 같은 의대 및 대학원 시험에서 때때로 이 주제가 출제되고 있습니다.

주로 심장내과 전문의와 심장 생리학자처럼 심초음파검사를 하는 분을 위한 상세한 심초음파 교과서는 많은 반면에 간략하게 소개한 교과서는 거의 없습니다.

이 책은 앞으로 심초음파를 사용하고, 의뢰하고, 직접 검사를 시행하고, 해석할 분들을 위해 심초음파에 대해 실용적이면서도 임상적으로 유용한 내용(대부분 쉽게) 제공을 목표로 했습니다. 특히 수련 중인 의사와 의대생을 대상으로 했습니다. 또한 내과 의사, 외과 의사, 일반의, 심장 생리학자, 심장 기사, 간호사, 의료보조인력과 같은 직역에서도 관심을 가질 것으로 기대합니다. 국가 차원의, 국제적인 심초음파 인증프로그램과 시험이 있는데, 이 책이 궁극적으로 심초음파를 배우고 인증을 받고자 하는 분들을 위한 입문서가 될 것입니다.

이 책은 활용 가능한 심초음파 기술, 심초음파로 할 수 있는 것과 할 수 없는 것을 설명하는 것을 목표로 했으며, 중요한 점은 심초음파를 임상적 관점에서 다루었다는 것입니다. 결코 완벽한 심초음파 교과서가 되도록 의도하지는 않았으며, 어떤 면에서는 이 책의 범위를 훨씬 벗어납니다(예: 복합 선천성 심질환 및 소아 심초음파).

2002년 초판과 2009년 2판 발행 이래『Echo Made Easy』는 영어에서 7개 언어(표준 중국어, 중국어 간체, 스페인어, 포르투갈어, 한국어, 터키어, 폴란드어)로 번역되었습니다.

지난 6년간 심초음파검사의 발전으로 인해 새롭게 3판이 필요해졌습니다. 이 책을 전반적으로 개정했습니다. 새 단원(심초음파검사의 시행 및 결과 보고)을 추가했습니다. 새로운 섹션으로 암 환자에서, 대동맥질환에서 심초음파의 역할을 넣었습니다. 임신, 연속방정식, 이완기능, 장축기능, 3D 심초음파를 개정, 보완했습니다. 또한 응급상황, 심근병증, 심낭질환, 선천성 이상, 심장재동기화 치료에서 심초음파 사용에 대해 개정하고 더 자세히 다루었습니다. 최신 국제 가이드라인을 전반적으로 참고했습니다.

이전 판과 같은 분량으로 집필하려고 했지만 새로운 그림과 본문 내용으로 인해 부득이하게 분량이 약간 늘어났습니다. 책 크기를 조금 크게 하면서 영상을 크게 실었지만 책은 꽉 차게 만들었습니다. 신판 전체에 컬러 그림을 넣었습니다.

2016년 런던에서
Sam Kaddoura

역자 소개

오민석(분당제생병원 심장혈관내과)
대한임상순환기학회 정보통신이사
전 삼성서울병원 순환기내과 임상강사

김학진(국립암센터 순환기내과)
한국심초음파학회 교육수련위원회 위원
전 삼성서울병원 순환기내과 임상강사

김은영(송정길 내과)
한국임상고혈압학회 교육이사
전 중앙대학교병원 순환기내과 임상교수

현성협(제주한마음병원 심장혈관내과)
대한만성질환관리학회 학술이사
전 중앙대학교병원 순환기내과 임상강사

안지현(한국의학연구소 내과)
대한검진의학회 총무이사
전 중앙대학교 의과대학 내과학교실 교수

약어/용어

2 chamber view	2방도
4 chamber view	4방도
A2C (apical 2 chamber view)	심첨부 2방도
A3C (apical 3 chamber view)	심첨부 3방도
A4C (apical 4 chamber view)	심첨부 4방도
A5C (apical 5 chamber view)	심첨부 5방도
AA (ascending aorta)	상행대동맥
AF (afrial fibrillation)	심방세동
aliasing	신호 뒤바뀜
AMVL (anterior mitral valvular leaflet)	승모판 전엽
Ao (aorta)	대동맥
AR (aortic regurgitation)	대동맥판 역류
Arrhythmogenic cardiomyopathy (AC)	부정맥 유발성 심근병증
AS (aortic stenosis)	대동맥판 협착
ASD (atrial septal defect)	심방중격결손
AV (aortic valve)	대동맥판
bicuspid AV (BAV)	이첨 대동맥판
central	중심성
chordae tendinae	건삭
color Doppler	도플러 색
concentric	동심성
CW (continuous wave)	연속파
DA (descending aorta)	하행대동맥
DCM (dilated cardiomyopathy)	확장성 심근병증, 확장성 심근증
diaphragm	횡격막

Doppler	도플러
eccentric	편심성
free wall	자유벽
HCM (hypertrophic cardiomyopathy)	비후성 심근병증, 비후성 심근증
horizontal view	수평단면도
IAS (interatrial septum)	심방중격
intermediate view	중간단면도
IVS (interventricular septum)	심실중격
LA (left atrium)	좌심방
LAA (left atrial appendage)	좌심방이
LAD (left anterior descending artery)	좌전하행동맥, 좌전하행지
LBBB (left bundle branch block)	좌각차단
LCA (left circumflex artery)	좌회선동맥, 좌회선지
LCC (left coronary cusp)	좌관상동 첨판
long axis view	장축단면도
lung	폐
LV (left ventricle)	좌심실
LVEDP (left ventricular end-diastolic pressure)	좌심실 확장기말 압력
LVH (left ventricular hypertrophy)	좌심실비대
LVOT (left ventricular outflow tract)	좌심실 유출로
MI (myocardial infarction)	심근경색증
mid	중간
mild	경도
minimal	경미한
mitral inflow	승모판 유입혈류
moderate	중등도
modified	변형된
MR (mitral regurgitation)	승모판 역류
MS (mitral stenosis)	승모판 협착
MV (mitral valve)	승모판
MVL (mitral valve leaflet)	승모판엽
MVP (mitral valve prolapse)	승모판일탈증, 승모판탈출증
NCC (non-coronary cusp)	비관상동 첨판
ostium secundum type	이차공 형태
outflow	유출혈류
PA (pulmonary artery)	폐동맥

parasternal view	경흉부 단면도
PFO (patent foramen ovale)	난원공개존
PHT (pressure halftime)	압력 반감기
PLAX (parasternal long axis view)	흉골연 장축단면도
pleural effusion	흉막삼출
PM (papillary muscle)	유두근
PMVL (posterior mitral valvular leaflet)	승모판 후엽
PR (pulmonic regurgitation)	폐동맥판 역류
PSAX (parasternal short axis view)	흉골연 단축단면도
pulmonary outflow	폐동맥 유출혈류
PV (pulmonic valve)	폐동맥판
PW (pulsed wave)	간헐파
RA (right atrium)	우심방
RCA (right coronary artery)	우관상동맥
RCC (right coronary cusp)	우관상동 첨판
RCM (restrictive cardiomyopathy)	제한성 심근병증, 제한성 심근증
retrograde flow	후향혈류
rotation	회전
RV (right ventricle)	우심실
RVH (right ventricular hypertrophy)	우심실비대
RVOT (right ventricular outflow tract)	우심실 유출로
sagittal view	시상단면도
SAM (systolic anterior motion)	수축기 전방 운동
SCD (sudden cardiac death)	돌연심장사
septal wall	중격
severe	중증
short axis view	단축단면도
shunt flow	단락혈류
subcostal view	늑골하부 단면도
suprasternal view	흉골상부 단면도
SV(stroke volume)	일회 박출량
TEE (transesophageal echocardiography)	경식도 심초음파
thrombus	혈전
tilting	기울이기
TR (tricuspid regurgitation)	삼첨판 역류
transaortic flow	대동맥 혈류

transgastric	경위
transmitral flow	승모판 혈류
transmitral inflow	승모판 유입혈류
tricuspid inflow	삼첨판 유입혈류
TTE (transthoracic echocardiography)	경흉부 심초음파
turbulent flow	와류
turbulent jet	와류제트
TV (tricuspid valve)	삼첨판
vegetation	증식물
VSD (ventricular septal defect)	심실중격결손

목차

1

심초음파란?

1.1 기본 개념

심초음파(echocardiography)는 초음파(ultrasound)를 이용하여 안전하고 효과적이며 비침습적으로 통증 없이 심장을 검사하는 방법이다.

초음파의 많은 특징들은 단순한 물리적 특징과 생리적 사실을 기초로 하기 때문에 이해하는 것은 어렵지 않다. 심초음파는 숙련을 필요로 하는 검사로서 심초음파검사의 질과 검사로부터 얻는 정보들이 검사자의 영향을 많이 받는다.

이 단원에서 다룰 내용은 다음과 같다.

- 초음파의 생성과 검출
- 흔히 임상에서 사용되는 초음파 술기
- 정상 심초음파
- 어떤 경우에 심초음파를 시행해야 하는가?

초음파의 생성과 검출

소리는 공기, 물, 신체조직이나 단단한 물체 등을 통해 전달되는 진동(disturbance)이다. 각 소리는 주파수(frequency)와 강도(intensity)에 따라 구분할 수 있다. 주파수는 초당 진동수, 즉 헤르츠(Hz)와 그 배수(kHz = 10^3 Hz, MHz = 10^6 Hz)로 측정된다. 사람은 20 kHz보다 높은 주파수의 소리를 들을 수 없으며, 이를 초음파라 한다. 심초음파는 약 1.5~7.5 MHz의 주파수를 사용한다. 소리의 속도는 전파되는 물체의 성질에 따라 결정된다. 심장에서 소리의 속도는 1,540 m/s이며, 공기에서는 330 m/s이다.

소리의 파장(wave length)은 주파수에 대한 속도의 비와 같다. 심장에서 5 MHz의 주파수인 초음파는 약 0.3 mm의 파장을 지닌다. 파장이 짧을수록 해상력은 높아진다. 소리로 구분할 수 있는 최소의 크기는 대략 그 소리의 파장과 일치한다. 반면에 소리의 파장이 짧을수록 투과력은 감소한다. 따라서, 해상력과 투과력 사이에서 절충이 필요하다. 소아에

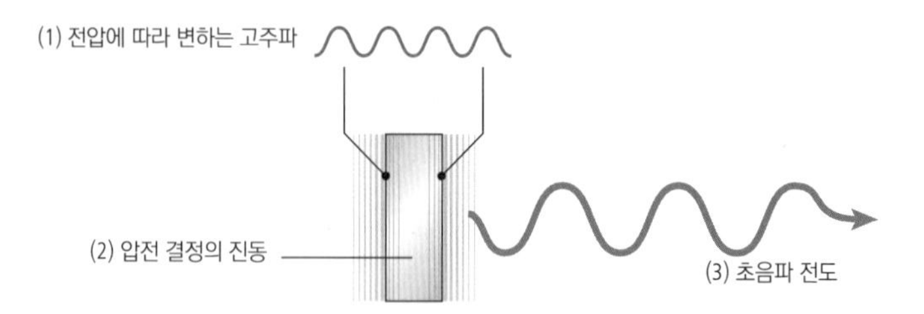

그림 1.1 **압전(piezoelectric) 효과.**

서는 투과력이 낮아도 되므로 높은 주파수의 초음파를 사용할 수 있다.

초음파는 전기적 진동(변화하는 전압)을 기계적 진동(소리)으로 변환하는 결정(crystal)의 특성에 의해 생긴다. 이를 압전효과(piezoelectric effect)라 한다(**그림 1.1**). 결정은 반대로 기계적 진동을 전기적 진동으로 변환하기도 하므로, 동일한 결정이 초음파 수신기 역할을 할 수도 있다.

반복률(repetition rate)은 1,000/s이고, 송신과 수신 시간은 각각 1 ms이다. 송신에 1 μs가 소요되고, 나머지 시간 동안 수신이 이루어진다.

이 결정 탐촉자(crystal transducer)는 초음파기기의 핵심이 되는 부분이다. 결정에 다양한 전압이 가해지면 진동이 생겨 초음파를 방출한다. 수신 상태의 결정에 초음파가 전달되면 모양이 뒤틀린다. 이는 전기적 신호를 만들게 되고 심초음파 기기가 이를 분석한다. 결정은 송신하지 않는 동안에만 수신할 수 있다. 이처럼 결정은 초음파를 보내고, 그 반사파를 수신하는 기능을 한다.

초음파가 균일한 매체에 전달되면 처음 방향을 따라 진행하다가 점차 흡수되거나 산란된다. 서로 다른 밀도의 두 매체가 결합된 불연속면을 만나면 초음파의 일부는 다시 돌아온다. 초음파는 많은 조직의 경계면을 만나며, 서로 다른 깊이에서 초음파의 반사가 일어난다. 일부 경계면이나 조직은 다른 것에 비해 초음파를 많이 반사하여(예: 뼈 또는 칼슘은 혈액보다 더 반사) 밝은(echo-bright) 반사로 보인다.

심초음파에서는 2가지를 정량화하여 측정한다.

1. 펄스를 보내고 반사된 초음파를 수신하는 데 걸리는 시간
2. 조직 또는 조직간 경계면의 초음파 반사도(echo-reflectivity)를 나타내는 반사 신호의 강도

탐촉자로 돌아온 신호는 반사의 깊이와 강도를 나타낸다. 이것을 변환하면 모니터에 흑백 영상으로 표시하거나 종이로 출력할 수 있다. 강한 초음파 반사는 흰색으로, 덜 반사된 초음파는 회색으로, 반사되지 않은 초음파는 검은색으로 나타난다.

1.2 심장의 관찰

심초음파는 전문화된 초음파기기를 이용해 시행한다. 환자의 가슴 앞면에 탐촉자를 놓고 각각 다른 주파수(성인은 보통 2~4 MHz)의 초음파를 전송하는데, 이를 경흉부 심초음파(transthoracic echocardiography, TTE)라 한다. 대개 탐촉자는 각기 다른 심초음파의 단면을 관찰할 때 정확한 방향으로 회전시킬 수 있도록 선 또는 점(marker라 함 - 역자 주)이 있다. 환자를 왼쪽으로 모로 눕도록 하고, 보다 좋은 영상을 얻기 위해 탐촉자에 초음파 젤리를 바른다. 심전도를 연속적으로 기록하고 심음도검사(phonocardiography)로 심장주기를 파악하기도 한다. 심초음파검사에는 대개 30~45분이 걸린다(판독시간 포함).

심초음파 창(window)과 단면도

흉벽에는 탐촉자를 둘 수 있는 여러 표준 위치가 있는데, 이곳들이 폐 또는 늑골에 의해 너무 많이 가려지거나 흡수되지 않고 초음파가 잘 투과되는 '심초음파 창'이다(**그림 1.2**).

이렇게 여러위치에 탐촉자를 놓고 반사된 초음파를 통해 심장의 많은 단면을 검사하는 이유는 2가지이다.

1. 심장과 그 주위 구조물의 해부학적 구조를 결정하는데 한계점이 있다.
2. 다른 검사 결과와 비교 가능한 표준화된 영상을 얻을 수 있다.

대부분의 환자에서 유용한 심초음파 정보를 얻을 수 있지만, 다음의 경우에는 기술적으로 어려울 수 있다.

- 매우 비만인 사람
- 흉벽 기형이 있는 사람

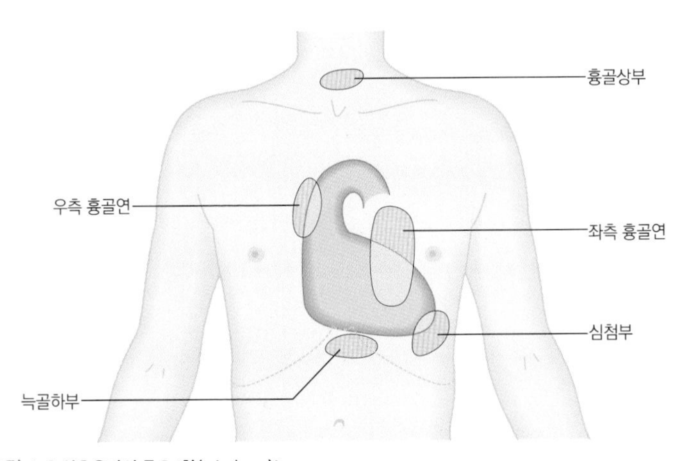

■ 그림 1.2 **심초음파의 주요 '창(windows)'.**

● 만성 폐질환이 있는 사람(예: 만성 기류 제한이 있고 폐의 과팽창 또는 폐섬유화증) 드물지만, 심초음파검사가 불가능할 수도 있다.

대부분의 검사에서 많은 심초음파 단면을 얻을 수 있다. '축(axis)'이란 초음파 빔이 심장을 지나가는 단면을 의미한다.

좌측 흉골연창(left parasternal window, 2~4번째 늑간)

1. 장축단면도(long-axis views, 그림 1.3, 1.4). 대부분의 검사는 장축 단면에서 시작한다. 탐촉자로 심장의 장축 영상을 기저부(base)부터 첨부(apex)까지 얻을 수 있다. 탐촉자에 있는 표지자(marker dot)는 오른쪽 어깨를 향한다. 탐촉자에 각을 줘서 우심실 유입로(inflow)와 유출로(outflow)의 단면을 얻을 수도 있다.
2. 단축단면도(short-axis views, 그림 1.5, 1.6). 흉벽에 위치시킨 탐촉자를 움직이지 않고 시계방향으로 90° 회전시키면 표지자가 왼쪽 어깨를 향하게 되고, 심장을 횡단

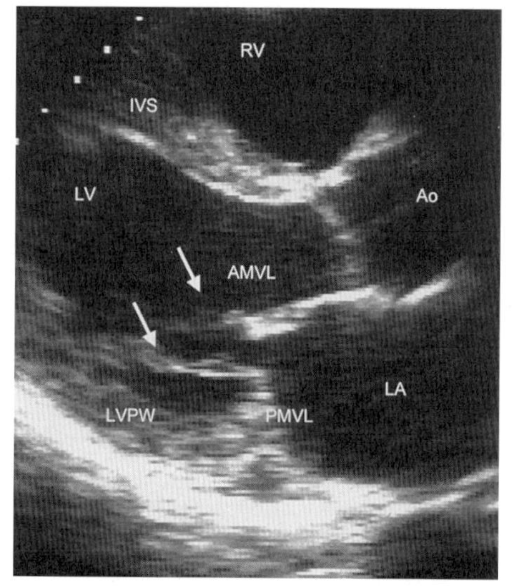

■ 그림 1.3 **좌측 흉골연 장축 단면(Parastenral long-axis, PLAX).** 화살표는 건삭(chordae)을 가리킨다.

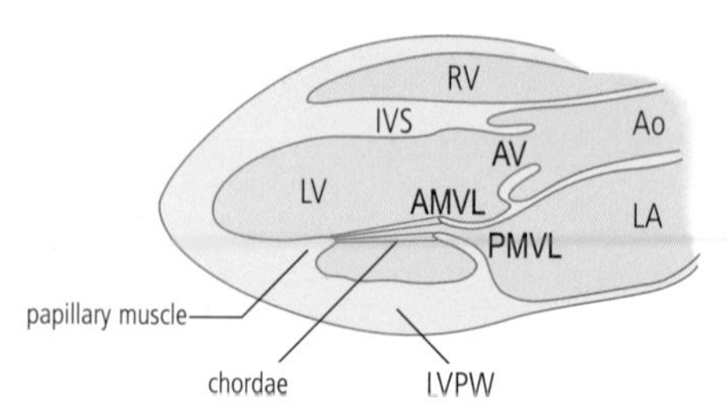

■ 그림 1.4 **좌측 흉골연 장축단면의 모식도.**
AMVL: 승모판 전엽, IVS: 심실중격, LVPW: 좌심실 후벽, PMVL: 승모판 후엽

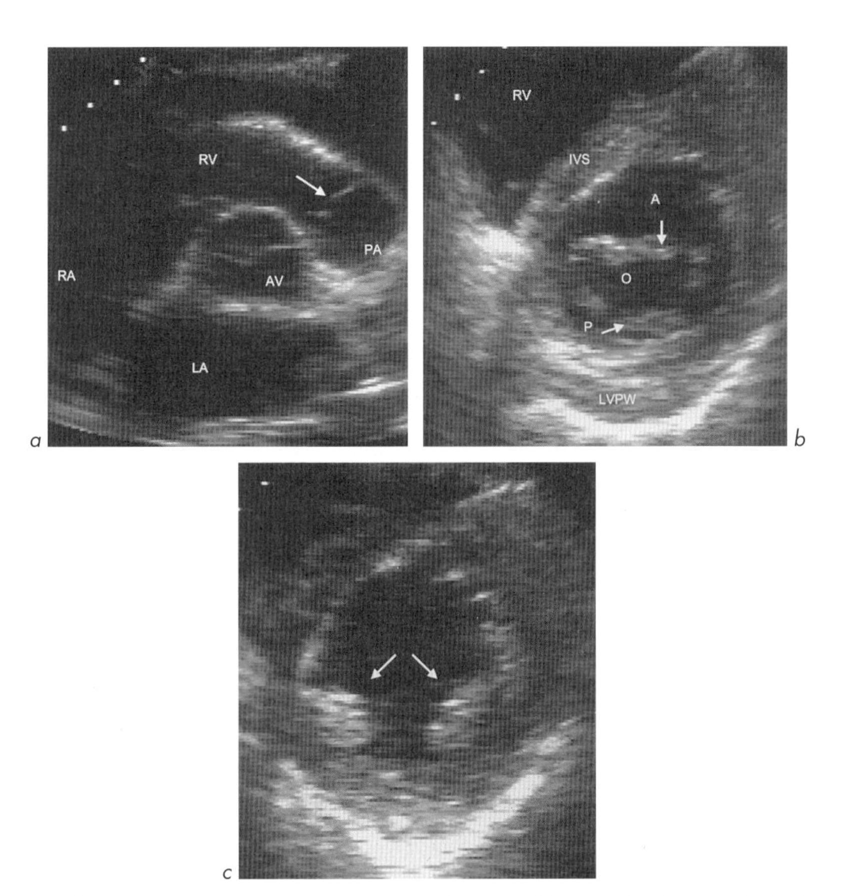

■ 그림 1.5 **흉골연 단축단면(Parasternal short-axis, PSAX).** (a) 대동맥판 높이. 폐동맥판도 관찰된다(화살표). (b) 승모판 높이. 승모판 전엽(A)과 후엽(P)이 관찰된다. (c) 유두근(화살표) 높이. O: MV orifice

(단축)으로 관통하게 된다. 흉벽에 각도를 줘서 어떤 단축단면도 관찰할 수 있지만 4개의 표준 위치는 대동맥판, 승모판, 좌심실 유두근과 첨부 높이이다(**그림 1.5, 1.6**).

심첨부 창(apical window)

1. 심첨부 4방도(4-chamber view, 그림 1.7a, 1.8a). 탐촉자를 심첨부에 위치시킨 후 표지자가 왼쪽 어깨를 향하게 한다. 이렇게 하면 전형적인 심장 모양의 심첨부 4방도(**그림 1.7a**)를 얻을 수 있다.
2. 심첨부 5방도(5-chamber view, 대동맥 유출로[aortic outflow] 포함, 그림 1.7b, 1.8b). 탐촉자의 각도에 변화를 주어 초음파 빔을 좀 더 흉벽 앞쪽으로 기울이면 '5번째 방'의 단면을 얻을 수 있다. 5번째 방은 실제 방이 아니라 대동맥판과 상행대동맥이다.

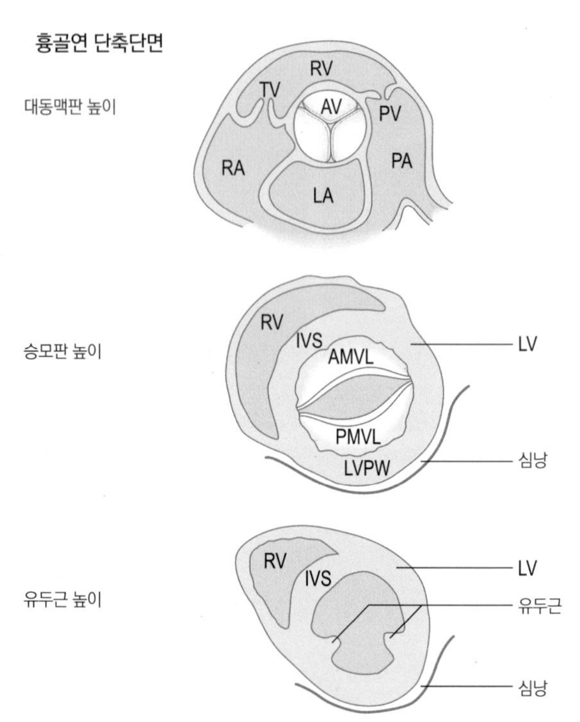

■ 그림 1.6 **흉골연 단축단면.** AMVL: 승모판 전엽, AV:대동맥판, IVS:심실중격, LA:좌심방, LV:좌심실, PMVL: 승모판 후엽, PV:폐동맥판, RA:우심방, RV:우심실, TV:삼첨판

AS와 AR을 평가하는 데 유용하다.

3. 심첨부 장축단면도(long-axis, 3-chamber, 그림 1.7c, 1.8d)와 2방도(2-chamber views, 그림 1.8c). 심첨부에 위치한 탐촉자를 회전시켜 심첨부 장축단면도(3방도라고도 함 - 역자 주)와 심첨부 2방도를 볼 수 있고, 좌심실의 다른 구획(segment)를 볼 수 있다.

늑골하부창(subcostal window, 검상돌기 아래, 그림 1.9, 1.10)

심첨부 단면과 유사한 영상으로서 약 90°회전시킨 것이다. 폐질환이 있을 때, 흉골주위와 심첨부 창이 좋지 않을 때, 심방중격의 영상을 얻을 때, 심낭삼출(effusion), 하대정맥, 복부대동맥을 평가하는데 유용하다.

또한 다음의 창도 사용할 수 있다.

흉골상부창(suprasternal window, suprasternal notch 위에서 보는 영상, 그림 1.11)

상행대동맥, 대동맥궁, 하행대동맥(예: 대동맥 축착에서)을 볼 때

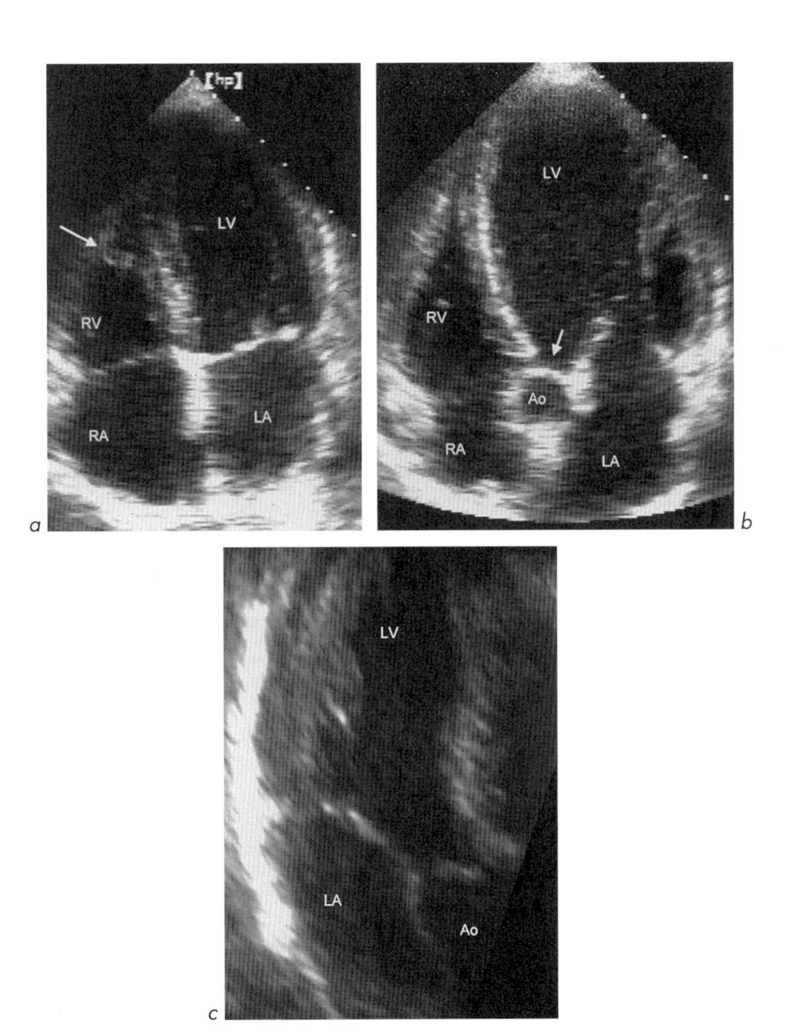

■ 그림 1.7 **심첨부 단면도.** (a) 4방도(A4C). moderator band(화살표, Right bundle branch fibers가 지나가는 정상 신경근육 다발)가 관찰된다. (b) 5방도(A5C). 대동맥판이 관찰된다(화살표). (c) 장축단면도(APLAX, A3C).

우측 흉골연창(right parasternal window, 2~3번째 늑간)

AS 여부와 상행대동맥을 평가할 때

1.3 심초음파 기법

3가지 심초음파 기법을 흔히 임상 목적으로 사용한다(일반적인 사용 분야는 표 1.1 참고).

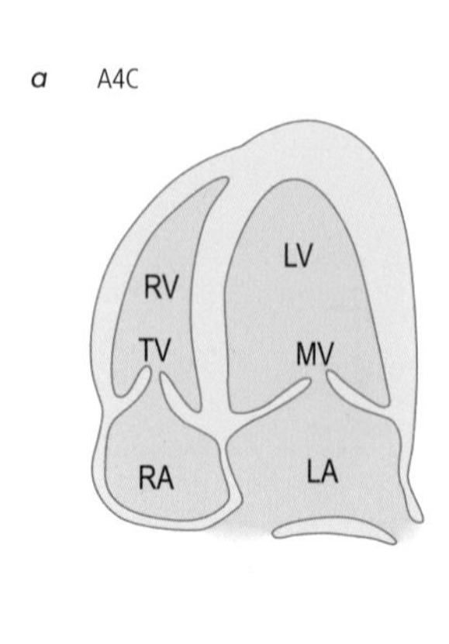

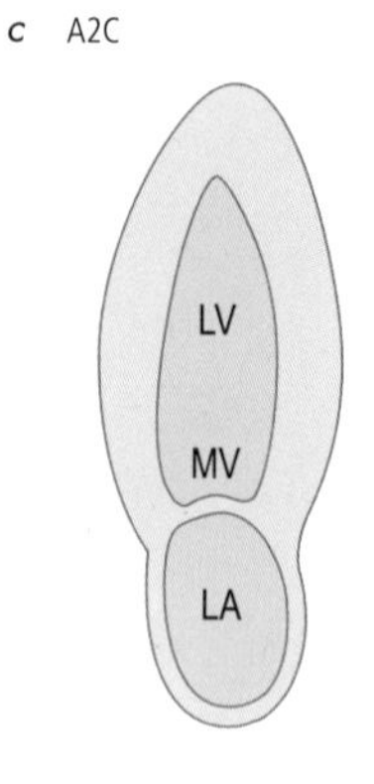

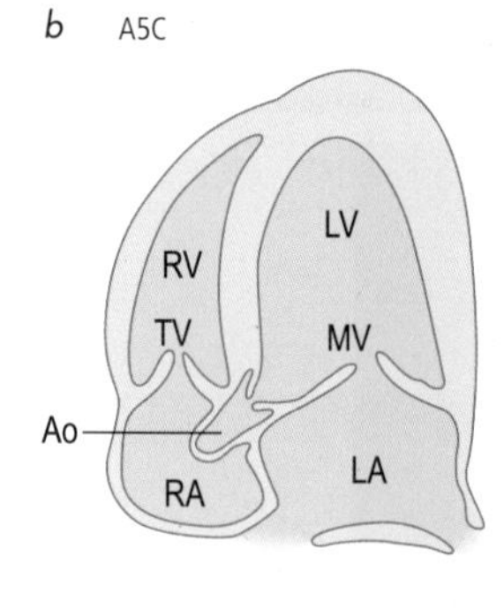

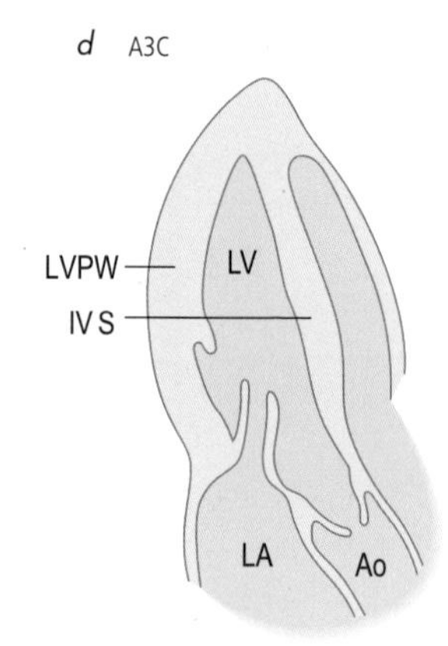

■ 그림 1.8 **심첨부 단면의 모식도.**

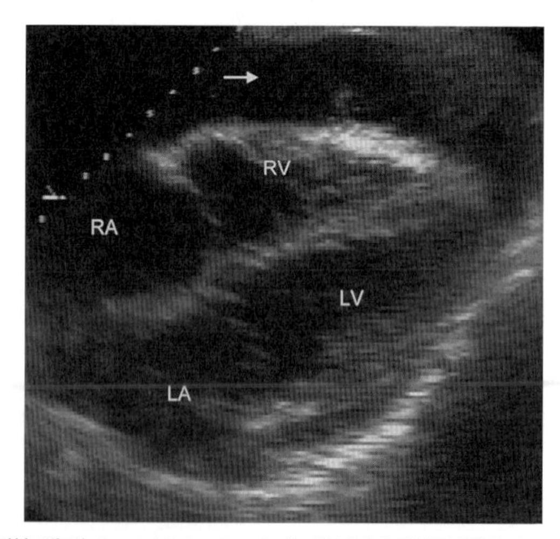

■ 그림 1.9 **늑골하부 4방도(subcostal 4-chamber view).** 심낭삼출이 관찰된다(화살표).

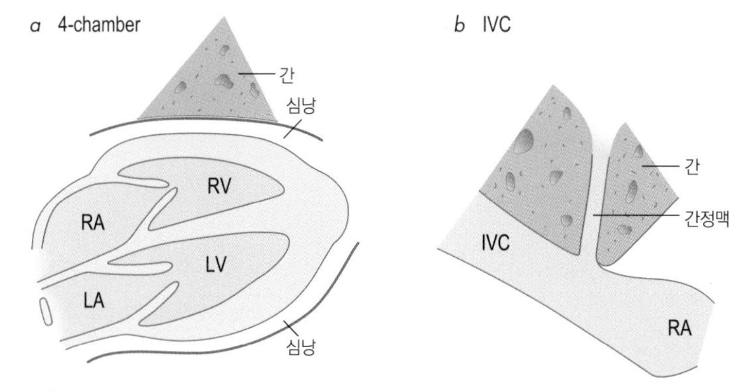

■ 그림 1.10 **늑골하부 단면도.** (a) 4방도. (b) 하대정맥 단면.

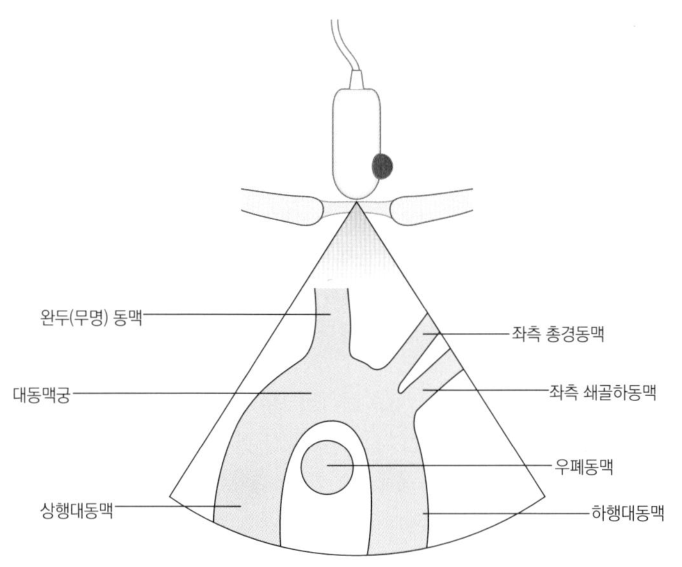

■ 그림 1.11 **흉골상부 단면의 모식도.**

- 2D 또는 'cross-sectional'
- M(motion)-mode
- 도플러 – 연속파(CW), 간헐파(PW), 색 혈류(color flow)

2D 심초음파는 조직의 단면을 스냅사진으로 보여준다. 짧은 시간 동안 조직의 단면이 연속적으로 만들어져 모니터로 나타나면 심장의 방, 판막, 혈관의 '실시간 영상'을 볼 수 있다.

2D 영상을 만들기 위해 초음파 빔이 해당 구역을 빠르게 지나가야 한다. 탐촉자는 기계적 또는 전기적으로 빔을 회전시켜 특정 각도를 만든다(**그림 1.12**). 기계적으로 탐촉자

표 1.1 심초음파 기법과 주요 용도의 정리.

2D 심초음파	● 해부학적 구조 ● 심실과 판막의 움직임 ● M-mode와 도플러 심초음파 측정 위치를 유도
M-mode 심초음파	● 직경의 측정 ● 이상 소견이 발생하는 심장주기 파악
간헐파 도플러	● 정상 판막 혈류 양상 ● 좌심실 이완기능 ● 1회 심박출량(stroke volume)과 심박출량(cardiac output)
연속파 도플러	● 판막 협착의 중증도 ● 판막 역류의 중증도 ● 단락에서 혈류의 속도
색 혈류 지도	● 역류와 단락의 평가

가 회전하여 빔이 대상물을 스캔하도록 한다. 전기적으로 여러 개의 결정이 함께 탑재되어 있어 전압에 따라 순서대로 작동되도록 할 수 있다. 각 결정은 파동을 내보낸다. 결과적으로 결정의 연속적 자극에 따라 결정된 방향으로 움직이는 summation wave으로 나타난다. 반사된 초음파는 결정에서 전기적 신호를 생성하고, 모니터에 점을 생성한다. 초음파는 약 90°의 호를 그리면서 스캔 선(일반적으로 약 120개의 선)을 따라 1초에 최소 20~30회 방사되고, 일부 최신 시스템은 1초에 120회까지 방사된다. 반사된 초음파 신호는 서로 결합하여 모니터에 움직이는 영상을 만들어낸다. 정지 영상은 종이 또는 사진 필름으로 출력할 수 있다.

M(motion)-mode **초음파**(그림 1.13)는 하나의 선만으로 초음파를 송신하고 수신하므로 움직이는 구조물을 기록하는데 2D 심초음파보다 민감도가 높다. 시간별로 반사되는 깊이와 강도가 그래프로 나타낸다. 운동의 변화(예: 판막의 열림과 닫힘 또는 심실벽의 움직임)를 표시할 수 있다. 초음파 신호는 검사하는 구조물에 수직이 되도록 맞춰야 한다. 심장의 방의 크기 및 두께 측정은 종이로 출력 후 수동으로 시행하거나 컴퓨터 소프트웨어를 이용해 모니터에서 할 수 있다.

도플러 심초음파는 움직이는 적혈구에 반사되는 초음파를 이용한다. 도플러 원리를 이용하여 속도 정보를 얻어낸다(3장 참고). 반사된 초음파는 전송된 초음파에 대해 혈류의 속도와 방향에 의해 상대적으로 결정되는 주파수 편이(frequency shift)가 일어난다. 이것은 심장과 혈관에 관한 혈역학적 정보를 제공한다. 판막의 협착 정도를 측정하고, 판막의 역류를 찾아내는 데 사용할 수 있으며, VSD와 ASD, 심장 내 단락을 관찰할 수 있다(6장 참고).

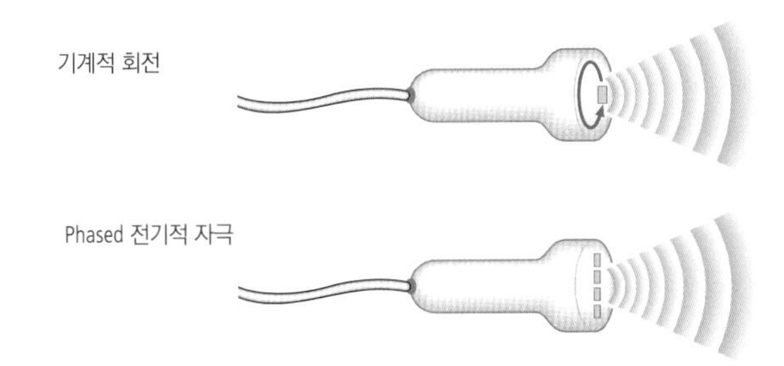

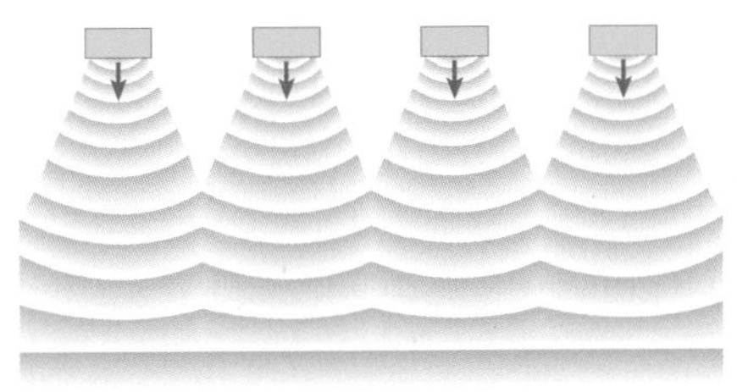

결정 탐촉자 – 그림에는 4개의 결정이 보이는데, 실제 임상에서는 더 많은(주로 64개 또는 128개) 결정을 사용한다. 각 음파는 합쳐진 파형을 생성한다.

■ 그림 1.12 **기계적, 전기적 탐촉자.**

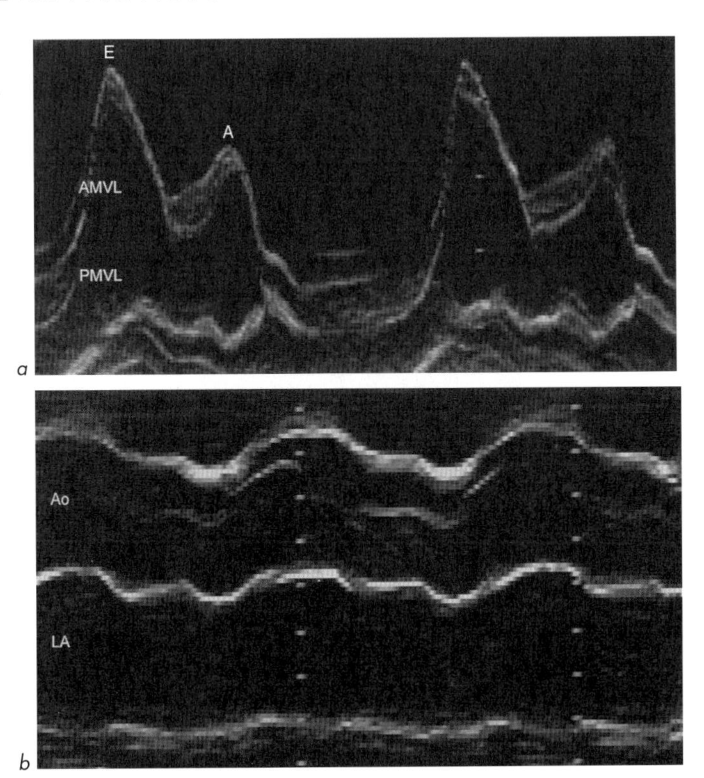

■ 그림 1.13 **M-mode 양상.** (a) 승모판, (b) 대동맥근(aortic root)과 좌심방.

흔히 사용하는 3가지 도플러 심초음파 기법은 다음과 같다.

1. 연속파(CW) 도플러. 2종류의 결정을 사용한다. 하나는 지속적으로 송신하고 다른 하나는 지속적으로 수신한다. 이 기술은 빠른 속도를 측정하는데 유용하지만 각 신호가 초음파 빔의 길이 또는 너비에 따라 어느 지점에서든 발생할 수 있으므로, 혈류 신호를 정확히 국소화하는 능력은 제한된다(**그림 1.14**).
2. 간헐파(PW) 도플러(**그림 1.15**). 국소적인 혈류 장애 또는 작은 부분에서 혈액의 속도를 측정할 수 있다. 결정 하나를 이용해 초음파 신호를 송신하고 미리 설정한 시간이 지난 후에 수신한다. 반사된 신호는 지연된 시간과 조직 내 음파의 속도(1,540 m/s)를 곱한 값의 절반에 해당하는 깊이에서만 기록된다. 이 기술과 2D 영상을 결합하여 화면에서 작은 표본용적(sample volume)이 위치하는 특정 부분의 혈류속도를 측정할 수 있다. 검사자는 표본용적을 움직일 수 있다. 시간 지연으로 인해 샘플링할 수 있는 비율이 한정되기 때문에 정확히 측정할 수 있는 최대 속도에 한계가 있으며, 대개 2 m/s의 속도를 초과하면 뒤바뀜(aliasing)으로 알려진 현상이 발생한다. 샘플링 비율의 이론적 한계는 Nyquist(또는 한계) 주파수로 알려져 있다. 이것은 펄스 반복 주파수(pulse repetition frequency, PRF)의 절반과 동일하다.

연속파와 간헐파 도플러를 일컬어 spectral 도플러 라고도 하며, 시간에 따른 속도 양상을 그래프로 나타낼 수 있다.

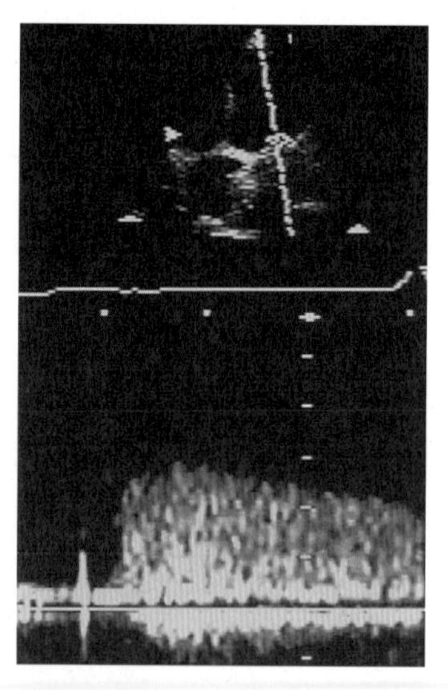

■ 그림 1.14 **중증 MS의 연속파 도플러.** 평균 압력차는 20 mmHg이다.

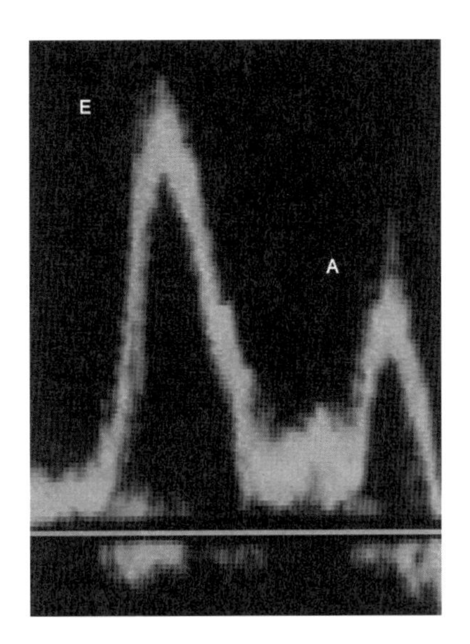

■ 그림 1.15 **간헐파 도플러.** 정상 승모판 혈류 영상.

3. 색 혈류 지도(color flow mapping, CFM). 간헐파 도플러의 자동화된 2D 버전이다. 2D 심초음파 영상에 있는 수많은 스캔 선을 따라 많은 지점에서 혈액의 속도와 방향을 계산한다. 혈류의 속도와 방향이 색으로 나타난다. 탐촉자로부터 멀어지는 혈류는 파란색으로, 가까이 다가오는 혈류는 빨간색으로 표시된다. 이것을 BART convention이라 한다(Blue Away, Red Towards). 속도가 빠를수록 색이 점점 더 밝아진다. 역치 속도를 넘어서면 '색 반전(color reversal)'이 일어난다(신호 뒤바뀜 현상으로 설명됨). 와류가 심한 지점 또는 혈류가 심하게 가속되는 부위는 종종 녹색으로 보인다(그림 1.16).

1.4 정상 심초음파

심초음파는 많은 해부학적, 혈역학적 정보를 제공한다.

- 심방과 심실의 크기
- 심방과 심실의 기능(수축과 이완)
- 판막의 움직임과 기능
- 심장 안팎의 종괴와 체액 저류
- 도플러 심초음파에 의한 혈류의 방향과 혈역학적 정보(예: 판막 협착과 압력차)

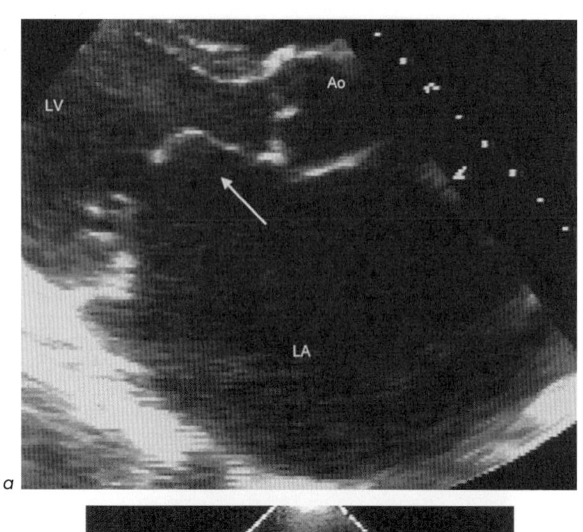

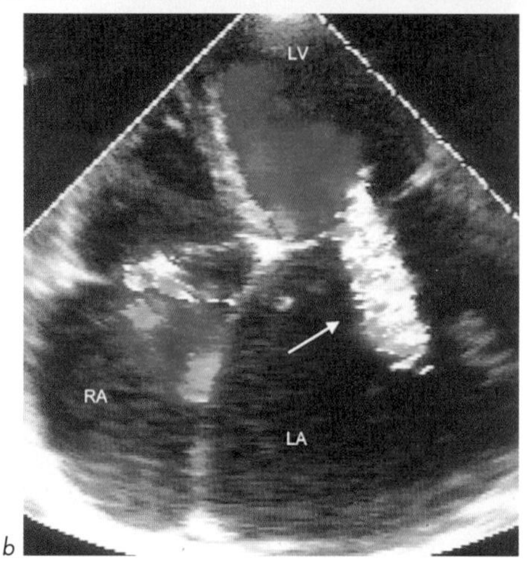

■ 그림 1.16 **류마티스성 MR과 MS.** 좌심방이 매우 확장되어 있다. (a) PLAX에서 AMVL이 'elbowing' (화살표) 하는 것이 관찰된다. (b) A4C의 색 혈류 지도에서 MR의 제트(화살표)가 관찰된다.

'심초음파의 정상 범위'

많은 요인에 의해 이러한 '정상 범위'가 변할 수 있음을 기억하는 것이 중요하다. 단, 흔히 언급되는 값(예: LA 직경 또는 LV 내경)은 이와 무관하다. 심초음파로 측정하는 심장의 측정치에 영향을 미치는 중요한 요인들은 다음과 같다.

- 키
- 성별

- 나이
- 육체활동(운동선수)
- 인종
- 비만

일반적으로 키가 클수록, 남성, 운동선수에서 측정치가 크다.

이러한 요인들은 일부 보정할 수 있다. 예를 들어, 키가 매우 큰 사람은 체표면적(BSA)으로 측정값을 보정한다.

$$BSA(m^2)=\sqrt{\frac{키(cm) \times 체중(kg)}{3600}}$$

이런 점을 유의하면서 심초음파의 대략적인 '정상 값'을 알아두면 유용하다(표 1.2).

심초음파에서 다음의 일부 소견은 정상 범위로 본다.

1. 많은 정상 심장에서 경도의 TR과 MR이 관찰된다.
2. 유의미한 AS 없이 노화에 따라 대동맥 판엽(leaflet)이 일부 두꺼워지는 것은 정상이다. 이것을 대동맥판 경화증(aortic sclerosis)이라 한다.
3. 종종 노인에서 승모판륜 석회화가 관찰된다. 때때로 이를 판막 협착, 증식물(염증성 종괴), 혈전 또는 점액종(심장종양)으로 오인하기도 한다. 따라서, 판엽을 주의 깊게 검사하는 것이 중요하다. 또한 MR과 관련이 있을 수도 있다(그림 1.17).
4. 주로 노인 여성에서 'upper septal bulge'가 흔히 나타나는데(그림 1.18) 비후성 심근병증(HCM)으로 오진해서는 안 된다. 이는 중격의 비대(septal hypertrophy)와 섬유화로 인한 것이며, 유의미한 좌심실 유출로 폐쇄(LVOTO)를 유발하는 경우는 드물다.
5. 심방에 다음의 구조물이 있을 수 있다.
   - 키아리 망상기형(Chiari network). 인구의 1.3~4%에서 발견된다. 심장의 발생 과정에서 정맥동(sinus venosus)의 우측 판막이 남아서 생긴다. 심초음파상 우심방내에 매우 활발히 움직이고, 막 또는 섬유 같이 생겼으며, 부드럽게 펴지고, 강하게 반사되는 구조물로 관찰된다. 하대정맥과 연결되는 우심방의 벽에 붙어있다. 증식물(vegetation), 혈전, 또는 종양으로 오인할 수 있다.
   - 유스타키안 판막(Eustachian valve). 하대정맥과 우심방의 연결부에 endocardial ridge 또는 fold로 관찰된다. 태아의 심장에서는 혈류가 난원공(foramen ovalis)으로 흘러가도록 하지만, 성인에서는 기능이 없다. 심초음파에서 종양, 혈전 또는 증식물로 오인할 수 있다.
   - 분계능선(crista terminalis). 근육성 ridge로서 상대정맥에서 하대정맥을 향해 앞쪽으로 지나간다. 태생기의 우심방(이후 우심방이[appendage]가 됨)과 정맥동의 융합 부위를 표시해 주는 잔여물이다. 심초음파에서 종양, 혈전 또는 증식물로 오인할 수 있다.

표 1.2 성인의 '정상 값' – 미국심초음파학회(ASE) 2015년 가이드라인을 근거로

			여자	남자
좌심실				
내경	이완기말(LVEDD)		3.8–5.2 cm	4.2–5.8 cm
	수축기말(LVESD)		2.2–3.5 cm	2.5–4.0 cm
벽 두께	이완기말	중격	0.6–0.9 cm	0.6–1.0 cm
		후벽	0.6–0.9 cm	0.6–1.0 cm
	수축기말	중격	0.9–1.8 cm	0.9–1.8 cm
		후벽	0.9–1.8 cm	0.9–1.8 cm
심박출률			54–74%	52–72%
분획 단축			27–45%	25–43%
좌심방				
직경			2.7–3.8 cm	3.0–4.0 cm
대동맥근*				
발살바동 직경			2.7–3.3 cm	3.1–3.7 cm
상행대동맥 직경			2.3–3.1 cm	2.6–3.4 cm
우심실				
내경(수축기–이완기)	기저부	이완기말	2.5–4.1 cm	2.5–4.1 cm
	중간부	이완기말	1.9–3.5 cm	1.9–3.5 cm
우심실 유출로 직경	근위부 (우심실 ~ 폐동맥판)	이완기말 (흉골연 단축단면)	2.1–3.5 cm	2.1–3.5 cm
	원위부 (폐동맥판 이후)	이완기말 (흉골연 단축단면)	1.7–2.7 cm	1.7–2.7 cm
벽 두께	이완기말		0.1–0.5 cm	0.1–0.5 cm

대부분의 값은 흉골연 장축단면의 M-mode 측정치이다. 6.5장도 참고하도록 한다. Fractional shortening: 단축 분획
Based upon Lang et al. J Am Soc Echocardiogr. 2015;28:1-39.

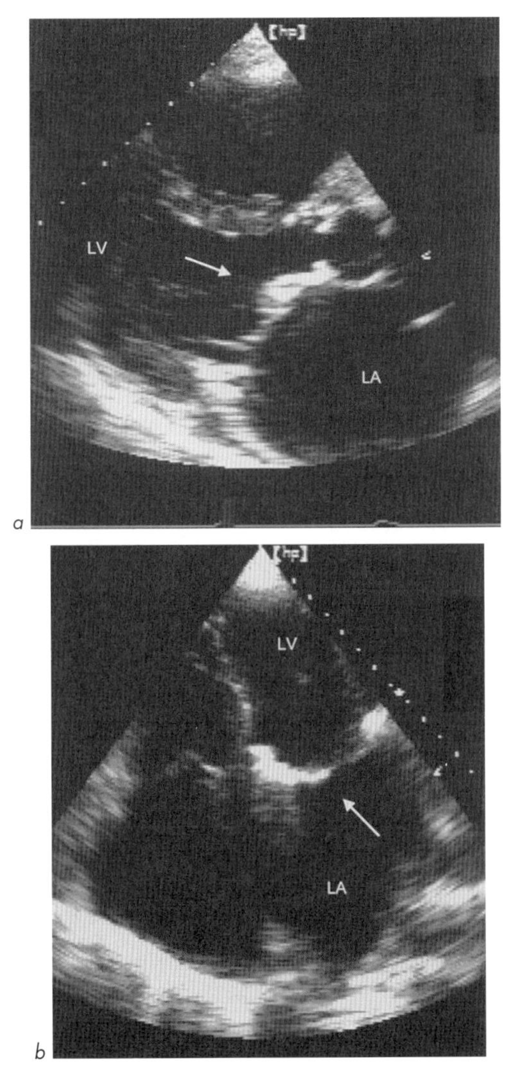

■ 그림 1.17 **승모판륜(mitral annulus)의 석회화(화살표).** 무증상이고 MS나 MR은 없다. (a) PLAX. (b) A4C.

- 심방중격의 지방종성 비대(lipomatous hypertrophy of interatrial septum). 지방성 물질의 침착으로 인한 비후로 국소적 또는 전반적(난원와[fossa ovalis] 부위는 제외)으로 생길 수 있다. 국소적인 경우 심초음파에서 종양, 혈전 또는 증식물로 오인할 수 있다.

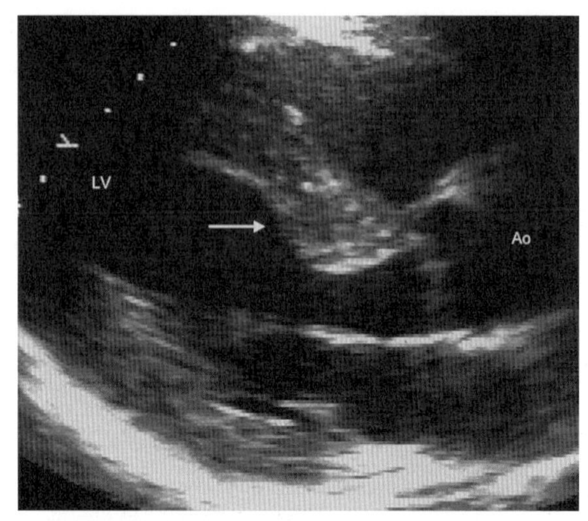

■ 그림 1.18 **중격 상부의 bulging(화살표).** PLAX.

1.5 어떤 경우에 심초음파를 해야 하는가?

유용한 정보를 최대한 얻기 위해서 다음 항목들이 있어야 한다.

- 적절한 임상 정보
- 심초음파가 필요한 이유
- 특별히 궁금한 사항

예시: '60세 남자로 호흡곤란이 있고, 전에 전벽 심근경색증이 있으며, 비응급으로 고관절 치환술을 위해 전신마취 예정임. - 좌심실 수축기능 평가 요망'또는 '70세 여성으로 대동맥판 부위에 박출성 수축기 잡음(aortic ejection systolic murmur)이 있음. - AS의 중증도 평가 요망'

아래 언급된 적응증의 목록은 완전하지는 않으며, 기타 적응증은 이 책의 해당 단원에서 찾을 수 있다. 이 목록은 심초음파검사가 환자의 임상적 관리에 영향을 미칠 수 있는 상황을 설명하고 있다.

- 판막 기능의 평가(예: 수축기 또는 이완기 잡음)
- 좌심실 기능 평가 - 수축, 이완, 국소 벽 운동(regional wall motion). 예: 호흡곤란, 부종으로 심부전이 의심되는 경우, 또는 수술 전 평가
- 심내막염이 의심되는 경우
- 심근염이 의심되는 경우
- 심낭압전(cardiac tamponade)
- 심낭질환(예: 심낭염) 또는 심낭삼출, 특히 심낭압전의 임상적 근거가 있는 경우

- 심근경색증의 합병증. 예: VSD, MR, 심낭삼출
- 심장 내 종괴가 의심될 때 - 종양, 혈전
- 심방과 심실의 크기. 예: 심방세동(atrial fibrillation, AF)에서 좌심방, 흉부 X선에서 심비대
- 인공 판막의 기능 평가
- 부정맥. 예: 심방세동, 심실빈맥(ventricular tachycardia, VT)
- 우심실, 우측 심장의 평가
- 심장 내 압력과 혈관 압력 추정. 예: 폐질환과 폐고혈압이 의심될 때 폐동맥 수축기압(pulmonary artery systolic pressure, PASP)
- 뇌졸중과 일과성 뇌 허혈(transient ischemic attack, TIA) - 심장 기원의 색전 여부 감별
- 고혈압에서 좌심실비대 배제
- 선천성 심질환의 평가

1.6 심잡음

심잡음은 와류로 인해 유발되는 소리이다. 다음의 원인으로 유발되기도 한다.

- 정상 판막을 통해 높은 속도로 또는 많은 양의 혈류가 지나가는 경우
- 질병이 있는 판막으로 혈류가 흐르는 경우
- 판막을 통해 유출이 있는 경우
- 단락을 통해 혈류가 흐르는 경우(심방, 심실, 혈관 사이에 비정상적인 교통)
- 좁아진 혈관을 통해 혈류가 흐르는 경우

심초음파는 심잡음의 원인을 진단하고 혈역학적 중증도를 평가하며, 치료계획을 세우는데 도움을 준다.

1. 수축기 심잡음의 가능한 원인

- 양성 심잡음 - 짧고 분출성(ejection)이며, 수축 중기에 발생하고, 부드럽거나 중등도 크기의 소리면서, 제2심음이 정상이면 양성 심잡음을 시사한다. 흡기 시 또는 똑바로 누웠을 때 심잡음이 커질 수 있다.
- 대동맥판 - '경화증' 또는 협착증
- 비후성 심근병증
- 승모판 - MR, MVP
- 폐동맥판 - PS
- 삼첨판 - TR(심잡음은 드물게 들림 – JVP에서 수축기 파형을 관찰함으로써 진단)
- 단락 - 심내 또는 심외 단락
  - 선천성. 예: ASD(폐동맥판을 지나는 많은 혈류), VSD, PDA
  - 후천성. 예: post-MI VSD
- 대동맥 축착(coarctation of the aorta)

2. 양성 수축기 잡음과 관련된 상태

(기저 심질환이 없는 경우) - 소아와 임신부에서 흔함.

- 폐혈류(pulmonary flow) - 흔함, 특히 더 어린 소아에서(30%)
- 정맥성 잡음(venous hum) - 지속적이며, 경정맥을 압박하고, 머리를 옆으로 돌리고, 팔을 접거나 똑바로 누우면 줄어듦. 목과 쇄골 주위에서 가장 크게 들림.
- 유방잡음(mammary souffle) - 특히 임신부에서 잘 들림.
- 고유량(high-flow) 상태 - 임신, 빈혈, 발열, 불안, 갑상선중독증(갑상선중독증의 경우 심질환과 관련이 있을 수 있음)

3. 이완기 심잡음의 가능한 원인

비정상 - 정맥성 잡음이나 유방잡음은 제외

- 대동맥판 - AR
- 승모판 - MS
- 폐동맥판 - PR
- 삼첨판 - TS(드묾)
- 선천성 단락 - 예: PDA

4. 심잡음이 들리는 환자 중 어떤 사례에서 심초음파를 시행해야 하는가?

심잡음이 병적/기질적임을 시사하는 특징들

임상적으로 양성 심잡음(예: 폐 혈류, 정맥성 잡음, 유방잡음)이 확실하지 않고, 특히 다음과 같이 병적 심잡음의 특징을 보이는 경우 심초음파를 시행한다.

- 증상 - 흉통, 호흡곤란, 부종, 실신, 어지럼증, 두근거림
- 청색증
- 떨림(심잡음이 촉진되는 경우)
- 이완기 심잡음*
- 범수축기 심잡음*
- 매우 소리가 큰 심잡음(그러나, 심잡음의 크기가 판막 병변의 중증도와 종종 상관관계가 없다는 것을 기억해야 한다)
- 추가된/비정상적인 심음 - 비정상적인 제2심음, 수축기 박출 클릭(ejection click), 개방음(opening snaps), 제4심음(제3심음 아님. 제3심음은 특히 30세 미만에서 정상적으로 들릴 수 있음)
- 심부전의 징후
- 맥압이 넓고 심첨부가 이동한 경우
- 심내막염이 의심되는 경우
- 대동맥 박리가 의심되는 경우
- 심비대(예: 흉부 X선에서)
- 심전도 이상이 있는 경우. 예: 좌심실비대

(* 위에 언급된 바와 같이 정맥성 잡음 또는 유방잡음은 예외이다.)

2

판막

2.1 승모판(Mitral valve, MV)

심초음파가 처음 적용된 곳 중의 하나가 심장판막질환, 그 중에서도 MS이다. M-mode 심초음파는 매우 유용한 정보를 제공해왔고, 최근에는 2D, 도플러 기법으로 보강되었다. 승모판은 좌심방과 좌심실 사이에 위치한다. 승모판은 심실 이완기에 열리고, 이 때 혈액은 좌심방에서 좌심실로 이동한다. 심실 수축기 동안에 승모판은 닫히고, 혈액은 대동맥판을 통해 분출된다. 승모판에는 3가지 구성요소가 있다.

- 승모판엽(MVL) - 전엽과 후엽
- 유두근에 부착된 건삭(판막하 구조물)
- 판막 고리(판막륜)

MVL의 한쪽 끝은 판막 고리에, 다른 쪽 끝(자유연, free edge)은 건삭에 부착되어 있다. 건삭은 유두근과 연결되어 좌심실에 고정되어 있다. 건삭은 낙하산 덮개를 고정하는 끈처럼 각각의 MVL을 고정한다. MVL의 자유연은 교련부(commissure)라 불리는 2개의 지점에서 만난다(그림 2.1, 2.2).

MVL의 움직임은 M-mode와 2D 심초음파로 관찰할 수 있다. 정상 MVL은 M-mode에서 특징적인 움직임을 보인다. 승모판 전엽(AMVL)은 M형의 양상을 보이고, 승모판 후엽(PMVL)은 W형의 양상을 보인다(그림 1.13a). 정상적인 승모판 개폐의 원리를 이해하는 것은 어렵지 않으며, 질환에서 보이는 비정상 양상을 이해하는 데 도움이 된다(그림 2.3).

승모판 움직임에 있어 첫 번째 최고점(early, E파)은 좌심방에서 좌심실로 혈류가 수동적으로 흐르는 시기이다 두 번째 최고점은 심방이 수축할 때 좌심실로 능동적인 혈류가 흐를 때 생긴다(atrial, A파). 이러한 양상은 좌심실로 들어가는 혈류에 의해 발생한다. 두 번째 최고점의 경우 심방의 기계적 활동이 없어지는 AF에서는 소실된다. 2D 검사에서 정상적인 MVL은 가늘고, 잘 움직이며, 벌어졌다가 잘 닫힌다. MVL의 움직임은 M-mode 소견처럼 2개의 파형으로 보이고, 승모판 혈류의 도플러 양상도 M-mode 움직임과 비슷한 양상을 보인다.

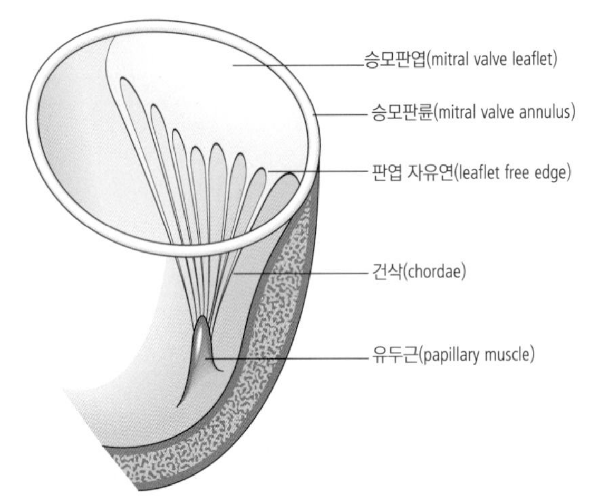

■ 그림 2.1 **승모판엽의 부착.**

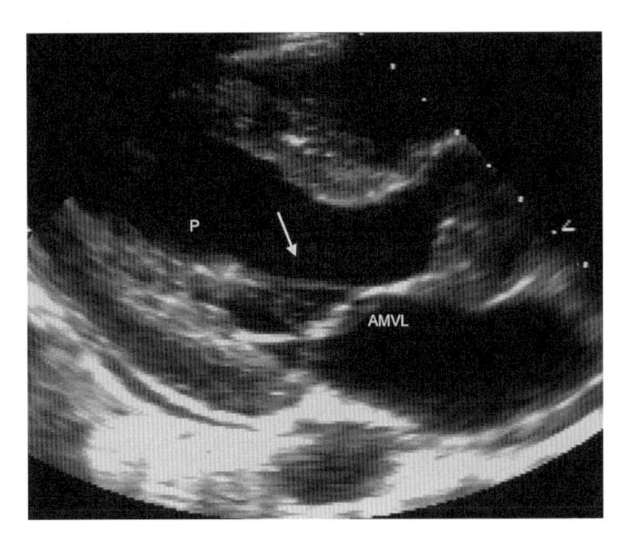

■ 그림 2.2 **승모판 구조물의 일부.** 승모판 전엽(AMVL), 유두근(P)과 건삭(화살표).

승모판 협착증(Mitral stenosis, MS)

실제로 MS의 가장 흔한 원인은 류마티스성 심질환이다. 그 밖에 드문 원인으로 승모판륜 석회화(대개 무증상이고 MS보다는 MR과 더 연관성이 있다), 선천성 심질환(선천성 AS 또는 대동맥 축착과 연관됨), 결체조직 이상/침윤, 전신성 홍반성 루푸스(SLE), 류마티스 관절염, 점액다당류증(Hurler 증후군)과 카르시노이드가 있다.

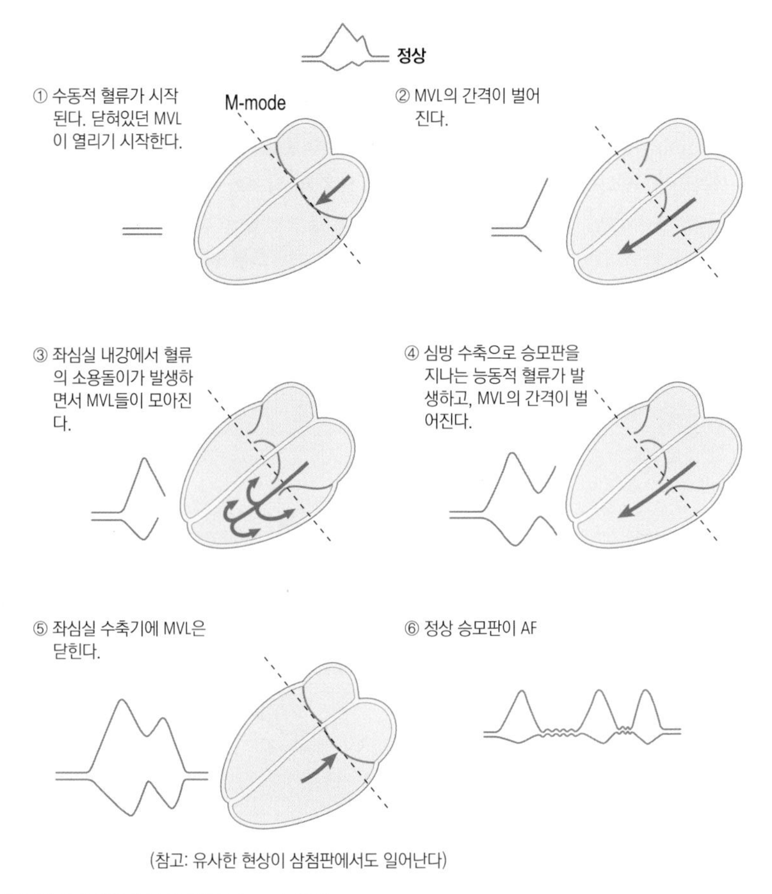

■ 그림 2.3 **정상 승모판 개폐의 M-mode 양상.**

류마티스열은 연쇄상구균 항원에 대한 항체와 심장에서 발견되는 항원의 교차반응에 의해 발생하는 자가면역현상이다. 급성기의 류마티스열은 심장의 모든 층(판막을 포함한 심내막, 심근, 심외막)의 염증과 연관된다. MS는 이 시기에 발생하지 않고, 여러 해가 지난 뒤에 초기 염증반응의 결과로 나타난다. MVL이 점차 유착되는데 처음에는 교련부와 자유연에서 시작해서 점차 두꺼워지다가 나중에는 석회화된다. 염증이 생긴 판막은 점차 두꺼워지고, 섬유화, 석회화되어 판막의 개폐가 제한된다. 또한 건삭도 두꺼워지고, 짧아지며, 석회화되면서 정상적인 판막 기능을 제한할 수 있다. MVL은 줄어들고, 단단해진다. 승모판 면적이 작아지면서 MS가 발생하고, 좌심방에서 좌심실로의 혈류를 제한하게 된다. 류마티스열이 발생하고 나서 수 년이 경과되면 MS의 임상 증상이 생기며, 유년기 때에는 류마티스열의 분명한 증상이 나타나지 않을 수도 있다. 일부 사람들은 류마티스열의 치료를 위해 수주 동안 침상 안정을 취했던 것을 기억할 것이다.

M-mode 양상은 예측이 가능한 방식으로 변화된다(그림 2.4). MVL의 움직임은 더 제한되고, MVL의 끝은 결합되어 PMVL이 AMVL쪽으로 당겨진다. 중증 MS에서 종종 동성리듬(sinus rhythm)보다 AF가 보이는데, AF일 경우 승모판 움직임에 있어 두번째 최고점이 사라진다. 석회화된 MVL은 증가된 두께, 섬유화, 석회화 때문에 정상 MVL과 다른 양상으로 초음파를 반사한다. MVL이 선명하게 보이는 단일 초음파 반사가 아니라 몇 가지 반사파가 만들어낸 반향(reverberation)이 보인다. 석회화된 MVL은 더 강하게 초음파를 반사한다.

2D 심초음파검사에서 MVL은 두꺼워지고, 움직임이 제한되어 보인다. MVL의 움직임이 상대적으로 남아있어도 전엽과 후엽이 서로 달라붙어 특징적인 '팔꿈치(elbowing)' 혹은 '구부린 무릎(bent-knee)' 모양이 특히 AMVL에서 나타날 수 있다(그림 2.5, 2.6). 이는

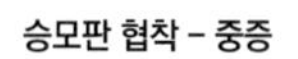

① 수동적 혈류가 시작된다. 닫혀있던 MVL(두껍고 더 고음영)이 열리기 시작한다.

② MVL의 끝이 융합되어서 두꺼운 MVL이 더 천천히 불완전하게 벌어진다. 융합 때문에 PMVL은 AMVL을 향해 움직인다.

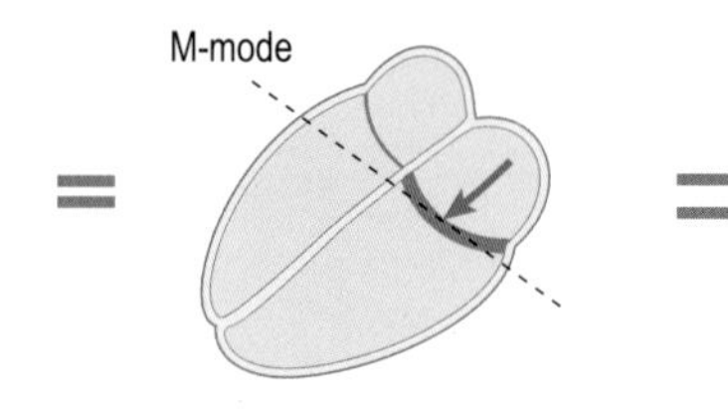

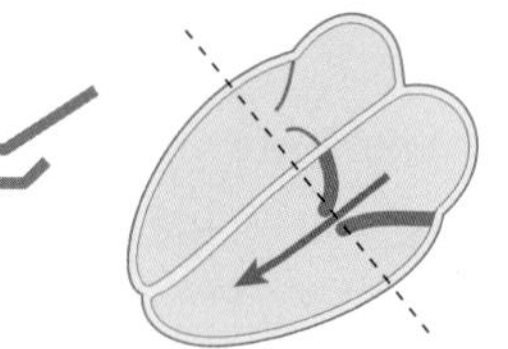

③ 두꺼운 MVL이 더 천천히 함께 뒤로 움직인다.

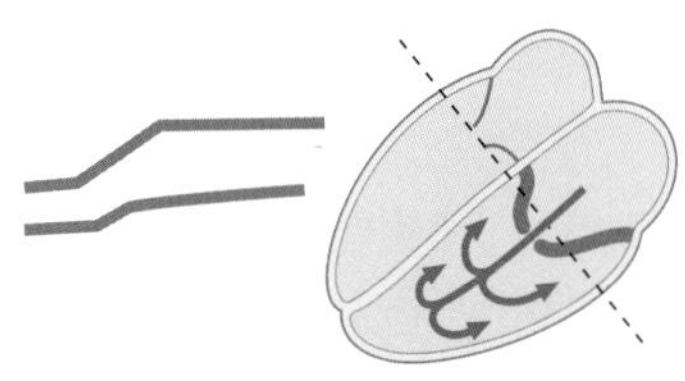
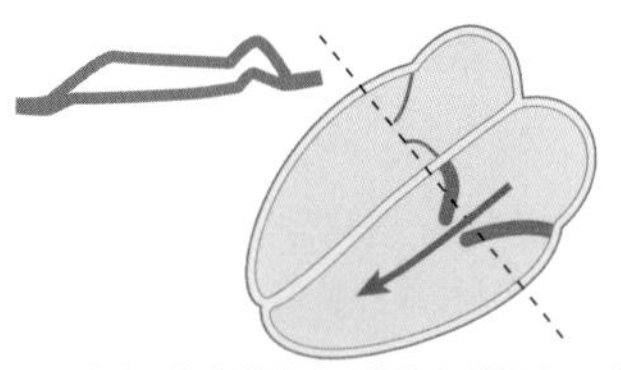

④ sinus rhythm에서 심방이 수축하면 제한된 MV가 좌심실 수축에 의해 닫히기 전에 다시 열린다.

⑤ AF

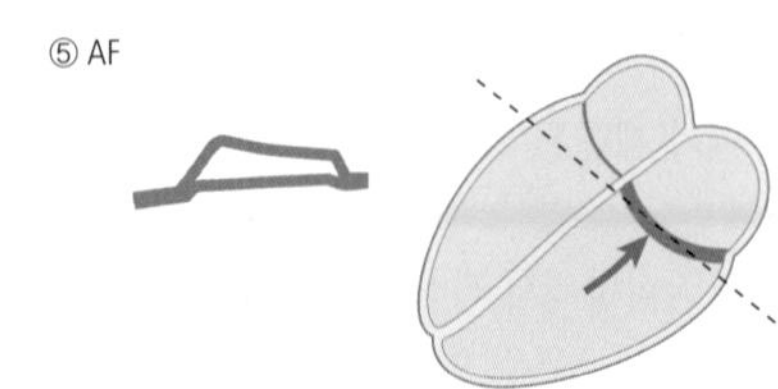

■ 그림 2.4 중증 MS.

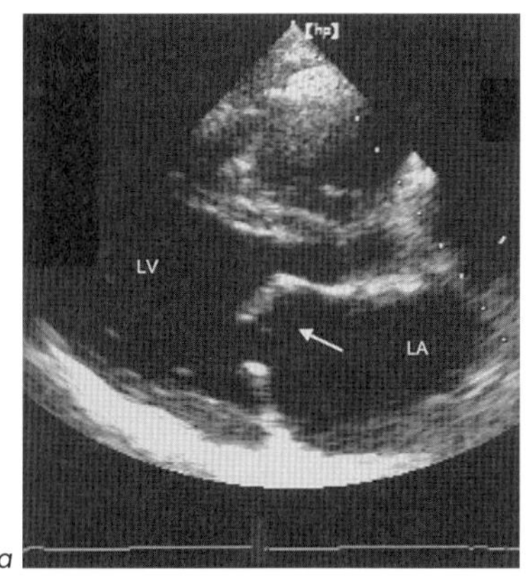

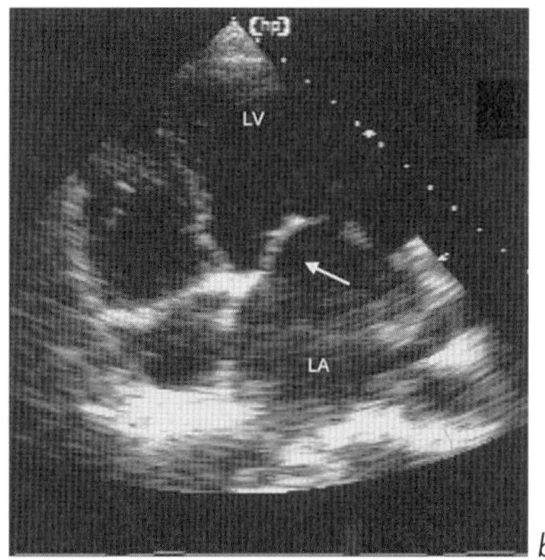

그림 2.5 **류마티스성 MS.** (a) PLAX (b) A4C. AMVL의 'elbowing(팔꿈치 모양)'이 보인다(화살표).

배의 돛에 바람이 채워지면서 불룩해지는 것처럼 보일 수도 있다. 좌심방 또한 커진다. 심초음파 장비의 컴퓨터는 확장기말에 MVL 높이의 PSAX의 정지영상에서 승모판 면적을 계산할 수 있다. 이 단면도에서 MVL은 '물고기입(fish-mouth)' 모양으로 열리고 닫힌다. MS에서 MVL의 끝은 석회화되고, 판구의 크기가 작아져서 개방이 제한된다. 승모판 면적(그림 2.7)은 도플러를 이용해서도 측정할 수 있다(3장 참고).

MS의 중증도에 따른 승모판 면적의 변화

- 정상 판막 4.0-6.0 cm^2
- 경도 MS 1.6-3.9 cm^2
- 중등도 MS 1.0-1.5 cm^2
- 중증 MS <1.0 cm^2

중증 MS의 진단 기준

- 측정된 승모판 면적 <1.0 cm^2
- 평균 압력차(mean pressure gradient) >10 mmHg
- 압력 반감기(pressure half-time) >200 ms
- 폐동맥 수축기압(pulmonary artery systolic pressure) >50 mmHg
  (MS의 중증도 기준은 표 2.1 참고)

많은 질환에서 각기 다른 전형적인 승모판의 M-mode 양상이 보인다(그림 2.8).

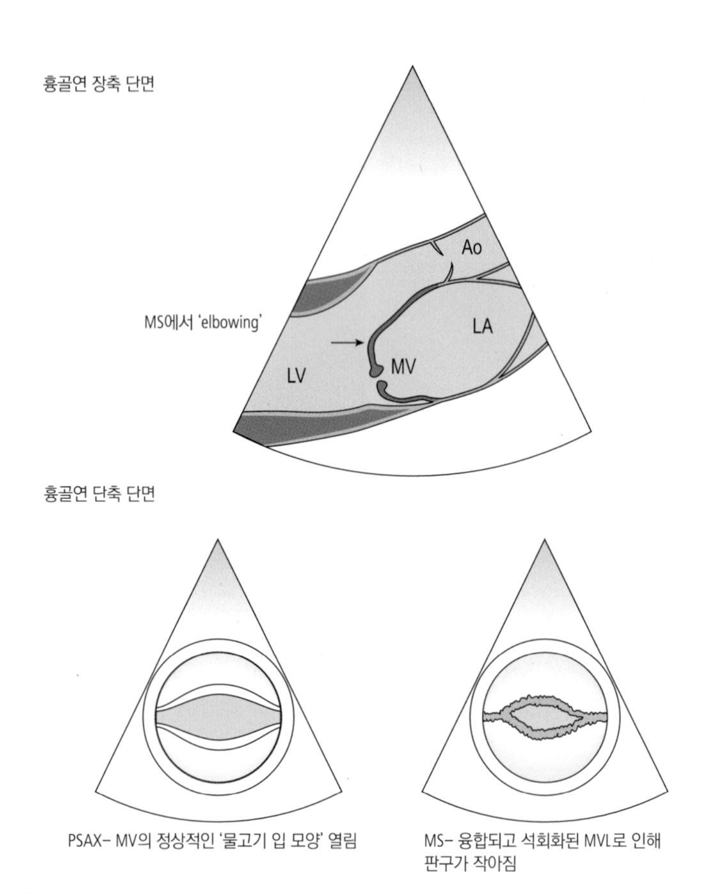

■ 그림 2.6 **MS의 2D 심초음파**

- 좌심방 점액종(myxoma). 특징적인 형태를 보인다. MVL 사이의 공간을 채우는 다중 에코 소견을 보인다. 초기에는 점액종이 좌심방에서 좌심실로 승모판을 통해 탈출함에 따라서 반사파로 채워지는 무에코 영역이 생길 수 있다. 비슷한 심초음파 양상의 잠재적 원인으로 큰 승모판의 증식물, 좌심방 혈전 또는 MV aneurysm이 있다.
- 비후성 심근병증(HCM). 이완기에 판막은 정상일 수 있다. 그러나 수축기에 모든 승모판 구조물이 앞쪽으로 이동하며 심실중격에 접촉하는 특징적인 형태가 보인다. 이 움직임을 승모판 수축기 전방운동(systolic anterior motion, SAM)이라 한다.
- 승모판 탈출증(MVP). 무증상이거나 다양한 정도의 MR을 유발할 수 있다. AMVL 또는 PMVL이 수축기 후기에 좌심방으로 탈출되고, 이것이 클릭소리와 수축기 후기 심잡음을 발생시킨다.
- 도리깨(또는 동요) 후엽(flail posterior leaflet). 퇴행성변화로 인한 건삭의 파열 또는 유두근 기능이상의 결과로 발생할 수 있다. PMVL은 정상적인 'W' 양상보다 불규칙한 움직임을 보인다.

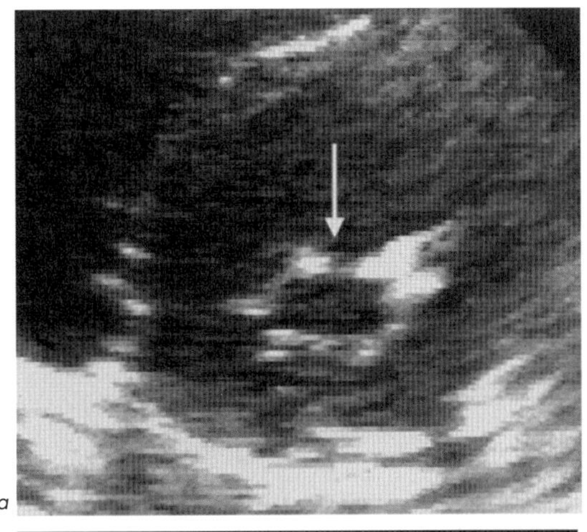

a

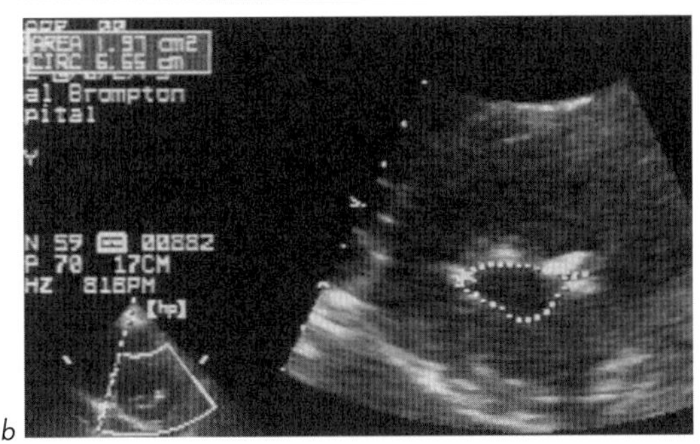

b

■ 그림 2.7 **류마티스성 MS.** (a) PSAX- 승모판구가 좁아짐(화살표), (b) 컴퓨터 소프트웨어로 계산된 승모판 면적은 1.9 cm^2이다.

표 2.1 MS의 중증도 평가(EAE/ASE 지침에 근거)

	경도	중등도	중증
판구 면적	〉1.5 cm^2	1.0 – 1.5 cm^2	〈1.0 cm^2
평균 압력차	〈5 mmHg	5 – 10 mmHg	〉10 mmHg
폐동맥 수축기압	〈30 mmHg	30 – 50 mmHg	〉50 mmHg

Based on data from Baumgartner H, Hung J, Bermejo J, et al. Echocardiographic assessment of valve stenosis: EAE/ASE recommendations for clinical practice. Eur J Echocardiogr. 2009;10:1-25.

- 대동맥판 역류(AR). 역류 제트는 이완기때 AMVL을 따라서 이동하며 MVL의 떨림을 유발하고, 정상적인 움직임을 방해한다. AR이 심해질수록 MV의 움직임은 더 제한을 받고, 이완기에 Austin Flint 심잡음을 일으키는 '기능성(functional, 또는 secondary)'

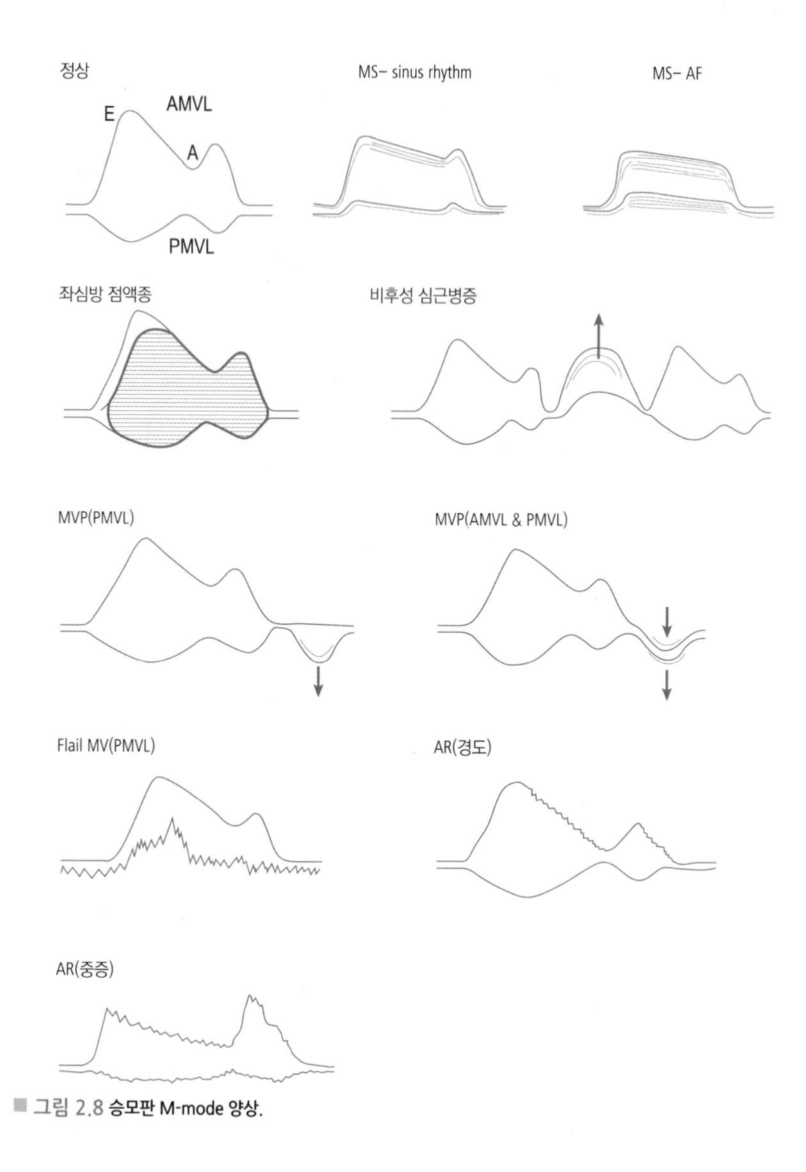

■ 그림 2.8 **승모판 M-mode 양상.**

MS(해부학적으로 정상 승모판)가 발생할 수 있다.

승모판 역류(Mitral regurgitation, MR)

MR은 비정상적으로 좌심실에서 좌심방으로 혈액이 흐르는 것을 의미한다. MR은 아주 경미한 것에서 매우 심한 것까지 있을 수 있고, 심한 MR에서는 각 심장 주기마다 좌심실 혈액량의 대부분이 대동맥이 아닌 좌심방으로 역류된다. 승모판이 닫혀 있을 때 정상인의 1/3까지 소량의 MR이 발견될 수 있다.

MR에서는 다음과 같은 변화가 생긴다.

- 승모판의 기능적인 변화
- 좌심실의 확장, 용적 과부하, 과역동성(stroke volume의 대부분이 좌심방으로 역류되기 때문에 심박출량을 유지하기 위함)
- 좌심방의 확장

심초음파 소견

- 혼란스러운 움직임을 동반한 flail MV, MVP, 증식물 같은 기저의 승모판 이상
- 급속한 좌심실 충만으로 인한 빠른 이완기 승모판 폐쇄
- 급속한 좌심실 충만으로 인해 확장된 좌심실(좌심실 크기는 예후와 관련 있음)
- 수축기에 중격과 후벽의 운동이 더 활발해짐
- 증가된 원주섬유 단축과 양호한 좌심실 기능
- 좌심방의 확장
- 도플러는 역류 제트의 크기와 위치를 보여줌.

심초음파를 통한 MR의 중증도 평가

MR의 진단은 쉬울 수 있지만(그림 2.9), 중증도 평가는 어려울 수 있다. 모든 심초음파 정보는 균형을 맞아야 한다. 중증도는 아래에 열거된 항목에 의해 결정되는 역류분획과 연관된다.

- 역류 판구의 크기
- 역류 판구가 열려있는 시간
- 좌심실과 좌심방 사이의 수축기 압력차
- 좌심방의 확장 여부/정도

중증의 만성 MR은 다음과 같은 특징이 있다.

1. 좌심실의 용적 과부하- 확장과 과역동성
2. 좌심방의 용적 과부하- 확장
3. 큰 역류 용적-넓은 역류제트가 좌심방 원위부까지 확장됨
4. 비정상 판막 기능

M-mode는 후벽과 심실중격의 운동 속도에 따라서 좌심실 크기가 커지는 것을 보여준다. 좌심방도 확장된다. 증식물이 여러 곳에 보이는 감염성 심내막염, MVP, 혹은 flail MV 등 MR의 기저원인도 찾아낼 수 있다.

2D 심초음파는 기저 원인을 밝혀내고, 그 결과를 평가하는데 도움이 된다. PLAX, PSAX와 A4C가 가장 유용하고, 다음과 같은 소견을 볼 수 있다.

1. 좌심실 이상- 판막륜의 신전을 유발하는 확장, 기능성 MR, 심근경색증 혹은 허혈 때문

만성 MR

1. MVL의 이상

- 류마티스성 심질환– 대개 MS와 연관됨
- MVP ('축 처진 승모판, floppy mitral valve')
- 심내막염
- 결체조직질환– Marfan 증후군, Ehlers–Danlos 증후군, pseudoxanthoma elasticum, 골형성부전증, SLE
- 외상
- 선천성– cleft MV, parachute MV

2. 판막륜 이상(둘레는 보통 10 cm)

- 좌심실의 기능이상으로 인한 확장(예: 확장성 심근병증 혹은 심근경색증 이후)– functional MR을 유발
- 판막륜 석회화– 원발성, 나이 들며 증가, 혹은 다른 상태(예: 고혈압, 당뇨병, AS, 비후성 심근병증, 부갑상선기능항진증, Marfan 증후군)와 연관

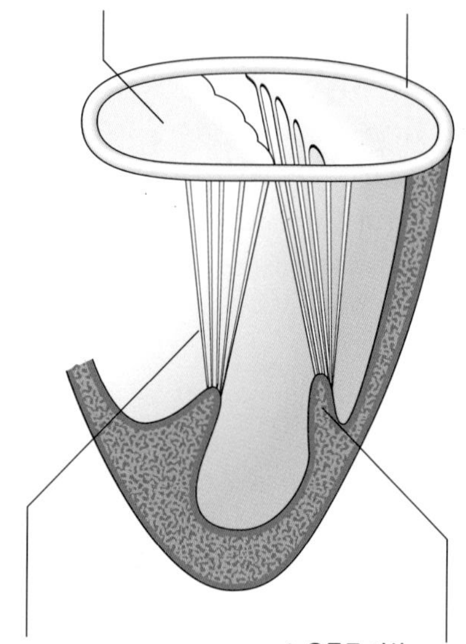

3. 건삭의 이상

(파열– PMVL을 더 흔하게 침범함)

- 원발성
- 심내막염
- 류마티스성 심질환
- 승모판 탈출증
- Marfan 증후군
- 골형성부전증

4. 유두근 이상

- 허혈 혹은 경색
- 좌심실 확장
- 류마티스성 심질환
- 비후성 심근병증
- 침윤– 사르코이드, 아밀로이드
- 심근염

급성 MR

- 급성 심근경색증(유두근 기능장애 혹은 경색)
- 심내막염
- 건삭의 파열

■ 그림 2.9 **MR의 원인**

에 발생한 국소 벽 운동장애, 용적 과부하

2. MVL 이상- 류마티스성 MVL, 심내막염 때문에 발생한 증식물, MVP, flail MV
3. 건삭- 파열, 비후, 단축, 석회화, 증식물

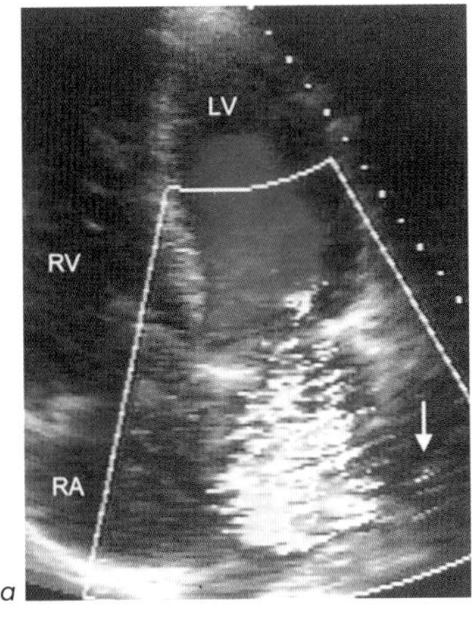

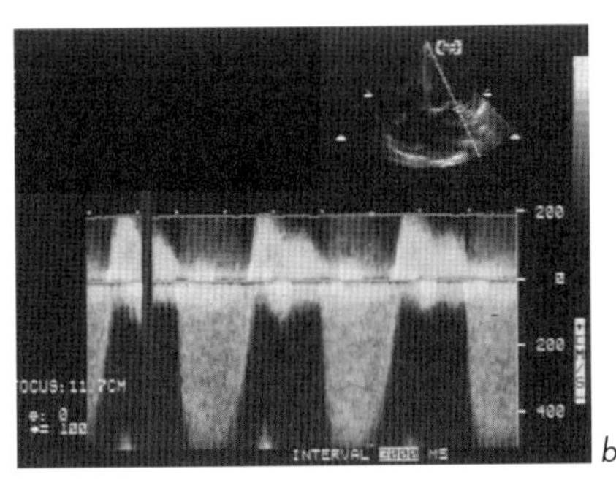

■ 그림 2.10 중증 MR. (a) 색 혈류 지도가 폐정맥(화살표)으로 퍼지면서 좌심방을 채우는 넓은 제트를 보여준다. (b) 연속파 도플러

4. 유두근- 파열, 비대, 반흔, 석회화

중증 MR의 도플러 심초음파 특징(**그림 2.10, 5.6**):

1. 넓은 제트. MVL의 tip level에서 MR 제트의 폭은 중증도과 연관된다(더 넓은 제트가 더 심한 MR을 의미함). 역류판구 또는 역류판구의 직하방에서 나타나는 가장 좁은 혈류의 직경을 vena contracta라고 부른다.
2. 제트가 좌심방의 많은 부분을 채운다. 좌심방 공간을 채우는 MR 제트의 크기가 또한 MR 중증도의 기준이 된다. 좌심방 안의 color area는 장비의 설정에 따라 달라질 수 있어, 논란이 될 수 있지만 대개 10 cm^2 보다 크면 중증이고, 4 cm^2 보다 작으면 경도로 분류된다.
3. 폐정맥에서 수축기 혈류의 역전. 역류제트가 폐정맥까지 확장된다. 이는 색 혈류 지도에서 확인되고, 폐정맥중 한 곳에 표본 용적(sample volume)을 놓고, 간헐파 도플러로 좌심방에서 폐정맥으로의 역행 혈류를 관찰할 수 있다.
4. 연속파 도플러에서 짙은 신호. 제트의 강도는 MR이 심할수록 커지는데, 이는 더 많은 적혈구들이 초음파를 반사하기 때문이다.
5. 폐동맥압 상승. TR에서 도플러로 측정할 수 있다(3장 참고).

중증 급성 MR(예를 들어 급성 심근경색증에서 유두근 파열 때문에 발생)에서는 위와 같은 심초음파 특징들이 나타나지 않을 수 있다. 좌심실과 좌심방의 확장이 나타나기에는 시간이 짧다. 최근에 발생한, 정상 크기의 좌심방으로 향하는, 좁고 높은 속도의 MR 제트는 좌심방 압력을 의미 있게 높이고, 호흡곤란 같은 증상과 급성 폐부종 같은 징후를 유발한다.

MR 중증도를 어떻게 평가할 것인가에 관한 미국심초음파학회(ASE) 지침을 표 2.2에 제시하였다(2003년 지침을 바탕으로 제시한 표로서 2017년 일부 개정되었으므로 참고 바람 - 역자 주).

표 2.2 MR 중증도(ASE 지침에 근거)

	경도	중등도	중증
Vena contracta 직경*	<0.3 cm	0.3 – 0.7 cm	>0.7 cm
역류 용적	<30 mL	30 – 59 mL	>60 mL
역류 분획	<30%	30 – 49%	>50%
역류 판구 면적	<0.2 cm^2	0.2 – 0.39 cm^2	>0.4 cm^2
PISA radius**	<0.4 cm	0.4 – 1.0 cm	>1.0 cm
색 혈류 제트 면적	<4 cm^2 또는 좌심방 면적의 <20%	4 – 10 cm^2 또는 좌심방 면적의 20 – 40%	>10 cm^2 또는 좌심방 면적의 >40% (또는 좌심방 벽을 싸고도는 소용돌이)
폐정맥 혈류	Normal systolic dominance	Systolic blunting	Systolic reversal
폐고혈압	정상	May be present	Often present
연속파 도플러	진하지 않음	진함. 대개 둥근 형태	진함. 수축기 초기에 최대에 도달하는 삼각형 형태
승모판 유입 도플러	Dominant A, may be mitral E<A	다양	Dominant E, never mitral E<A
좌심실 크기	정상	정상 또는 확장	대부분 확장
좌심방 크기	정상	정상 또는 확장	대부분 확장

*Vena contracta는 역류 판구 또는 그 직하방에서 보이는 제트의 가장 좁은 직경이다. 이것은 특징적으로 속도가 빠른 층류(laminar flow)이고, 경계 효과 때문에 해부학적 역류판구보다 약간 작다. 단면적은 유효 역류 판구 면적(effective regurgitant orifice area, EROA)을 의미하고, 이는 실제 혈류의 가장 좁은 면적이다. 역류 판구의 직경은 혈류속도(flow rate)와 운전 압력(driving pressure)과 무관하고, 색 혈류 도플러로 측정할 수 있다. Vena contracta 너비의 작은 수치(대개는 1 cm 미만) 때문에 측정의 작은 오류가 큰 비율의 오류와 역류 중증도의 오판으로 이어질 수 있다. 그러므로 정확한 측정을 통해 값을 얻는 것이 중요하다.

**PISA = proximal isovelocity surface area. Aliasing velocity를 set at 40 cm/s로 조정하여 측정한다.(3.2장 참고) Based on data from Zoghbi WA, Enriquez-Sarano M, Foster E, et al. Recommendations for evaluation of the severity of native valvular regurgitation with two-dimensional and Doppler echocardiography. J Am Soc Echocardiogr. 2003;16:777-802.

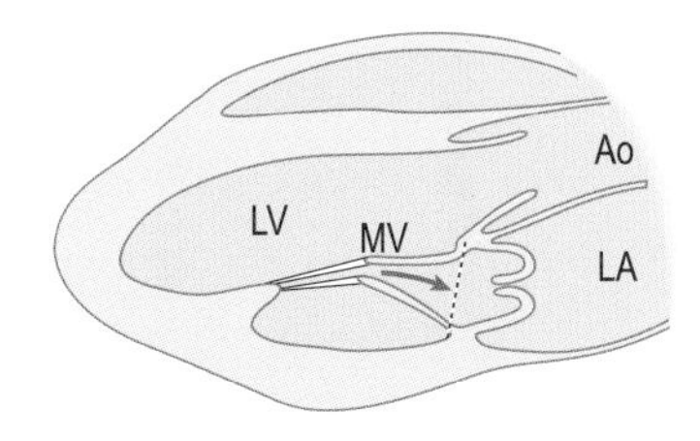

■ 그림 2.11 **AMVL와 PMVL의 탈출.**

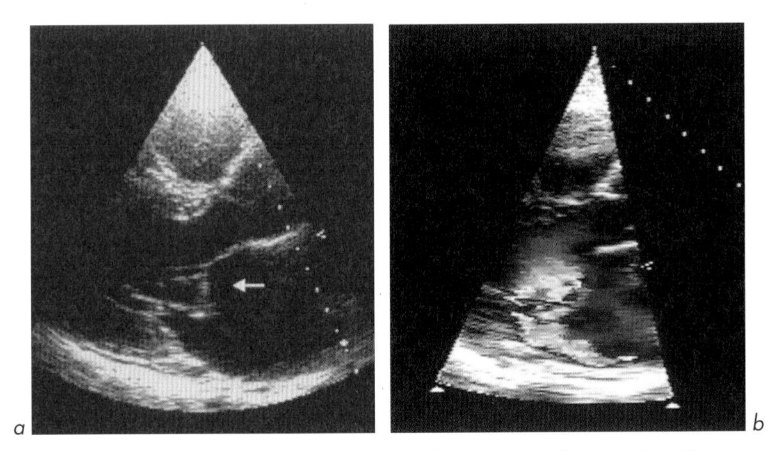

■ 그림 2.12 **PSAX에서 AMVL의 탈출(화살표).** 이것은 좌심방의 후벽으로 치우친 MR 제트를 유발한다.

승모판 탈출증(mitral valve prolapse, MVP)

MVP는 인구의 5%까지 영향을 주는 흔한 질환으로 다양한 임상양상을 보인다(**그림 2.11, 2.12, 5.10**). MVP는 '축 늘어진(floppy)' 혹은 '부풀어 오르는(billowing)' MV로도 알려져 있다. 클릭음이 들리는 정도부터 중증 MR까지 나타날 수 있다. 독립된 소견으로 보일 수도 있고, Marfan 증후군, secundum ASD, Turner 증후군, Ehlers-Danlos 증후군 또는 다른 콜라겐 질환과 연관되어 나타날 수도 있다. MVL에 다른 조직이 달려 있거나, 건삭까지 늘어나 있을 수 있다. 환자들은 종종 비전형적인 비협심증성 흉통과 두근거림을 호소한다. 심내막염의 위험도 높아질 수 있다. 예방적 항생제의 사용에 대해서는 다소 논란이 있고, 국가별 지침에 따라 차이가 있지만 모든 치과 치료와 수술시에 투여하는 것을 고려해 볼 수 있다. MR의 악화, 색전증, 부정맥, 돌연사와 같은 합병증도 생길 수 있다.

특징적인 M-mode와 2D 심초음파 소견을 보인다. 심초음파의 장축 단면도에서 MVL의 일부가 수축기에 판막륜의 면보다 위쪽으로 움직이는 것으로 진단이 가능하다.

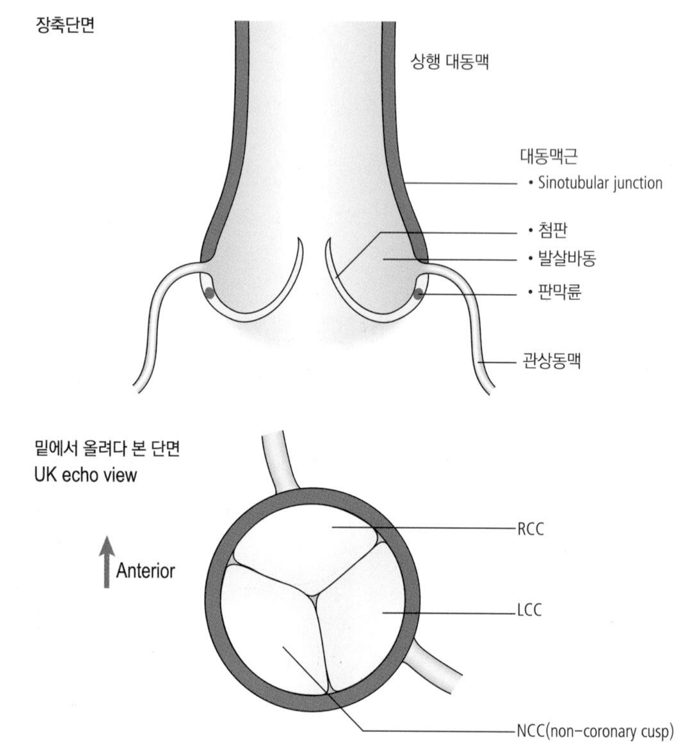

■ 그림 2.13 **대동맥판과 대동맥근.**

2.2 대동맥판(Aortic valve, AV)

대동맥판은 좌심실 유출로와 상행대동맥의 연결부위에 위치한다. 3개의 첨판이 판막륜(일부는 섬유조직이고, 일부는 근육으로 되어 있음)에 붙어있다. 한 개의 첨판은 전(우)벽(right cusp)에 위치하고, 다른 두 개의 첨판은 후벽(left cusp, posterior cusp)에 위치한다. 각 첨판 뒤에 있는 대동맥벽이 돌출되어 발살바동(sinus of Valsalva)을 형성한다. 관상동맥은 대동맥동에서 기시한다(RCA- anterior aortic sinus, LCA- left posterior aortic sinus)**(그림 2.13)**.

대동맥판은 M-mode, 2D와 도플러 기법으로 평가할 수 있다. PLAX에서 2D 영상으로 대동맥 첨판의 개폐를 확인할 수 있고, M-mode 검사도 가능하다**(그림 1.13b, 2.14)**.

대동맥 첨판은 이완기에 폐쇄선을 중심부에 형성한다. 수축기에 첨판은 열리고, 수축기말에 대동맥압이 좌심실압보다 커지면 다시 닫혀서 평행사변형 모양을 만든다. 드물게 좌관상동 첨판(left coronary cusp, LCC)의 초음파 신호가 평행사변형 내에서 보일 수 있다. 좌심실 박출시간은 첨판이 열리는 시점부터 닫히는 시점까지의 시간으로 측정할 수 있다. M-mode 영상에서 대동맥근의 직경과 좌심방 직경을 측정할 수 있다.

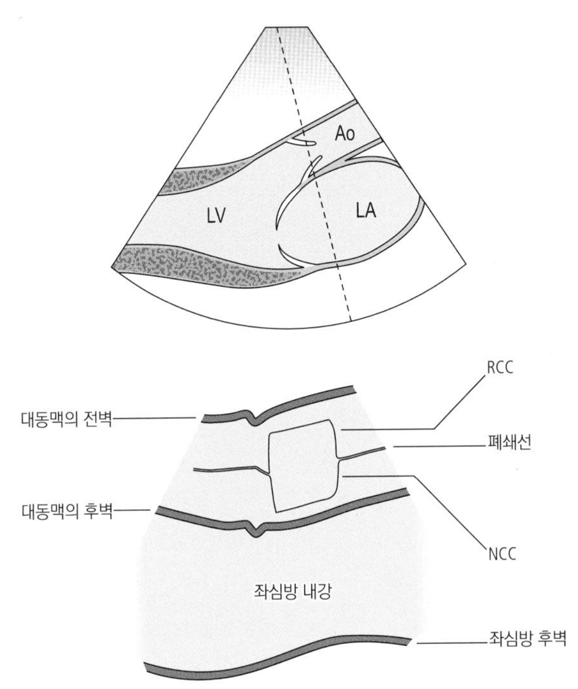

■ 그림 2.14 **대동맥판과 좌심방 높이에서 M-mode.** NCC: 비관상동 첨판, RCC: 우관상동 첨판

대동맥판의 움직임에 있어 몇 가지 비정상 양상이 M-mode에서 관찰될 수 있다(**그림 2.15**).

- 이첨 대동맥판(bicuspid aortic valve, BAV). 선천성 이상으로 인구의 1~2%에서 발생하고, 정상적으로는 첨판이 분리되지만 대개 앞쪽이나 뒤쪽으로 치우친 폐쇄선(raphe)이 있다. 많게는 15%까지 폐쇄선이 중앙에 있다. 한쪽으로 치우친 폐쇄선은 대동맥하 VSD나, 우관상동 첨판(right coronary cusp, RCC) 탈출이 있다면 정상적인 삼첨 대동맥판에서도 생길 수 있다. 2D 심초음파(특히 AV 높이에서 PSAX)는 이첨과 삼첨 대동맥판을 구별하는데 도움이 되지만 판막이 심하게 석회화되면 구별이 어렵다. BAV는 AS의 중요한 원인이고, 대동맥 축착 같은 선천성 이상과 동반될 수 있다.
- 석회화된 AS. 대개 수축기와 이완기에 걸쳐 강한 초음파 신호가 보이고, 첨판의 움직임이 잘 관찰되지 않는다.
- 증식물. 직경이 2 mm 이상이면 초음파로 관찰할 수 있다(경식도 심초음파로는 더 작은 증식물도 보일 수 있다 [5.1장 참고]). 증식물은 대개 이완기에 여러 형태의 초음파 신호로 보이고, 증식물이 크면 수축기에도 보인다. 석회화된 AS와 구별하는 것이 M-mode에서는 어려울 수 있다.
- 섬유근육 고리(대동맥하 협착). 수축기에 즉각적인 대동맥판의 폐쇄가 우관상동 첨판에서 잘 보인다. 첨판이 수축기에 완전히 열리지 않는 것이 2D 심초음파에서 가장 잘

정상

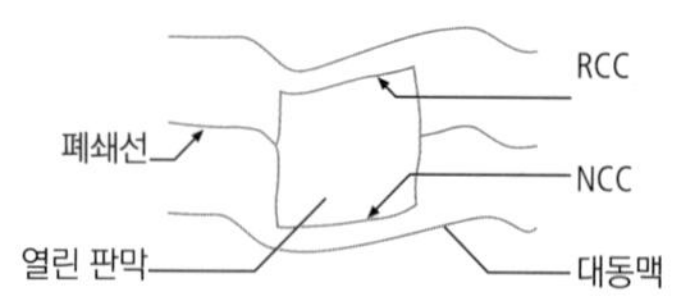

이첨 대동맥판

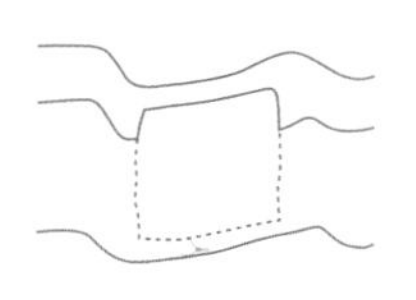

석회화된 AS

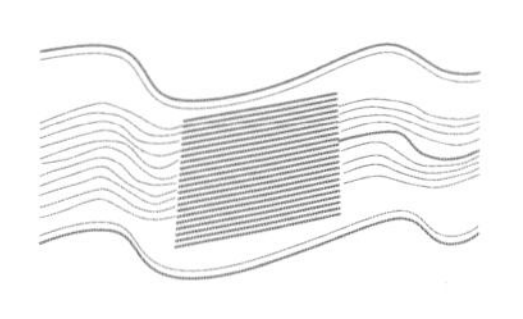

대동맥판의 증식물

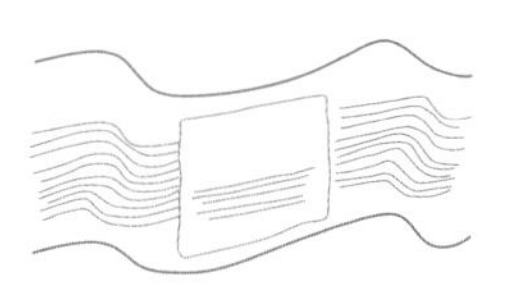

대동맥하 협착-섬유근육 고리

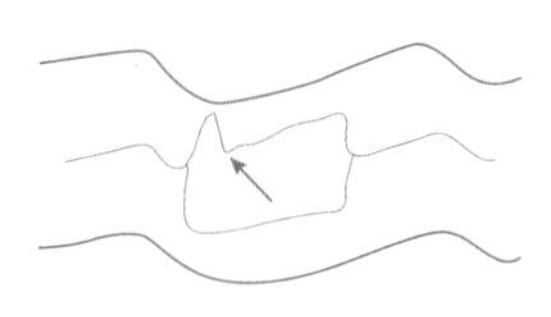

비후성 심근병증

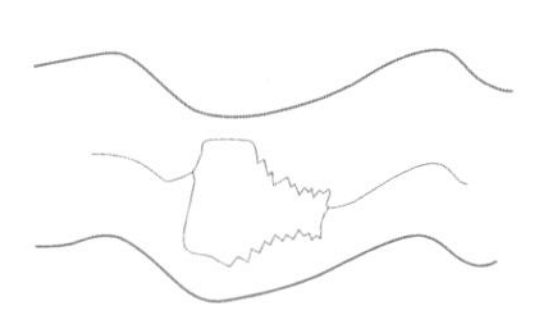

인공판막(St. Jude)

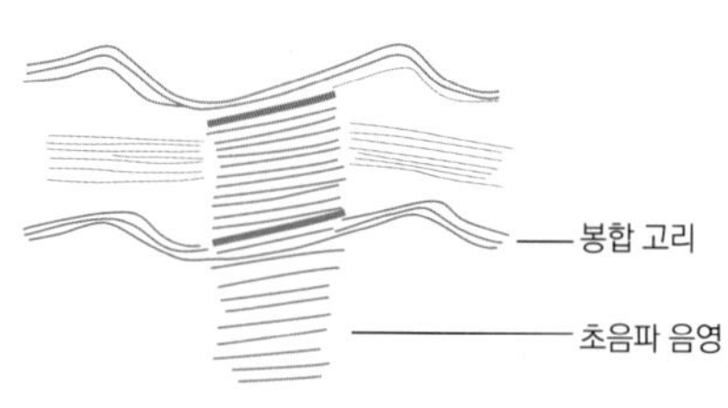

■ 그림 2.15 **대동맥판의 M-mode 형태.**

보인다.

- 비후성 심근병증. 대동맥판의 조기 폐쇄는 심실중격과 AMVL이 만날 때 좌심실 유출로가 폐쇄되면서 수축기 중기에 발생한다.
- 인공 대동맥판. 다른 유형의 판막이 봉합 고리, 공 혹은 디스크 같은 여러가지 모양으로 보인다(6장 참고).

대동맥판 협착(Aortic stenosis, AS)

AS는 3부위(판막, 판막하부 또는 판막상부)에서 일어난다.
판막성 AS에는 3가지 주요 원인이 있다.

1. 류마티스성 심질환. 드물게 2%에서 대동맥판에만 독립적으로 생기고, 대개는 승모판 질환과 동반된다.
2. 나이 증가와 연관된 석회화(퇴행성) AS. 서구 국가들에서 가장 흔한 원인. 대동맥판의 경미한 비후는 65세 이상 인구의 20%, 75세 이상 인구의 40%에서 보이고, 더 진행할 수 있다. 대동맥판 경화(aortic sclerosis)는 대부분 양성 경과를 의미하기 때문에 피해야 하는 용어이다.
3. 선천성 BAV(인구의 1~2%) BAV는 AS가 있는 중년 인구의 40%에서 나타나고, AS가 있는 노년 인구의 80%에서 보인다.

판막하부 AS. AV의 근위부가 좁아져 발생한다.

1. 판막하 막(subaortic membrane)
2. 비후성 심근병증
3. 터널형 판막 하부 폐쇄
4. 상부중격돌출(Upper septal bulge). 대개 노인에서 섬유화와 비후 때문에 발생하고, 드물게 폐쇄를 유발한다.

판막상부 AS. Williams 증후군(고칼슘혈증, 발달지연, 학습장애와 인지 이상이 나타남) 같은 일부 선천성 질환에서 발생한다.

중증 AS의 임상적 근거

심초음파는 AS 중증도 평가에 있어 중요한 역할을 한다. 그러나 중증 AS를 시사하는 중요한 임상적 특징이 있음을 기억해야 한다.

아래 언급된 생리학적으로 예측되는 증상과 징후들을 기억하는 것이 도움을 줄 것이다.

중증 AS의 증상 – 5 A's

1. 무증상(Asymptomatic)- AS는 종종 우연히 발견된다.
2. 협심증(Angina)- 정상 관상동맥에서도 좌심실의 산소 요구량, 심실 벽 스트레스 증가, 좌심실비대와 공급-수요의 불균형 때문에 발생함.
3. 부정맥(Arrhythmia)- 두근거림을 유발한다.
4. 무의식 발작(Attack of unconsciousness), 즉 실신. 부정맥이나 좌심실 유출로 폐쇄 때문에 발생하지만 언제나 판막사이의 압력차 때문에 발생하지는 않는다.
5. '심장성 천식(cardiac asthma)', 즉 좌심실 이완기압 상승으로 발생하는 호흡곤란으로 실제로 천식은 아니다. 중증 AS에서 진행 과정 후기에 좌심실 부전 때문에 폐부종이 발생하여 기관지 연축과 천명음을 유발할 수 있고, 종종 치명적인 결과를 낳는다.

중증 AS의 징후 – 4 S's

1. 느리게 상승하는 맥박(Slow-rising pulse)- 좌심실 유출로의 폐쇄 때문에 발생한다.
2. 낮은 수축기 혈압(Systolic blood pressure low)- 좌심실 유출로의 폐쇄 때문에 발생한다.
3. 지속된 심첨부 박동(Sustained apex beat)- 압력 과부하로 인한 좌심실비대 때문에 발생

한다. 외적인 심장크기는 증가되지 않고, 내적으로 비대해져서 심첨부는 전위되지 않는다.

4. 제2심음 이상(Second heart sound abnormalities)- AS의 중증도에 따라서 부드럽고, 짧은 splitting, 단일 P2 심음, 역전된 splitting(흡기시 역설적으로 A2-P2 splitting이 더 짧아짐)이 발생할 수 있고, 좌심실 박출시간, 대동맥 첨판의 운동성에 영향을 준다.

※ 한 가지 기억해야 할 매우 중요한 사실: AS의 중증도는 심잡음의 크기와는 관련이 없다. 경미한 협착이 있는 판막에서 발생하는 와류(turbulent flow)는 매우 큰 심잡음을 유발한다. 반대로, 매우 심한 협착이 있는 판막에서는 혈류가 크게 줄어들어 매우 부드러운 심잡음이 들리게 된다.

AS의 심초음파 특징

AS의 M-mode 특징은 앞에서 언급되었다. PLAX, PSAX, A5C를 이용한 2D 심초음파에서 다음의 특징들이 있다.

1. 첨판이 두꺼워지고, 석회화되며, 운동성이 줄어들거나 'dome' 형태가 된다(일반적으로 후자가 AS의 진단적인 특징이다)
2. 압력 과부하로 좌심실비대가 관찰될 수 있다.
3. 심부전 발생시 좌심실이 확장된다(일반적으로 나쁜 예후인자).
4. Post-stenotic 대동맥 확장이 관찰될 수 있다.

도플러는 대동맥판을 가로지르는 압력차를 측정해서 AS의 중증도를 결정하는 데 있어 매우 유용하다(**그림 2.16**). 판막 면적은 연속 방정식(continuity equation)을 사용하여 계산

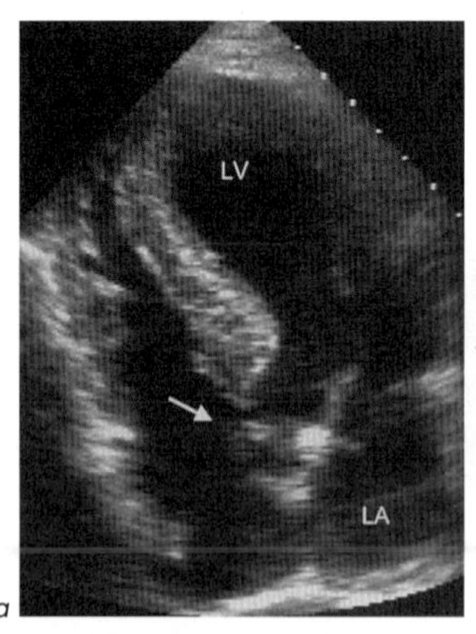

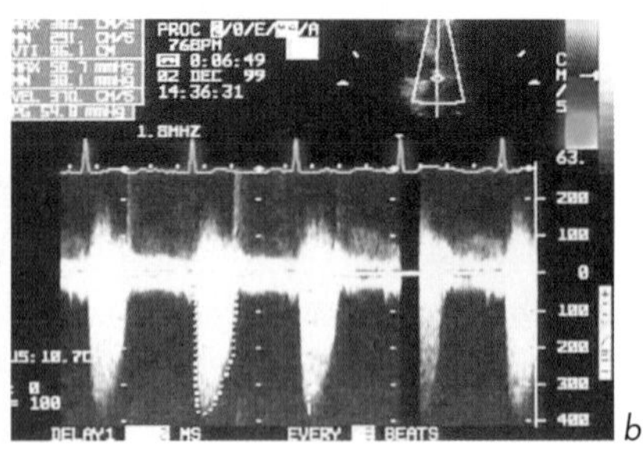

■ **그림 2.16 석회화된 AS** (a) 석회화된 대동맥판(화살표)가 A5C에서 보인다. (b) 연속파 도플러가 최고속도 3.7 m/s (최대 압력차 54 mmHg)를 보여준다.

표 2.3 AS 중증도별 특징- EAE/ASE 지침에 근거

	판막 면적(cm^2)	판막 면적 지수(체표 면적 보정, cm^2/m^2)		
정상	3.0–4.0	1.8–2.4		
경도	1.6–2.9	>0.85		
중등도	1.0–1.5	0.6–0.85		
중증	<1.0*	<0.6		
	최대속도 (m/s)	속도비 †	최대 압력차 (mmHg)	평균 압력차 (mmHg)
정상	1.0–2.5**	1.0	<10	<10
경도	2.6–2.9	>0.5	27–35	<20‡ (<30§)
중등도	3.0–4.0	0.25–0.5	36–64	20–40‡ (30–50§)
중증	>4.0	<0.25	>64	>40‡ (>50§)

Indexed valve area; 판막면적지수, BSA; 체표면적
*일부 기관에서는 0.75 cm^2 미만을 중증으로 분류한다. **2.5 m/s 이하는 aortic sclerosis를 의미한다. †좌심실 유출로의 최고속도와 대동맥판 최고속도의 비율. ‡AHA/ACC 지침; §ESC 지침. Based on data from Baumgartner H, Hung J, Bermejo J, et al. Echocardiographic assessment of valve stenosis: EAE/ASE recommendations for clinical practice. Eur J Echocardiogr. 2009;10:1-25.

한다(3장 참고).

AS의 중증도는 판막 면적, 최고 속도, 최대 압력차, 평균 압력차(일반적으로 최대 압력차보다 더 정확하다)와 연관성이 있다(표 2.3).

대동맥판 압력차는 심박출량에 따라 다르다. 빈혈과 같은 고박출 상태에서는 과대평가되고, 수축기 심부전 같은 저박출 상태에서는 과소평가된다. 이러한 경우 연속 방정식이 도움이 된다(3.2 장).

외과적 중재(판막 치환술)

적응증은 다음과 같다.

- 중증 AS(최대 압력차 >64 mmHg, 평균 압력차 > 40 mmHg)
- AS 중증도가 심하지 않아도 실신 같은 증상을 동반한 경우
- 좌심실 수축기능 이상을 동반한 중증 AS
- 중등도 또는 중증 AS 환자가 다른 심장수술(예: 관상동맥 우회로 수술)을 받는 경우
- 증상이 없는 중증 AS에서 과격한 신체 활동 혹은 임신이 예상되는 경우

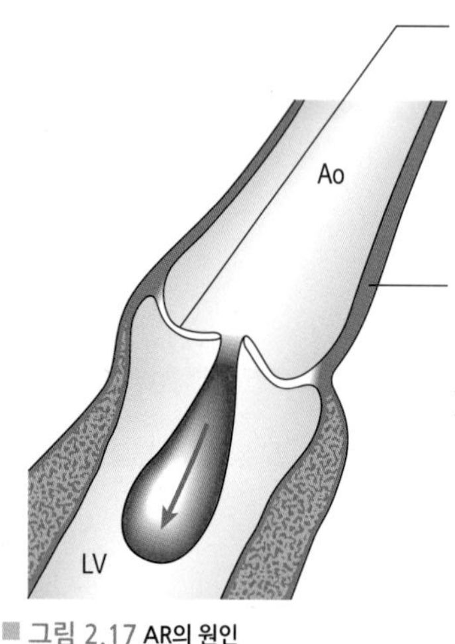

만성 AR

1. 판막성
- 심내막염
- 류마티스성 심질환
- 선천성- 이첨 판막, 판막하부 협착, 판막상부 협착
- 결체조직질환, 염증성 질환- 류마티스 관절염, SLE, 크론병, 강직성 척추염, Whipple 병

2. 대동맥근 질환
- 확장- Marfan 증후군, 고혈압, Ehlers-Danlos 증후군, pseudoxanthoma elasticum, 대동맥염
- 비틀림- 대동맥 박리(1형, 2형), 매독, 강직성 척추염, Reiter 병, 발살바동 동맥류 파열

급성 AR
- 심내막염
- 대동맥 박리
- 외상

■ 그림 2.17 **AR의 원인**

대동맥판 역류(Aortic regurgitation, AR)

이완기에 대동맥에서 좌심실로 혈액이 역류하는 질환이다(그림 2.17).

AR의 심초음파 진단

모든 심초음파 기법은 AR의 진단과 평가에 유용하다. 특히 도플러와 색 혈류 지도가 도움이 된다. M-mode와 2D 심초음파는 AR을 직접 진단하는 데 쓰이지는 않지만 대동맥근 확대, BAV 같은 기저 원인을 보여주고, 좌심실 확대 같은 AR의 영향을 평가하는 데 도움이 된다.

M-mode 소견

- 대동맥판의 증식물
- 이완기에 대동맥판 첨판의 떨림(fluttering, 예: 심내막염 혹은 퇴행성 변화로 인한 파열)
- BAV의 치우친 폐쇄선
- 대동맥근의 확대
- AMVL의 떨림
- 좌심실 이완기말 압력(LVEDP) 상승으로 인한 대동맥판의 조기 개방과 승모판의 조기 폐쇄. 둘 다 중증 AR을 나타낸다.
- 용적 과부하로 인한 좌심실 내강의 확대
- 좌심실 중격과 후벽의 과장된 벽운동(심실중격의 과장된 조기 하강은 AR을 강하게 시

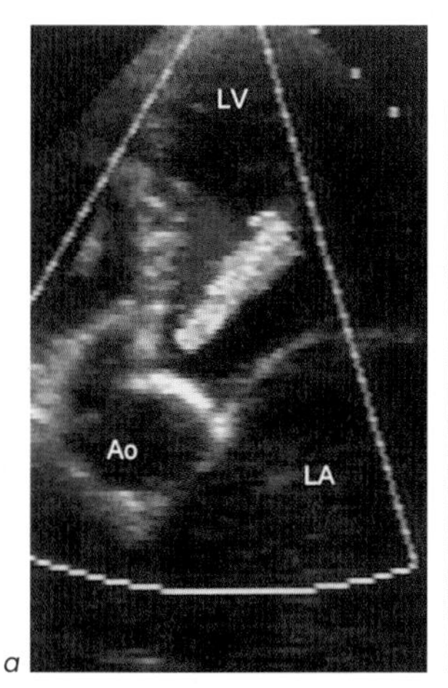

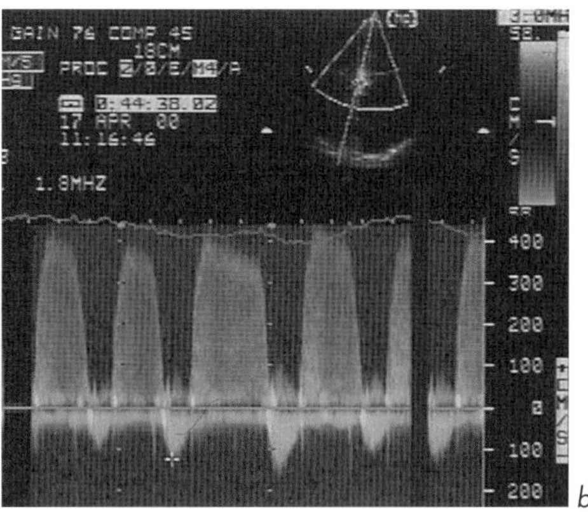

■ 그림 2.18 **경도의 AR.** (a) 색 혈류 지도에서 좌심실 내강으로 짧은 거리를 역류하는 좁은 제트를 보여주는 확대된 A5C. (b) 연속파 도플러. AF에서 박동간 변동성(beat-to-beat variation)을 보인다.

사함).

2D 심초음파 소견

- 좌심실 확장- AR의 중증도와 연관됨
- 비정상적 대동맥 첨판(이첨, 류마티스성 판막)
- 증식물
- 대동맥근 확대
- 근위부 대동맥 박리
- AMVL의 비정상적 눌림 자국
- 비정상적인 심실중격의 움직임

도플러

AR을 감지하고 중증도 평가에 있어 유용하다. 색 혈류 지도가 도움이 된다. AR 제트는 PLAX와 A5C 같은 여러 단면에서 좌심실 내강으로 들어가는 것이 보인다. 간헐파 도플러는 A5C에서 표본 용적을 대동맥판의 바로 위쪽에 두고 검사한다. AR은 기준선 위의 신호(탐촉자 방향으로 다가오는 신호)로 감지되지만 AR 속도는 대개 2 m/s보다 빠르고, 신호 뒤바뀜(aliasing)이 발생한다. 이 때는 연속파 도플러가 유용하고, 신호가 기준선 위로 보인다(그림 2.18).

이 때 2가지 복잡한 요소가 있다.

1. AR 제트가 한쪽으로 치우쳐 있다면 놓칠 수도 있다. 색 혈류 지도는 역류 제트를 발견하고, 간헐파 표본 용적을 위치시킬 때 도움이 된다. 표본 용적은 여러가지 단면도에서

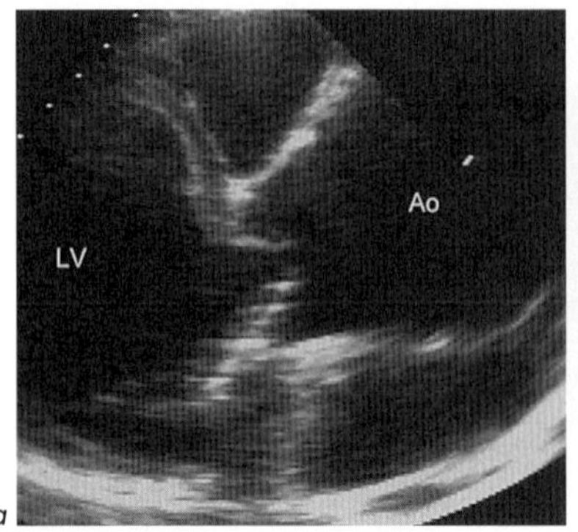

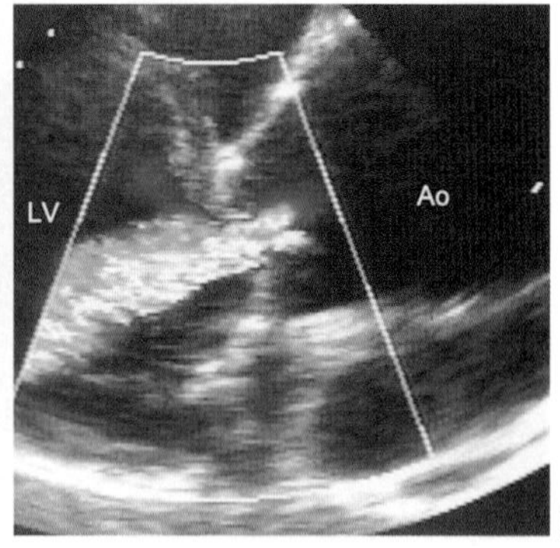

■ 그림 2.19 **대동맥근의 동맥류성 확장에 의한 중증 AR. PLAX.**

전체 좌심실 유출로를 따라 조정할 수 있다.

2. AR 제트는(특히 A5C에서) 빠른 속도의 MS 제트와 구별이 어렵다(2개의 제트가 동시에 관찰된다).

색 혈류 지도로 두가지 제트를 확인할 수 있고, 간헐파 도플러는 좌심실 유출로와 승모판 부위를 따로 보여주는 데 사용한다. AR의 연속파 도플러는 2 m/s 이상의 높은 최고 속도로 이완기 초기에 시작해서 이완기 내내 지속되는 속도 신호를 보여준다. MS는 대개 2 m/s 미만의 최고 속도로 이완기 중간에 속도 신호를 만들어낸다.

AR의 중증도 평가

MR과 마찬가지로 AR의 중증도 평가는 간단하지 않다. 몇가지 심초음파 기준이 사용된다.

1. 좌심실에 미치는 영향
2. 판막을 통해 역류되는 혈액의 용적
3. 대동맥과 좌심실 사이의 압력차, 압력 하강 속도

M-mode와 2D 심초음파는 중증의 AR과 좌심실 확장을 보여준다. 증상이 있으면서 LV가 점차 늘어나거나, 좌심실수축기말 내경(LVESD)이 5.5 cm을 초과하는 경우에는 수술적 치료의 적응증이 된다. 도플러는 중증의 AR(그림 2.19)을 확인하는 데는 매우 유용하지만 경도와 중등도의 AR을 구분하는 데는 적당하지 않다. 간헐파 도플러를 이용하여 표본 용적을 좌심실 내강 안의 여러 위치에 놓고, AR 제트가 좌심실 내강 안쪽으로 얼마나 멀리 도달하는지 관찰하여 반정량적 방법으로 중증도를 평가할 수 있다. 이는 실제로 많이 쓰이는 방법으로, 경도 AR은 역류제트가 AV 부위에 국한되고, 중등도 AR은 좌심실 유출로와 유두근 상부의 승모판 높이 사이에 위치하며, 중증 AR은 심첨부까지 확장된다. 이것은 개략적인 접근법으로 경도의 AR이라 하더라도 좁은 제트가 좌심실 내강 안으로 길게 확장될 수 있고, 심한 AR이어도 매우 넓거나 한쪽으로 치우친 제트는 좌심실까지 퍼지

지 않을 수도 있다. 색 혈류 지도에서 대동맥판 직하방의 AR 제트 폭은 중증도를 나타낸다. 첨판 높이에서 제트의 폭이 대동맥 폭의 60%를 초과하면 대개 중증이다. AR의 정지 영상에서 면적계(planimetry)를 이용해 제트의 단면적을 계산할 수 있다. A5C에서 좌심실 내강으로의 AR 제트의 길이 또한 중증도를 나타낸다(제트의 길이가 길수록 더 심한 AR).

연속파 도플러를 이용하여 AR 도플러 신호의 감속률 경사와 신호 강도(신호가 강할 수록 더 심한 AR)로 중증도를 평가할 수 있다. 이 내용에 대한 기초는 3장에 기술되었다. 대동맥궁에서 확장기 혈류 역전이 있다면 중증 AR을 의미한다.

급성 MR과 마찬가지로 급성 AR(예: 판막이 파괴된 심내막염, 상행대동맥 박리, 외상)에서는 중증 AR의 심초음파 특징들이 전부 나타나지 않을 수도 있다. 좌심실 내강이 확장될 시간이 없어, 좌심실로 들어가는 상대적으로 적은 용적, 빠른 속도의 AR제트가 좌심실 이완기말 압력을 상승시켜 호흡곤란과 폐부종을 유발한다.

AR의 중증도를 평가하기위한 ASE 지침은 표 2.4에 나와 있다(표는 2003년 지침에 근거한 것으로 2017년 일부 개정되었으므로 참고 바람 - 역자 주).

표 2.4 **AR의 중증도- ASE 지침에 근거**

	경도	중등도	중증
제트 폭/좌심실 유출로 직경	〈25%	25 – 64%	〉65%
Vena contracta 직경*	〈0.3 cm	0.3 – 0.6 cm	〉0.6 cm
제트의 밀도 - CW	불완전 또는 연함	진함	진함
압력 반감기	느림(〉500 ms)	중간(200 – 500 ms)	빠름(〈200 ms)
감속률	〈2 m/s^2	2 – 3 m/s^2	〉3 m/s^2
역류 용적	〈30 mL	30 – 59 mL	〉60 mL
역류 분획	〈30%	30 – 49%	〉50%
역류판구 면적	〈0.1 cm^2	0.1 – 0.29 cm^2	〉0.3 cm^2
대동맥 혈류 역전	초기 이완기에 소량	Intermediate	확연함. 이완기 전체
좌심실 크기	정상	정상 또는 확장	대부분 확장

Aortic flow reversal; 대동맥 혈류 역전, cw; 연속파 도플러 Jet width/LVOT; 제트의 폭/좌심실 유출로의 직경, Jet density; 제트 밀도, Pressure half-time; 압력 반감기, Regurgitant volume; 역류 용적, Regurgitant fraction; 역류 분획, Regurgitant orifice area; 역류판구 면적

*Vena contracta는 혈류의 가장 좁은 직경이다. 그것은 역류판구의 직경을 뜻하고, 유속이나 작용 압력과는 관련이 없다. 표 2.1 참고

Based on data from Zoghbi AW, Enriquez-Sarano M, Foster E, et al. Recommendations for evaluation of the severity of native valvular regurgitation with two-dimensional and Doppler echocardiography. J Am Soc Echocardiogr. 2003;16:777-802.

AR의 수술 적응증

만성 AR의 수술시기를 결정하는 것은 쉽지 않다. 좌심실이 점차 확장되거나 기능이 저하되면 판막치환술이 필요하게 된다. 증상(예: 호흡곤란, 운동능력 저하)이 발생하면 특히 수술을 고려해야 한다. 주요 적응증은 다음과 같다.

- 좌심실 수축기능의 장애가 동반 여부와 무관하게 증상이 있는 중증 AR
- 좌심실의 수축기능 장애 또는 확장(EF <50%, LVESD >55 mm)이 동반된 무증상의 중증 AR

급성 AR에서는 혈역학적 장애의 정도와 기저 원인(예: 대동맥 박리)에 따라 응급수술 여부를 임상적으로 결정한다.

2.3 삼첨판(Tricuspid valve, TV)

삼첨판 협착(Tricuspid stenosis, TS)

삼첨판의 이상을 간과해서는 안 된다. 류마티스성 MS가 수술적으로 치료되려면 류마티스성 TS가 동반되지 않았음을 수술 전에 확인해야 한다. 삼첨판은 구조적으로 승모판과 비슷하다.

- 판엽- '삼첨판'이라는 이름에서 알 수 있듯이, 승모판은 판엽이 2개이지만 삼첨판은 3개의 판엽이 있다.
- 유두근에 붙어있는 건삭(판막하 구조물)
- 판막륜(또는 판막 고리)- 승모판보다 더 큰 판막면적을 갖는다. 정상 삼첨판 면적은 5-8 cm^2이다.

TS의 가장 흔한 원인은 류마티스성 심질환이다. 거의 대부분 MS가 동반된다. TS는 MS의 약 1/10 빈도로 발생한다. TS의 다른 드문 원인으로 카르시노이드 증후군(대개 악성이며, 복강내 종양에서 5-hydroxytryptamine[5-HT]이 과도하게 분비되면 TS, 천식, 안면홍조 등을 일으킨다. 종종 TR도 동반됨), 우심방 종양(예: 폐쇄를 유발하는 점액종), 우심실 유입로의 폐쇄(증식물, 심장외 종양, 심낭 교착), 선천성 심질환(Ebstein 기형, 6장 참고) 혹은 우측 심내막염(정맥 내 약물 남용자 혹은 정맥 도관 삽입 이후)

M-mode와 2D 심초음파 소견은 MS와 유사하다.

- 두껍고 석회화된 판엽
- 제한된 판엽의 움직임
- 이완기에 한 개 이상의 판엽(특히 전엽)이 돔 형태

류마티스 질환에서 판엽은 두껍고, 판엽의 말단은 융합된다. 카르시노이드에서 판엽의 끝이 벌어지고, 과운동성을 보인다. 중증 TS에서 우심방과 하대정맥은 확장된다.

도플러 소견은 MS와 유사하다. 삼첨판을 지나는 혈류는 A4C에서 표본 용적을 우심

실에서 TV 직하방에 놓고 간헐파 도플러로 측정하며 이완기에는 혈류속도가 빨라진다. 임상에서 중증도 평가를 하는 경우가 많지는 않지만 MS와 비슷한 원리(이완기 압력차와 판막면적)로 가능하다. 중증 TS일 경우 대개 최대 압력차 3-10 mmHg, 평균 압력차 >5 mmHg, 판막 면적 ≤1.0 cm^2이다.

MS에 사용하는 압력 반감기 공식(3.1장 참고)은 경험적인 방법이고, 그 상수를 TS에 그대로 적용해서는 안 된다.

삼첨판 역류(Tricuspid regurgitation, TR)(그림 2.20, 2.21)

사실상 모든 삼첨판은 정상 기능을 보이면서 약간의 TR이 나타난다. 이를 이용하여 도플러 심초음파로 폐동맥 수축기압을 추정한다(3.1장).

TR의 원인은 MR과 비슷하다. 가장 흔한 원인은 우심실 확장(삼첨판륜의 확대) 때문에 2차적으로 발생한다. 일차적 원인에는 판엽이나 판막하부 기관의 이상이 포함된다.

이차적 원인- 가장 흔함

- 폐고혈압
- 폐동맥판 질환
- 폐성심(폐기종 같은 폐질환과 연관된 우심부전)
- 허혈성 심질환
- 심근병증
- 용적 과부하(예: ASD, VSD)

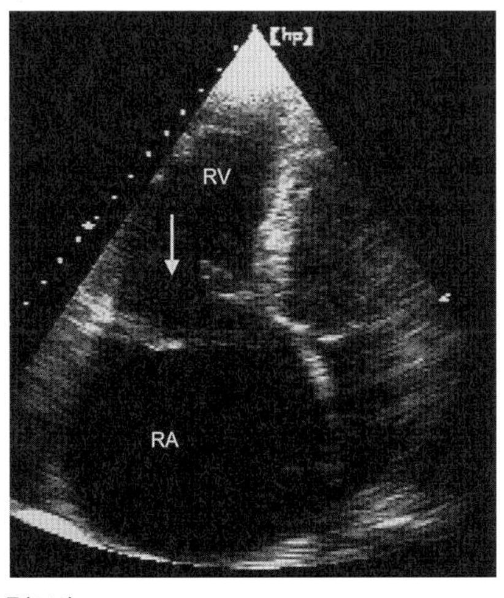

그림 2.20 **삼첨판 탈출증(A4C).**

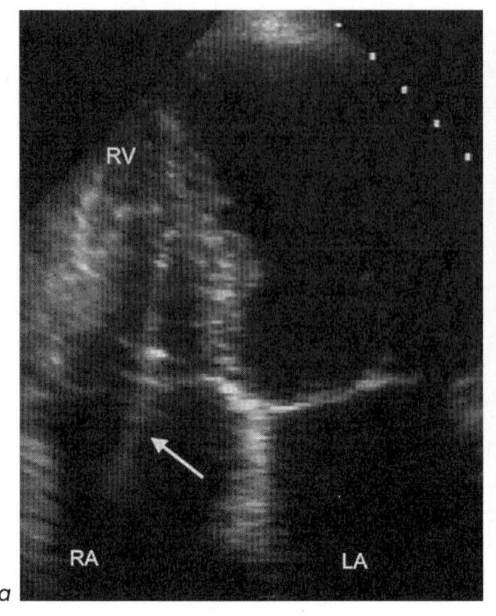

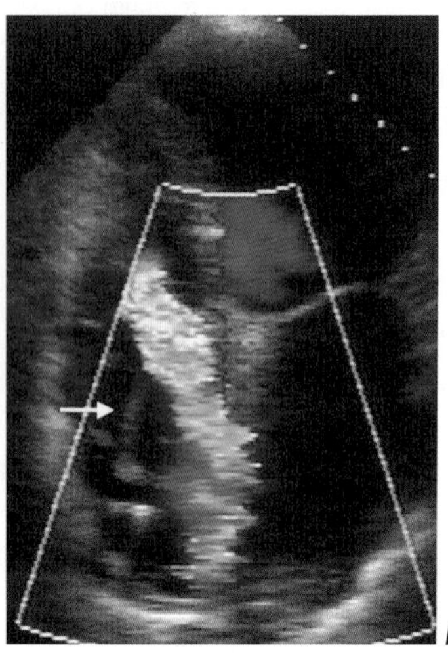

■ 그림 2.21 **심장박동조율기의 전극.** (a) 전극(화살표)이 삼첨판을 통하여 우심방에서 우심실로 지나간다. (b) 치우친 TR 제트. A4C.

- 정상적인 판막 닫힘을 방해하는 요소(예: 심장박동조율기의 전극)

일차적 원인

- 감염성 심내막염
- 류마티스성 심질환
- 카르시노이드
- 건삭의 파열
- 유두근의 기능 이상
- 삼첨판 탈출증
- 결체조직질환
- 류마티스 관절염
- 선천성 질환(예: Ebstein 기형)

TR 중증도는 MR처럼 도플러 기법으로 가장 잘 평가할 수 있다. TR이 더 심해지면 우심방을 채우는 제트의 폭이 넓어지고, 신호의 강도가 강해진다. 대정맥과 간정맥에 영향을 미쳐 역행성 수축기 혈류도 관찰된다.

2.4 폐동맥판(Pulmonary valve, PV)

폐동맥판은 3개의 판엽으로 구성되고, 우심실 유출로와 주 폐동맥(main pulmonary

표 2.5 PS의 중증도- EAE/ASE 지침에 근거

PS의 중증도	최대 속도(m/s)	최대 압력차(mmHg)	판막 면적(cm^2)
경도	〈3	〈36	〉1.0
중등도	3.0 – 4.0	36 – 64	0.5 – 1.0
중증	〉4.0	〉64	〈0.5

Based on data from Baumgartner H, Hung J, Bermejo J, et al. Echocardiographic assessment of valve stenosis: EAE/ASE recommendations for clinical practice. Eur J Echocardiogr. 2009;10:1-25.

artery)의 사이에 위치한다.

폐동맥판 협착(Pulmonary stenosis, PS)

PS는 AS와 마찬가지로 판막, 판막상부(말초성) 혹은 판막하부(infundibular)로 분류된다.

판막성 PS에는 선천적(독립된 판막성 PS가 제일 흔하고, Noonan 증후군, 팔로 4징 또는 풍진 같은 증후군에서 동반될 수 있음) 또는 후천적(류마티스, 카르시노이드) 원인이 있다.

중증도 평가는 AS와 비슷한 원리를 따른다(**표 2.5 참고**). 2D 심초음파로 두꺼워지고 석회화된 첨판 수축기에 첨판이 돔 형태가 되면서 움직임이 제한되는 것을 확인할 수 있다. 폐동맥 혹은 그 분지의 협착 원위부의 확장과 압력 과부하로 인해 우심실이 비후 또는 확장될 수 있다.

판막을 지나는 혈류의 정상 최고속도는 1.0 m/s이고, 정상 판막면적은 3-5 cm^2이다. 판막 상하부 사이의 최대 압력차는 도플러로 추정할 수 있다. 이 수치는 추정된 판막 면적과 연관성이 있다.

PS는 증상이 없는 경우가 대부분이고, 중증이라 하더라도 성인이 되어서 잘 지내기도 한다.

판막상부 PS는 주폐동맥 또는 폐동맥판 원위부 분지의 협착(예: 풍진- 종종 PDA와 동반, 영아 고칼슘혈증- 대동맥판 상부 협착과 동반) 때문에 발생한다. 폐순환을 보호하기 위해 임시 조치로 일부 좌우단락에서 시행되는 폐동맥의 수술 후 결찰처럼 의인성으로 생기는 경우도 있다.

2D 심초음파에서 폐동맥에 한 개 이상의 분리된 선반모양의 밴드형태로 보인다. 길고 가늘어지는 협착부위가 폐동맥판 원위부에 보인다. 간헐파 도플러로 찾아낼수 있는 도플러 속도의 증가는 폐동맥판 높이가 아니라 폐동맥판 원위부에서 발생한다.

판막하부 PS는 판막 협착, VSD, 팔로 4징, 대혈관 전위 같은 선천성 질환과 연관되어 가장 흔하게 발생하고, 독립적으로 발생하는 경우는 드물다. 비후성 심근병증에서도 발생할 수 있다. 매우 드물지만 종양 같은 후천성 원인으로 발생하기도 한다. 판막하부에 근육

띠나 협착이 보인다. 대개 협착 원위부의 확장은 없다. 간헐파 도플러를 이용하여 폐동맥판 하방의 우심실유출로에서 발생하는 속도 증가를 확인할 수 있다.

폐동맥판 역류(Pulmonary regurgitation, PR)

이차적 원인- 가장 흔함

- 폐동맥 확장- 폐고혈압, Marfan 증후군

일차적 원인

- 감염성 심내막염
- 류마티스성 심질환
- 카르시노이드
- 선천적 원인(예: 판엽의 결손이나 기형 또는 팔로 4징 수술 이후)
- 의인성(예: 판막절개술 후 혹은 혈관조영술 시 도관에 의해 유발)
- 매독

M-mode와 2D 심초음파로 PR을 직접 관찰할 수 없지만 기저 원인과 그 영향을 확인할 수 있다. 다음의 소견들이 보일 수 있다.

- 압력 반감기(pressure half time, PHT)- 우심실 확장, 폐동맥 확장, 비정상적인 심실중격의 움직임(심실중격의 우심실화- 심실중격이 좌심실보다 우심실에 속한 것처럼 움직임)
- 폐동맥 확장- 직경은 대개 대동맥판 높이의 PSAX에서 측정할 수 있다.
- 심내막염에서 판막의 증식물
- 류마티스성 심질환 또는 카르시노이드에서 두껍고, 움직임이 없는 폐동맥판엽
- 판엽의 결손(선천성)
- 폐동맥류

도플러 기법은 PR을 보여주고, AR처럼 중증도 평가에 도움이 된다. 중증 PR의 도플러 특징은 다음과 같다.

- 색 혈류- 역류 제트가 직접적으로 보인다. 중증도는 판막 높이에서 제트의 폭, 우심실 안으로 멀리 파급되는 정도, 면적계로 계산된 제트 면적을 통해 알 수 있다.
- 간헐파 도플러- 폐동맥판과 PR이 감지되는 높이 사이의 거리를 측정할 수 있다. Infundibulum보다 아래쪽에서 관찰되는 역류 제트는 중증 PR을 의미한다.
- 도플러 신호의 강도 증가
- 도플러 신호의 경사도 증가(감속 시간)

3

도플러 - 속도와 압력

3.1 도플러의 적용 분야

도플러 효과(그림 3.1)는 1842년 오스트리아의 물리학자이자 수학자인 크리스티앙 요한 도플러(Christian Johann Doppler)가 소개한 개념으로, 파동원과 관찰자의 움직임에 따라 소리, 빛, 파동의 진동수가 바뀌는 현상을 가리킨다. 사이렌을 울리며 달려오는 구급차의 사이렌 소리가 관찰자에게 다가올 때는 높은 음으로 들리다가 관찰자를 지나 멀어져 가기 시작하면 낮은 음으로 들리는 현상은 도플러 효과의 대표적인 예이다. 이러한 현상은 음파의 압축과 희박화로 인해 생기는 것이며, 음원과 관찰자간의 상대적인 속도가 음의 높이 변화와 직접적인 연관이 있다.

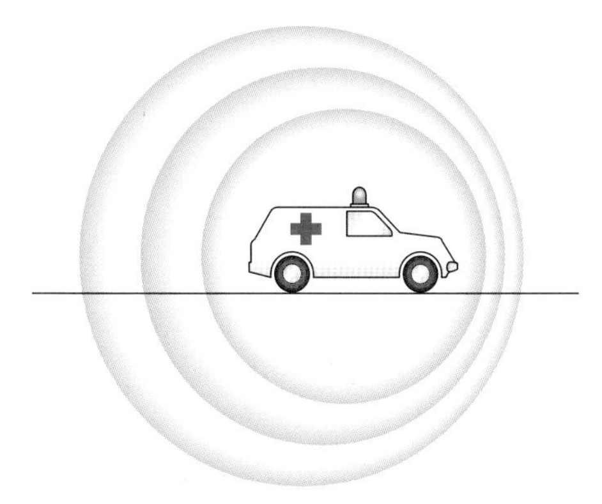

■ 그림 3.1 도플러 효과.

혈류속도와 압력차 측정

도플러 효과를 이용하여 혈관과 심장을 흐르는 혈류의 방향과 속도를 측정할 수 있다.

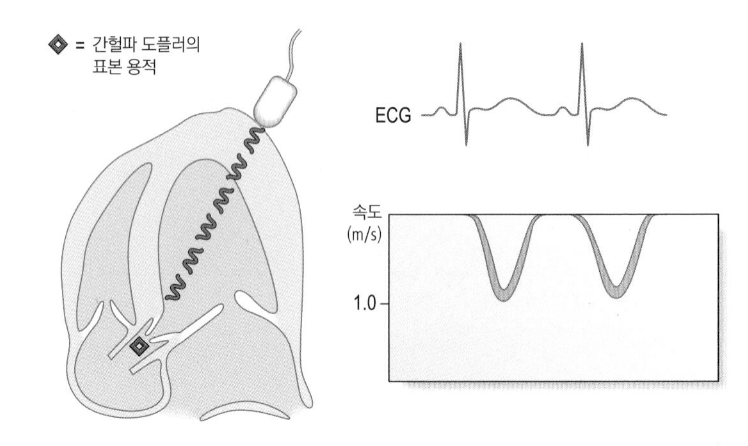

■ 그림 3.2 **대동맥판을 지나는 정상적인 도플러 혈류 양상.**

탐촉자에서 특정 주파수(보통 2 MHz 정도)의 초음파를 전송하면, 초음파가 흐르는 혈액과 부딪혀 반사되어 탐촉자로 되돌아온다. 혈액이 탐촉자가 있는 방향을 향해 흐르고 있다면, 초음파 신호의 주파수가 증가하고, 그 반대일 경우 감소한다. 간단한 공식(아래 베르누이 공식 참고)으로 혈류속도를 이용하여 압력차이를 계산할 수 있으므로, 컴퓨터 분석을 통해 판막 이상(예: 판막 협착증)의 성질과 중증도와 같은 혈류역학적 정보를 얻을 수 있다. 또 도플러로 판막 역류의 여부 및 중증도를 확인할 수 있으며, 이러한 정보는 M-mode와 2D 심초음파를 통해 얻어지는 해부학적 정보를 보완한다. 도플러로 심장 판막을 가로지르는 혈류의 양상과 속도를 측정하여, 초음파 장비의 모니터에 시간에 따른 속도 변화를 그래프로 표시하거나 종이에 인쇄할 수 있다. 관례에 따라, 탐촉자를 향하여 오는 혈류는 기준선 위쪽으로, 탐촉자에서 멀어지는 혈류는 아래쪽으로 표시한다. 대동맥판과 승모판의 일반적인 혈류 양상은 다음과 같다(**그림 3.2, 3.3**).

이 그림은 각 시점의 혈류속도를 일련의 스펙트럼으로 표시한 그래프이며, 각 시점에서 해당하는 속도로 움직이는 적혈구의 양에 대한 정보(적혈구 수와 비례하여 발생하는 초음파 반사신호의 강도)를 그래프의 밀도(진하기)로 표현하기 때문에, 밀도 정보 또한 제공한다. 만약 혈류가 속도와 방향이 일정한 층류(laminar flow)라면, 대부분의 혈액 세포들은 동일한 속도로 가속 및 감속하는 움직임을 보이며(**그림 3.4**), 다른 속도로 움직이는 세포들의 수가 적으므로 도플러 양상은 뚜렷한 선의 형태로 나타난다. 좁아진 판막으로 인해 난류(turbulence flow)가 발생한 경우, 혈액 세포는 광범위한 분포의 다양한 속도를 갖게 되며, 도플러 양상은 '채워진(filled in)' 형태로 표시된다.

탐촉자가 심첨부에 위치한 경우, 대동맥의 혈류는 탐촉자로부터 멀어지므로, 도플러 신호는 기준선 아래에 그려지며, 승모판 혈류는 주로 심첨부를 향하기 때문에 이와는 반대로 기준선 위에 그려진다.

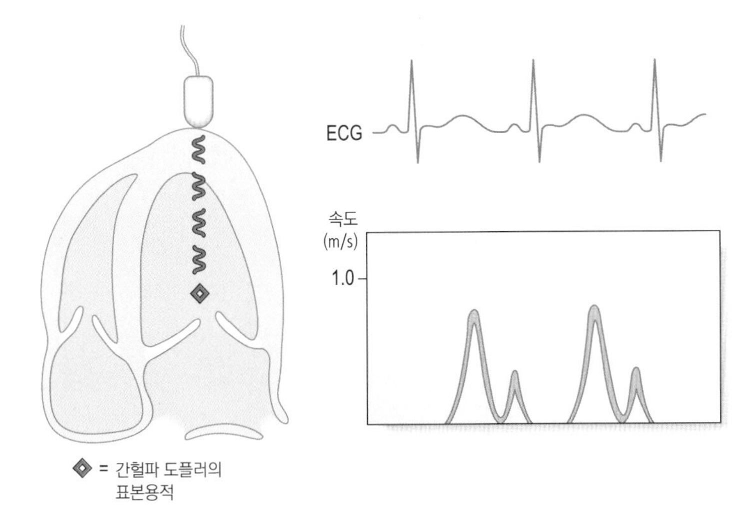

■ 그림 3.3 **승모판을 지나는 정상적인 도플러 혈류 양상.**

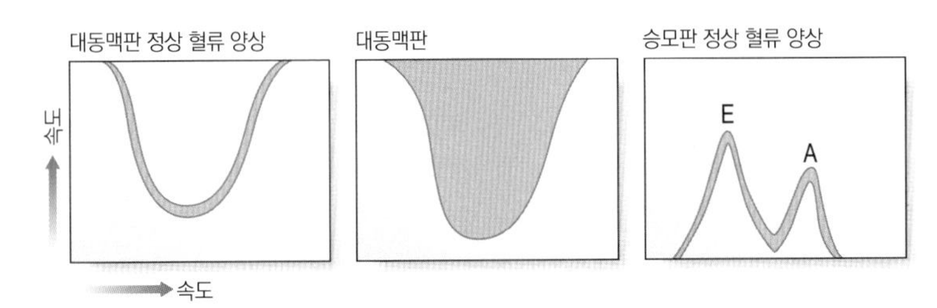

■ 그림 3.4 **정상적인 간헐파 도플러 혈류 양상과 대동맥판 난류 혈류 양상.**

표 3.1 **성인과 소아의 정상 도플러 속도 범위**

판막	최고속도(m/s)	범위(m/s)
대동맥판/대동맥	1.3	0.9–1.7
좌심실	0.9	0.7–1.1
승모판	0.9	0.6–1.3
삼첨판	0.5	0.3–0.7
폐동맥판/폐동맥	0.75	0.5–1.0

정상 성인과 어린이에게 적용되는 최고 도플러 속도는 아래 표 3.1과 같다.

도플러를 이용하여 좁아진(협착된) 판막을 가로지르는 혈류의 속도를 측정하여, 압력차를 추정할 수 있다. 휴식 중인 성인의 정상 1회 박출량(stroke volume)은 대략 70 ml 정도이다. 심실이 1회 수축할 때마다 70 ml 정도의 혈액이 대략 1 m/s 속도로 대동맥판을 지나게 된

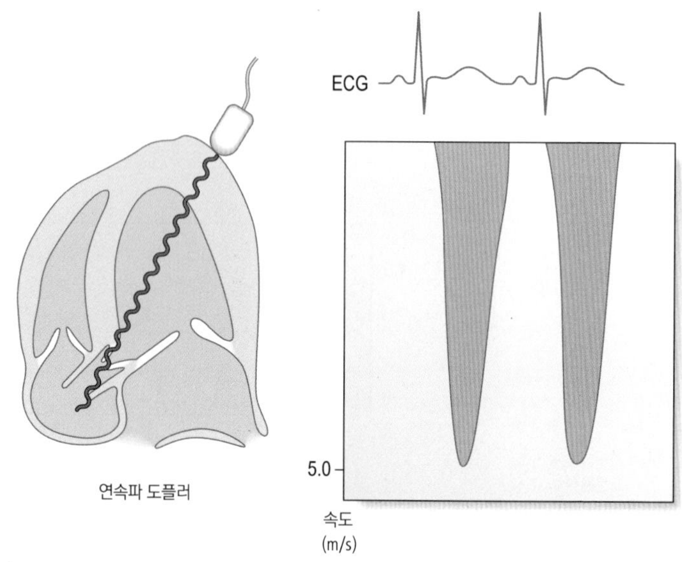

■ 그림 3.5 **도플러 - 대동맥판 협착증**

다. 대동맥판이 좁아져 판막 면적이 좁아지면, 동일한 양의 혈액이 나오기 위해서 혈액이 가속되어야 하며, 심첨부에서 연속파 도플러를 이용하여 이러한 혈류속도의 증가를 측정할 수 있다(**그림 3.5**). 그림 3.5의 경우 대동맥판을 가로지르는 혈류가 초음파 탐촉자로부터 멀어지므로, 도플러 속도는 기준선 아래쪽으로 표시되며, 최고 혈류속도는 5 m/s이다.

협착으로 인해 좁아진 부분을 흐를 때의 혈류속도와 압력차이(하강) 사이에는 직접적이면서 단순한 관계가 성립한다(압력의 절대값은 아님). 이는 단순화한 베르누이 공식(Bernoulli equation)으로 알려져 있다.

$$\Delta P = 4V^2$$

ΔP는 압력차(pressure gradient, mmHg)이며, V는 좁은 곳을 흐를 때 도플러로 측정한 최고 혈류속도(peak blood velocity, m/s)이다. 그림 3.5에 있는 AS의 예를 들면, 최고 도플러 혈류속도는 5 m/s로, 공식에 의해 계산된 대동맥판의 압력차는 100 mmHg이고 중증 AS에 해당한다.

도플러의 사용과 한계

도플러의 큰 장점은 비침습적으로 정확하게 혈류역학적 검사를 할 수 있다는 데 있다. 심도자술을 통해 측정하는 두 고점 간의 압력 차이(peak-to-peak gradient)는 좌심실의 최대 압력과 대동맥 최대 압력을 측정해 계산하여 얻는데, 두 고점의 최대 압력 상태가 동시에 발생하는 것이 아니므로, 실제 생리학적인 압력차는 아니다. 도플러를 이용하게 되면

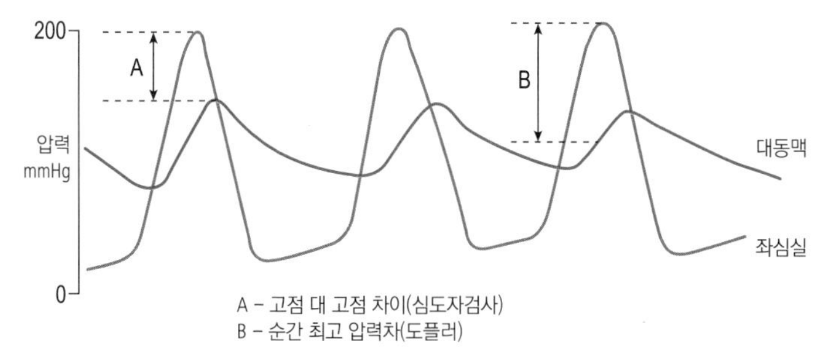

그림 3.6 **도플러를 이용한 순간 최고 압력차 측정**

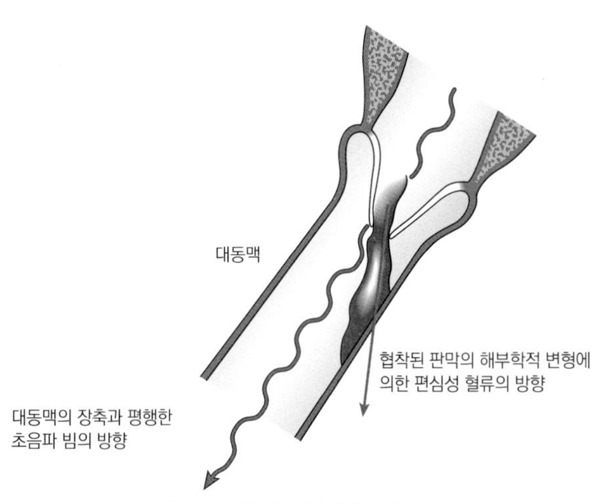

그림 3.7 **연속파 도플러는 편심성 혈류의 속도를 과소평가 할 수 있다.**

실제 순간 압력차(실시간 압력차)를 정확하게 알 수 있다는 추가적 장점이 있다(**그림 3.6**).

심도자실에서 측정한 대동맥의 두 고점간의 압력차(peak-to-peak gradient) 및 최고 순간 도플러 압력차를 이용해 다음과 같은 공식을 얻을 수 있다.

Peak-to-peak gradient ≈ (0.84 × peak Doppler gradient) - 14 mmHg

도플러 사용의 가장 큰 제한점은 혈액의 속도가 방향성을 가진다는 점이다. 그러므로, 초음파 빔이 혈류의 방향과 평행을 이루는 것이 중요하며, 평행을 이루지 못했을 때, 최고 혈류속도(결과적으로 판막 압력차이)가 실제보다 낮게 측정된다. 특히, 협착된 판막의 해부학적 변형에 의해서 혈류의 방향이 한쪽으로 치우친 경우, 혈류 흐름과 평행을 이루는 것이 더 어렵다(**그림 3.7**).

또 다른 제한점은 간헐파 도플러로는 혈액의 속도가 2 m/s 이하인 혈류만 측정이 가능하다는 점이다. 혈류의 속도가 빨라서 측정 한계를 넘어설 경우에는 신호 뒤바뀜(aliasing)

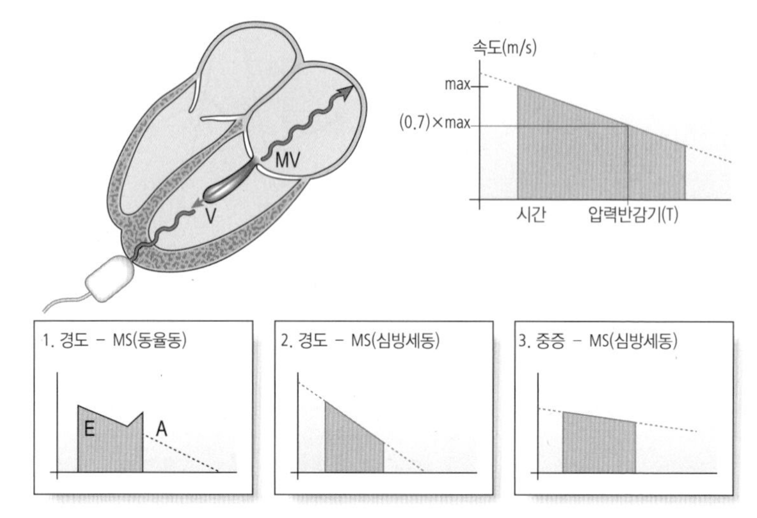

그림 3.8 **승모판협착증(MS) - 도플러를 통한 판막면적 평가**

현상이 발생하므로, 연속파 도플러를 사용해야 한다.

승모판 협착증(mitral stenosis, MS)

정상적인 승모판의 혈류속도는 대략 0.9 m/s이며, MS가 있다면 판막을 통과하는 혈류의 속도가 증가한다(**그림 3.8**). 연속파 도플러를 사용하여 판막 혈류속도를 측정할 수 있고, 판막 협착의 중증도 및 판막면적도 구할 수 있다.

승모판을 지나는 혈류에서 시간에 따른 압력 변화를 관찰하여 판막의 협착 정도를 평가할 수 있다. 정상적인 판막을 통과하는 혈류는, 급속하게 최고 속도에 도달했다가 좌심방과 좌심실의 압력이 같아지면서 속도가 빠르게 감소한다. 판막이 협착된 경우는, 최고 혈류속도가 높아지게 되고, 좌심방과 좌심실 사이의 압력차가 소실되는데 걸리는 시간이 길어진다. 협착이 심할수록, 압력이 낮아지는데 걸리는 시간은 더욱 길어지게 된다(좁아진 판막을 통해 혈액을 흘려보내기 위해 압력차가 오랫동안 유지된다).

승모판 면적(A_{MV})은 승모판 전후 압력차가 초기 최대값의 반으로 떨어지는 데 걸리는 시간(압력 반감기, T)과 서로 반비례한다.

A_{MV}가 cm^2 단위로, T가 ms로 측정되었다면, 상수는 경험적으로 220이다 .

$$A_{MV} = \frac{220}{T}$$

따라서 압력 반감기를 측정하면, 승모판 면적을 계산할 수 있다. 도플러로 직접 압력 차이를 측정하는 것은 아니며, 속도를 측정하여, 단순화한 베르누이 공식을 통해 압력 차이를 도출해 낸다. 속도가 최고 속도 값의 $1/\sqrt{2}$로 떨어질 때 압력차이가 최고 압력차이 값의 반으로 떨어지게 되는데, 이는 대개 최고 속도의 0.7($1/\sqrt{2}$=0.7)배이다.

최고 혈류속도가 그 값의 0.7배까지 떨어지는데 걸리는 시간(압력차이가 반으로 떨어지는데 걸리는 시간과 동일)을 압력 반감기(pressure half-time)이라 하며, 압력 반감기를 통해 대략적인 승모판 면적(A_{MV})을 계산할 수 있다.

$$A_{MV} = \frac{220}{\text{Pressure half-time}}$$

심초음파 기기에 갖추어진 소프트웨어를 이용하면 압력 반감기나 승모판 면적을 측정할 수 있다. 압력 반감기가 짧을 경우에는 정확도가 다소 떨어진다.

많은 중증 MS에서 심방세동(atrial fibrillation, AF)이 동반되는데, AF의 경우, 심방수축으로 인해 발생하는 후기 승모판 유입 혈류인 A-파 고점이 나타나지 않는다. 이런 경우에는 도플러 속도 신호의 최고점에서부터 기울기를 측정하여 AMV을 계산할 수 있다. 심방세동에선 심박수와 이완기 및 수축기 지속시간이 박동마다 달라지므로, AMV의 평균값을 얻기 위해 여러 심장주기 동안 반복 측정하여 평균값을 구하는 것이 이상적이다. 정상동율동(sinus rhythm)인 경우에는 이완초기 승모판 유입 최고 혈류속도인 E-파 값의 기울기를 측정하고, A-파는 무시한다.

면적 계산식의 상수가 동일하지 않으므로, 압력 반감기를 통한 AMV 측정법을 TS의 중증도를 판정하는 데 사용하지 않도록 한다.

판막 협착의 중증도 평가에 있어 평균 압력차가 최고 압력차보다 도움이 된다(예: AS, MS). 평균 압력차는 판막을 통해 흐르는 모든 시점의 혈류속도를 측정하여 구할 수 있다. 실제로 도플러 스펙트럼의 가장 바깥 경계를 추적하여 그리면 심초음파 기계의 컴퓨터가 평균 압력차를 계산하게 된다.

연속파 도플러를 이용한 대동맥판 역류(AR)의 중증도 검사

2.2장에서 언급하였듯이, AR 제트에 대한 연속파 도플러 신호의 기울기와 강도로 그 중증도를 판단할 수 있다(그림 3.9). 기울기가 가파를수록, 중증 AR이다. 도플러 신호의 경사가 급하다는 것은, 이완기동안 대동맥판을 가로지르는 대동맥과 좌심실의 압력차가 빠른 속도로 감소했다는 것을 의미한다. 즉, 대동맥판이 두 공간(대동맥과 좌심실)을 효과적으로 분리하지 못한 것이다.

AR의 중증도를 평가하는 또 다른 방법은 대동맥판을 가로지르는 압력차가 최대에서 절반으로 감소하는 시간(압력 반감기, PHT)을 측정하는 것이다. 압력차가 빨리 감소할수록(압력 반감기가 짧을수록), 중증 AR을 시사한다(그림 3.10).

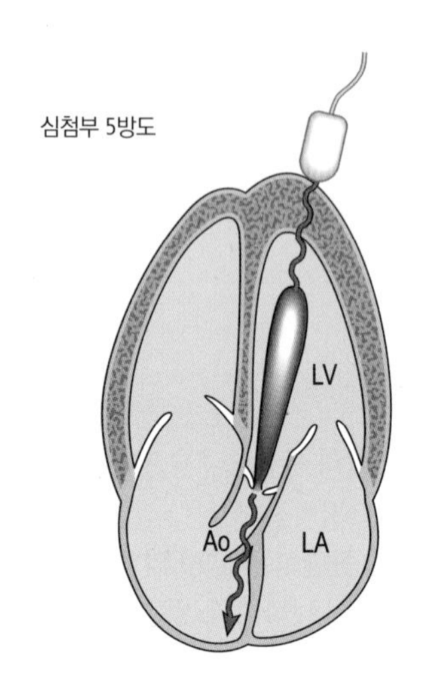

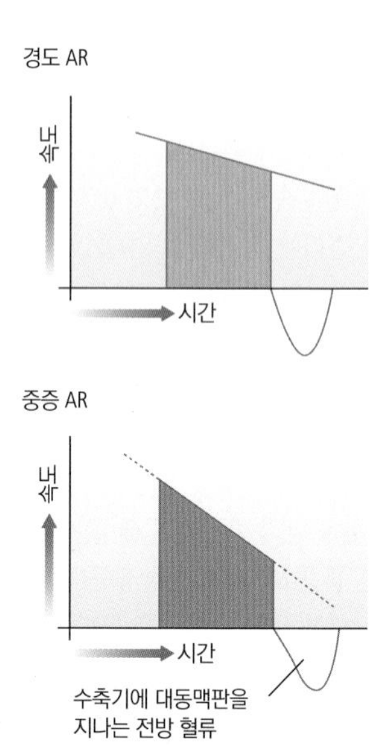

■ 그림 3.9 **도플러를 통한 대동맥판역류(AR)의 중증도 평가**

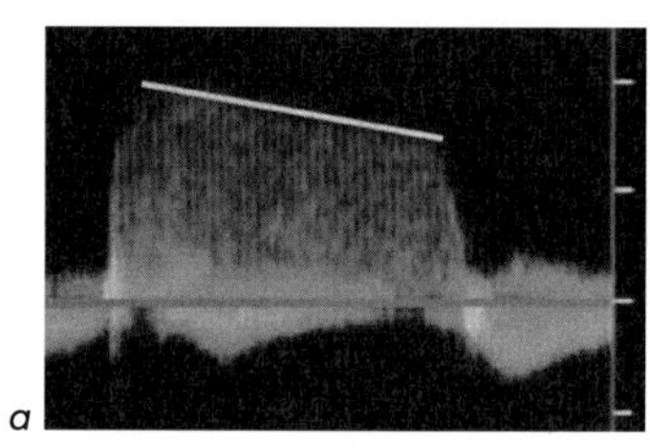

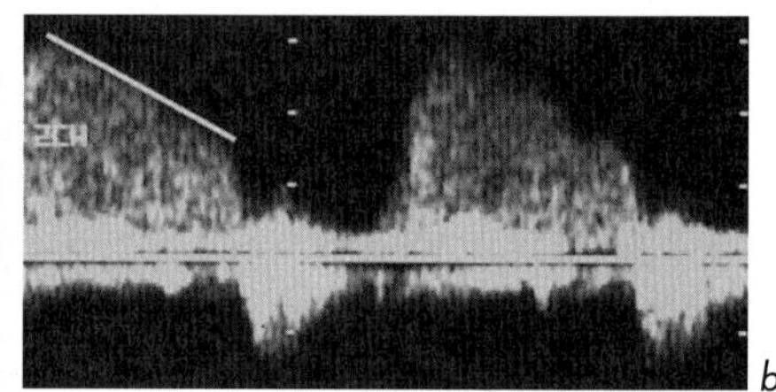

a b

■ 그림 3.10 **AR.** 연속파 도플러 양상 (a) 경도 AR, (b) 중증 AR

각 수치를 토대로 대동맥판 역류의 중증도를 다음과 같이 분류할 수 있다.

AR의 중증도	감속률(m/s^2)	압력 반감기(ms)
경도	〈2	〉500
중등도	2-3	200-500
중증	〉3	〈200

연속파 도플러 신호의 강도를 통해서도 AR의 중증도를 정성적으로 알 수 있다. AR이 심할수록, 같은 속도로 역류되는 혈액의 양이 많아지고, 탐촉자를 향해 다량의 초음파를 반사하므로, 신호가 더 강하다.

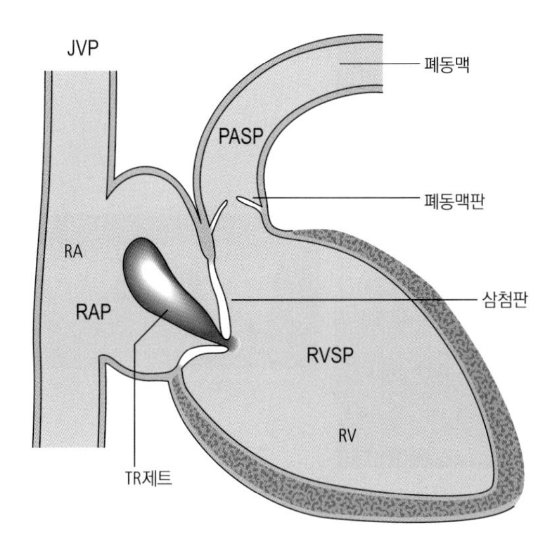

■ 그림 3.11 **삼첨판 역류 속도로 추정한 폐동맥 수축기압.** JVP: 경정맥압, PASP: 폐동맥 수축기압, RAP: 우심방압, RVSP: 우심실 수축기압

삼첨판 역류를 이용한 폐동맥 수축기압의 측정(Pulmonary artery systolic pressure[PASP] from TR)

도플러를 이용하여 비침습적으로 폐동맥 수축기압을 구할 수 있다(**그림 3.11**).

이 방법은 정상적인 심장에서도 많은 경우 소량의 TR이 있어 임상에 적용하기 좋다. TR 속도를 베르누이 공식에 적용하여 압력차를 계산하여 폐동맥 수축기압을 얻는다.

방법은 다음과 같다

1. 이 과정은 폐동맥 수축기압(PASP)을 구하는 것이 목적이다. 폐동맥판의 협착이 없다고 가정하면 PASP는 우심실 수축기압(right ventricular systolic pressure, RVSP)과 동일하다.
2. RVSP는 심첨부 영상에서 연속파 도플러로 TR 제트의 최대 속도(V_{TR})를 측정하여 간단하게 계산할 수 있다(**그림 3.12**). 삼첨판을 가로지르는 우심방과 우심실 사이의 압력차(RVSP – right atrial pressure[RAP])는 삼첨판 역류 제트의 최대 속도(V_{TR})를 베르누이 공식에 적용하여 구한다..

$$RVSP - RAP = 4V_{TR}^2$$

3. 우심방압은 경정맥압(jugular venous pressure, JVP)과 동일한 것으로 알려져 있으며, 경정맥압은 임상적으로 측정이 가능하다(건강한 성인에서 보통 0~5 cm의 혈액압력이며, 흉골각에서 측정된다. 1 cm의 혈액압력은 1 mmHg 와 거의 같다).
4. 따라서 다음과 같이 계산할 수 있다.

$$PASP = RVSP = 4V_{TR}^2 + JVP$$

V_{TR} 이 2 m/s 이고 경정맥압(JVP)이 0 이라면, PASP는 16 mmHg 정도가 된다. 정상적

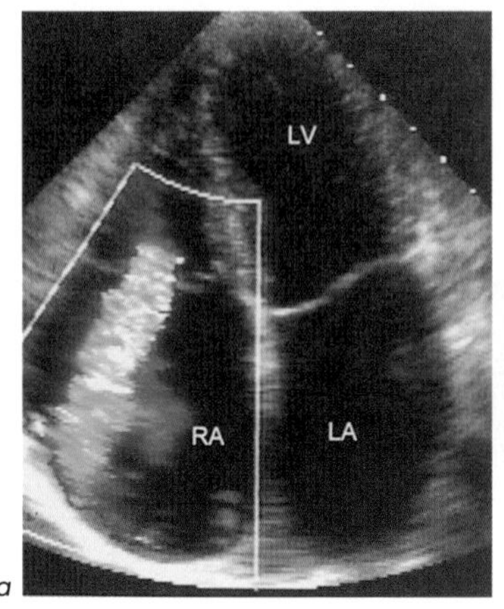

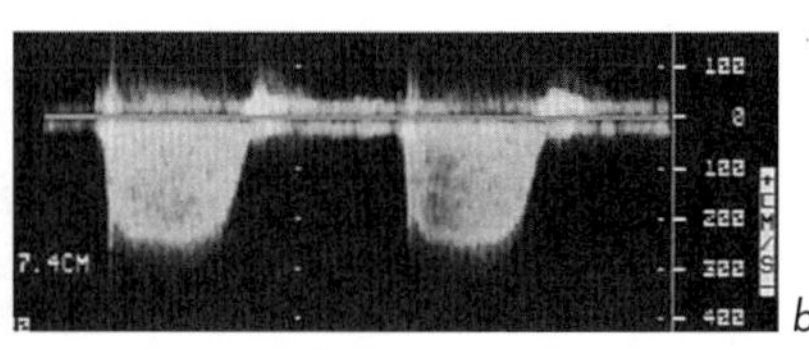

■ 그림 3.12 **삼첨판 역류.** 색 혈류 영상에서 넓은 역류 제트가 우심방 먼 곳까지 미친다. 연속파 도플러로 측정한 역류 최고 속도는 3.1m/s 이고, 폐동맥 수축기압 추정치는 39 mmHg + 경정맥압이다.

인 PASP 값은 25 mmHg 이하이다.

3.2 연속 방정식(Continuity equation)

연속방정식(continuity equation)은 중요한 개념으로 초음파의 여러 상황에서 사용된다. 질량 보존의 원리에 기초하며, 순환계와 같은 폐쇄된 시스템의 경우, 혈액을 생성하거나 파괴할 수 없으므로, 한 지점을 통과하는 혈액량은 다른 지점을 통과하는 혈액량과 같다. 연속 방정식은 다음과 같은 경우에 사용된다.

- 판막 협착의 중증도 평가
- 혈류와 혈액량 평가(예: 심박출량[cardiac output] 계산, 선천성 심질환에서 단락[shunt] 크기 평가).
- 판막 역류의 중증도 평가.

AS의 중증도 평가

좌심실 수축기능이 저하되어 있는 상황에서는 판막을 지나는 혈류의 최고속도(즉, 최대압력차)는 AS의 중증도를 정확히 반영하지 못한다. 좌심실 수축기능 저하는 AS에 의한 좌심실의 만성 압력 과부하 상태가 지속되면서 기능부전이 발생하였거나, AS와 무관하게 심근 자체의 문제(예: 확장성 심근병증, 허혈성 심부전)에 의해 발생할 수 있다. 좌심실 수축기능이 저하된 상태에서는 심박출량이 감소하므로 대동맥판을 지나는 혈류속도가 충

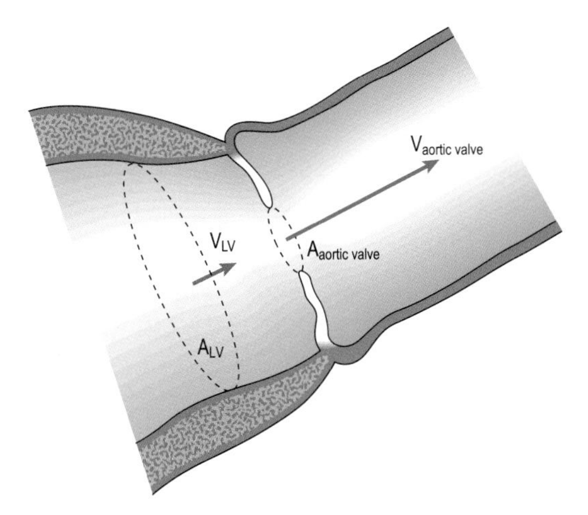

■ 그림 3.13 **연속 방정식.** $A_{aortic\ valve}$: 대동맥판 면적, A_{LV}: 좌심실 단면적, $V_{aortic\ valve}$: 대동맥판 혈류속도, V_{LV}: 좌심실 혈류속도

분히 증가하지 않을 수 있다.

연속방정식으로 대동맥판 판구 면적(AV orifice area)을 측정하여 AS의 중증도를 평가할 수 있다(그림3.13). 좌심실을 떠나는 혈액량은 대동맥판을 가로질러 대동맥으로 가는 혈액량과 같다는 간단한 원리를 이용한다.

좌심실의 어느 한 지점에서 단면적(A_{LV}, 단위: cm^2, by M-mode 또는 2D)을 구하고 같은 지점의 혈류속도(V_{LV}, 단위: cm/s, by 간헐파 도플러)를 측정하였다면, 단면적과 혈류속도의 곱은 그 지점을 지나는 혈류량(단위: cm^3/s)을 나타낸다. 앞에서 설명하였던 것처럼 좌심실을 지나는 혈류량은 대동맥판을 지나 대동맥으로 들어가는 혈류량과 동일하다. 이러한 원리를 적용하면 구하고자 하는 대동맥판의 면적($A_{aortic\ valve}$)을 구할 수 있다. 대동맥판을 통과하는 최고 속도($V_{aortic\ valve}$)는 도플러로 측정할 수 있으며, 다음과 같은 공식으로 유도된다.

$$A_{aortic\ valve} \times V_{aortic\ valve} = A_{LV} \times V_{LV}$$

$$A_{aortic\ valve} = \frac{A_{LV} \times V_{LV}}{V_{aortic\ valve}}$$

단 최고 속도가 2 m/s 이하인 AS에서는 공식이 도움이 되지 않으며, 이 경우는 최고 속도(V) 대신, 속도-시간 적분(velocity-time integral, VTI)을 사용 하도록 한다. 속도-시간 적분에 대한 것은 아래에 기술하였다.

혈액량 및 심박출량 평가

도플러는 혈류속도에 대한 정보를 제공하지만, 혈액량에 대한 정보를 도출하는 데에도 사용할 수 있다. 심초음파로 좌심실의 심박출량을 계산할 수 있다.

심박출량(cardiac output) = 일회 심박출량(stroke volume) × 심박수(heart rate)

일회 심박출량(stroke volume, SV)은 속도-시간 적분(velocity-time integral, VTI)을 통해 측정한다(**그림 3.14**). 간헐파 도플러 또는 연속파 도플러로 속도-시간 그래프를 그리고, 시간당 최고 속도를 추적하여 그래프 내부의 면적을 구하면 속도-시간 적분(velocity-time integral, VTI)이 된다. 이 VTI 값으로 혈류량을 유도할 수 있다. 대동맥의 VTI는 A5C에서 대동맥 유출부(aortic outflow)에 표본 용적을 위치시키고, 간헐파나 연속파 도플러를 사용하여 속도-시간 그래프를 그린 후 그래프 내부의 면적을 컴퓨터로 계산하여 측정할 수 있다.

대동맥의 최고 혈류속도는 cm/s 단위로, 대동맥 분출 시간은 초 단위로 측정되므로, 두 요소로부터 파생된 VTI는 cm 단위로 기술된다.

Stroke volume = VTI × cross-sectional area(of aortic valve, CSA)

$$\text{Cross sectional area(CSA)} = \pi r^2 = \pi(D/2)^2 = 3.142D^2/4 = 0.785D^2$$

$$\text{Stroke volume} \approx \text{VTI} \times 0.785D^2$$

대동맥판의 단면적(cross-sectional area, CSA)은 대동맥판의 직경(D)을 사용해 구하며, 대동맥판의 직경은 PLAX 영상을 이용해 대동맥판의 tip 바로 위인 대동맥근(aortic root)에서 M-mode로 측정하거나 2D에서 직접 그리는 방식으로 측정한다. 임상에서는 SV을 구하기 위해서 대동맥판보다는 LVOT에서 VTI(간헐파 도플러로 측정)와 직경을 측정하는 것이 일반적이다(**그림 3.14**).

VTI를 연속적으로 측정하여 비침습적으로 심박출량을 모니터할 수 있으며, 집중 치료실(ICU)에서 환자 모니터링에 유용하게 사용할 수 있다. 심박출량, 즉 대동맥 판막을 지나는 전신혈류량을 간략하게 Qs(L/min)로 표시한다.

일반 성인의 안정 시 정상 수치는 다음과 같다

- 일회 심박출량(stroke volume) 70–140 mL/beat
- 심박출량(cardiac output) 4–7 L/min
- 심장지수(cardiac index*) 2.8–4.2 L/min/m^2

(*cardiac index는 cardiac output을 체표면적[BSA]으로 보정한 수치임)

유사한 방법으로 폐혈류량(Q_P)을 측정할 수 있으며 Q_P와 Q_S는 선천성 심질환에서 단락의 크기를 추정하는데 사용될 수 있다(6.4절 참고).

속도-시간 적분(VTI)을 이용한 판막 면적 평가

판막 면적(예: 대동맥판)을 구하기 위한 연속 방정식에 최고 혈류속도를 대신해서 VTI

a. 간헐파 도플러 – 심첨부5방도(또는 심첨부3방도)

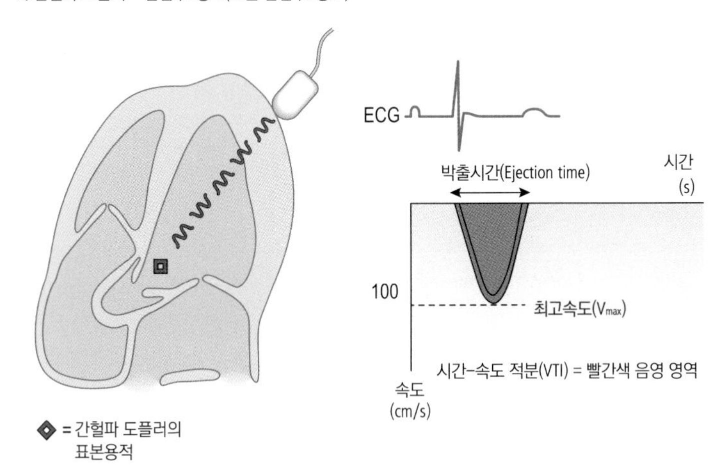

시간-속도 적분(VTI)은 최고속도(Vmax)가 <2 m/s 일 경우 간헐파 도플러로, ≥2 m/s일 경우 연속파 도플러로 측정한다.

b. 2D 심초음파-흉골연 장축 단면(확대 영상) – 단면적을 구하기 위해 수축기에 좌심실 유출로 직경(D_{LVOT})을 측정

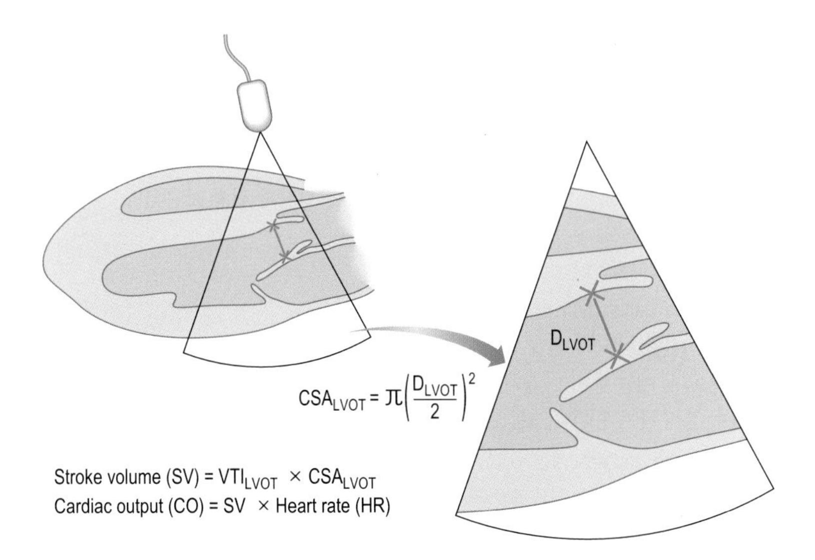

■ 그림 3.14 **심초음파로 1회 심박출량(stroke volume)과 심박출량(cardiac output) 측정**
(a) 대동맥혈류에서 시간-속도 적분(빨간색 음영 영역) 측정
(b) 좌심실유출로(LVOT)에서 단면적(CSA_{LVOT}) 측정

를 대입할 수 있다(그림 3.15). LVOT의 VTI(VTI_{LVOT})는 간헐파 도플러로, 대동맥판의 VTI(VTI_{Ao})는 연속파 도플러로 측정하고, LVOT의 단면적(CSA_{LVOT})은 LVOT의 직경(D_{LVOT})을 통해 측정한다. 대동맥판의 면적($A_{aortic\ valve}$)을 구하기 위한 공식은 다음과 같다.

$$A_{aortic\ valve} \times VTI_{Ao} = CSA_{LVOT} \times VTI_{LVOT}$$

$$A_{aortic\ valve} = \frac{CSA_{LVOT} \times VTI_{LVOT}}{VTI_{Ao}}$$

$$CSA_{LVOT} = \pi r_{(LVOT)}^2 = \pi (D_{LVOT}/2)^2 = 0.785 D_{LVOT}^2$$

$$A_{aortic\ valve} \approx \frac{0.785_{(LVOT)}^2 \times VTI_{LVOT}}{VTI_{Ao}}$$

비슷한 방법으로 RVOT에서 폐동맥판의 면적을 구할 수 있다.

판막 역류의 평가 - EROA와 PISA 개념 이해

초음파와 연속 방정식을 사용하여 역류가 있는 판막 결손의 정도를 평가하여 MR과 같은 판막 역류의 중증도를 평가할 수 있다. 이 결손의 정도를 유효 역류 판구 면적(effective regurgitant orifice area, EROA)이라 한다. 정상적인, 역류가 없는 판막의 EROA는 0이다. 간략히 말해서, EROA가 클수록, 역류가 더 심하고 더 큰 구멍을 통해 더 많은 혈액이 새어 나간다.

EROA는 근위부 등속 표면적(proximal isovelocity surface area, PISA)이라는 값을 측정하여 계산한다. 이 방법은 초음파 영역에서 사용이 증가하고 있다. 처음에는 복잡해 보이지만 이해하려고 노력할 만한 가치가 있으며, 연속 방정식과 질량 보존의 법칙에 기초한 단순한 개념인 것을 알 수 있다.

싱크대 이론(Sink analogy)

싱크대 이론은 바닥에 원형 구멍이 있는 용기에서 액체가 흐르는 상황을 설명하는 간단한 이론이다. 예를 들어 마개가 있는 물이 가득 찬 싱크대에서 마개가 열린다면 구멍을 통해 물이 흘러 나가게 된다(그림 3.16a).

- 물이 좁은 배수구멍을 통과하는 경우, 구멍에 가까워질수록 물의 속도가 점차 빨라지고 배수구멍을 지나는 순간에 최고 속도(peak velocity, Vmax)가 된다.
- 구멍에서 같은 거리에 있는 물의 속도는 모두 같으며, 구멍 주위에 3D 반구 형태로 혈류 속도가 같은 수렴 구간이 발생한다. 구멍에 가까워질수록 물이 가속되면서 발생하는 이러한 등속의 반구 형태를 혈류 집중구역(flow convergence zone)이라 한다.
- 구멍의 크기가 클수록 물이 구멍으로 가속되는 거리(즉, 혈류 집중구역의 반경)가 더 커진다(그림 3.16b).

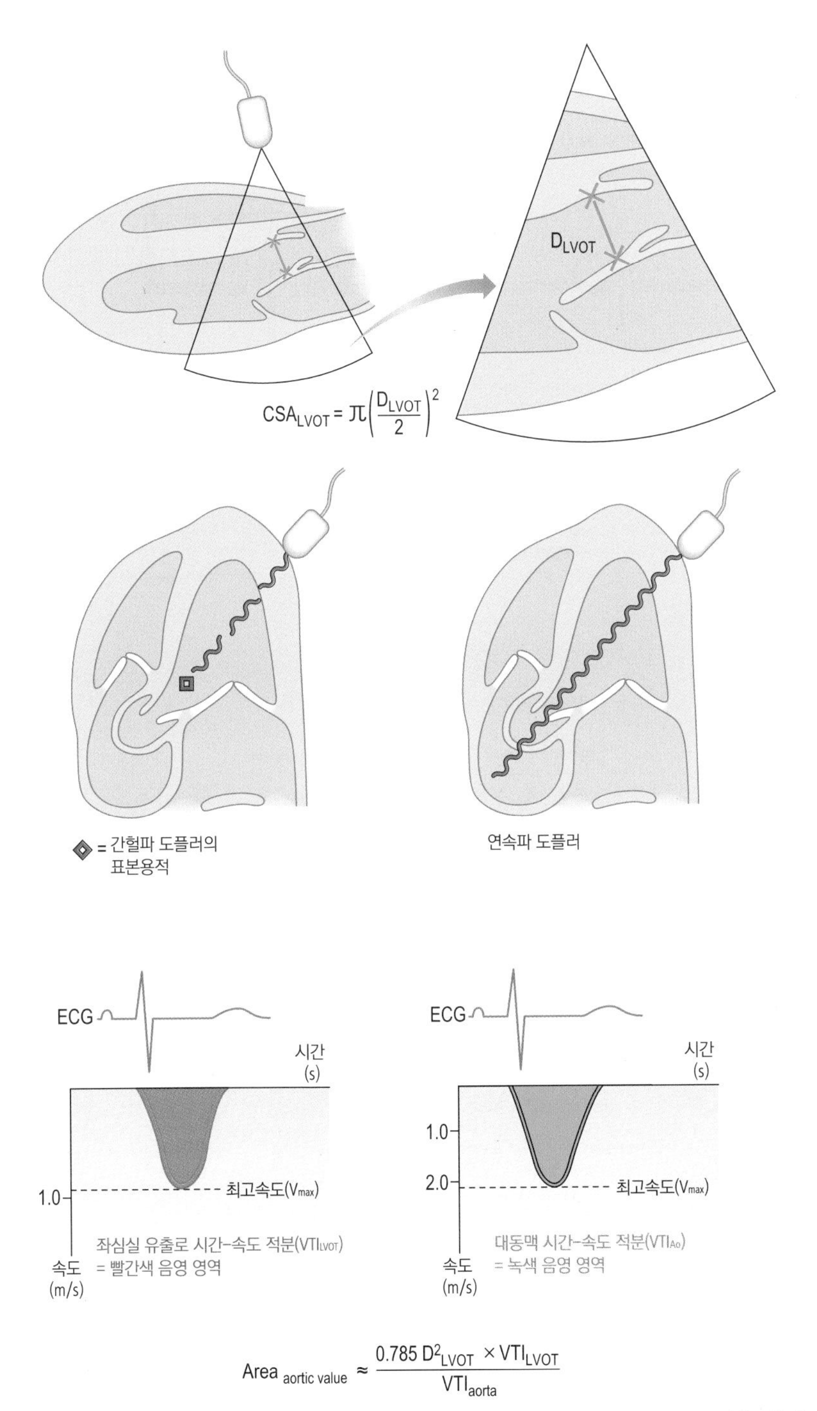

■ 그림 3.15 **연속 방정식.** 대동맥의 시간-속도 적분(VTI_{ao}) 과 좌심실 유출로의 시간-속도 적분(VTI_{LVOT})을 사용하여 대동맥판 면적($Area_{aortic\ valve}$)을 구한다.

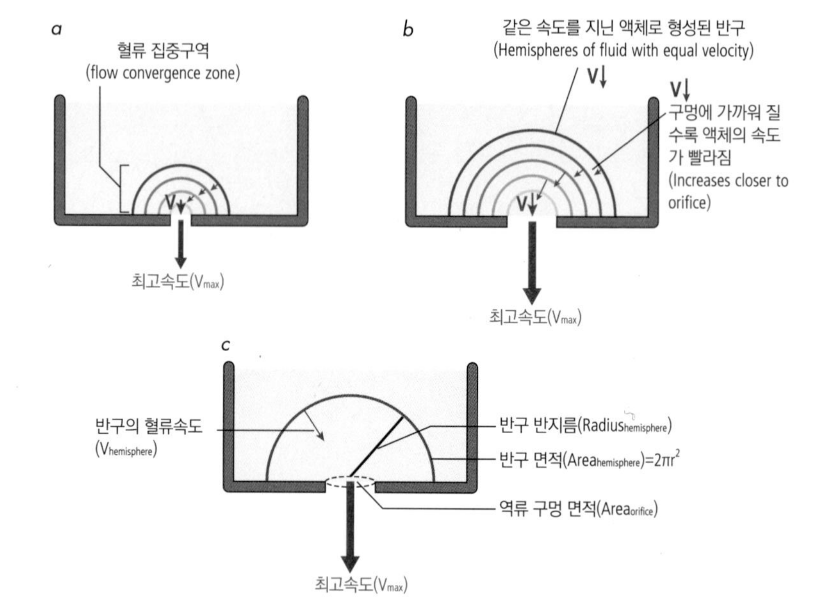

■ **그림 3.16 연속방정식.** 싱크대 이론. (a) 같은 속도를 지닌 액체로 이루어진 혈류 집중구역(V↓) (b) 구멍의 크기가 클수록 혈류 집중구역의 반경이 커지고 구멍을 지나는 액체의 최고속도(Vmax)가 커진다. (c) 주어진 시간에 구멍에 들어가는 액체의 양과 구멍을 떠나는 액체의 양은 동일하다.

- 연속 방정식과 질량 보존의 법칙(주어진 시간에 구멍으로 들어가는 물의 양과 구멍을 떠나는 물의 양은 동일하다)을 사용해 구멍의 면적을 추정할 수 있다.
- 구멍을 중심으로 구멍을 향한 등속 구간이 3D의 반구 모양이므로(**그림 3.16c**) 단위 시간당 각 반구를 통과하는 물의 양은 다음과 같다.

$$\text{Area}_{hemisphere} \times \text{Velocity}_{hemisphere} = 2\pi\,(r_{hemisphere})^2 \times \text{Velocity}_{hemisphere}$$

- 연속 방정식을 사용하면 각 반구를 통과하는 물의 양은 구멍을 통과하는 물의 양과 같다. 구멍의 크기(입구 면적, $A_{orifice}$)를 구하는 공식은 다음과 같다.

$$A_{orifice} \times V_{max} = \text{Area}_{hemisphere} \times \text{Velocity}_{hemisphere}$$

$$A_{orifice} = \frac{2\pi\,(r_{hemisphere})^2 \times \text{Velocity}_{hemisphere}}{V_{max}}$$

- 구멍에서 최고속도(V_{max})를 구하고, 반구 표면의 속도($Velocity_{hemisphere}$) 및 반구의 반지름($r_{hemisphere}$)을 측정할 수 있다면 연속 방정식에 의해 구멍의 면적을 계산할 수 있다.

이 원리가 심초음파 및 판막 역류에 어떻게 도움이 되는가? MR을 예로 들어보자.

- 싱크대 이론을 MR에 적용하기 위해서, 싱크대를 좌심실로, 싱크대 배수 구멍을 승모판의 역류 구멍으로, 물을 혈액으로 대치한다(**그림 3.17a**).
- 판막의 역류 구멍의 크기(EROA)가 클수록 MR이 증가하고 구멍을 향해 역류 혈액이 가속되는 범위가 커진다(경도의 역류- 작은 혈류 집중구역, 중증 역류- 큰 혈류 집중 구역).
- EROA를 구하기 위해 연속 방정식을 이용하면, 수축기 동안 승모판을 가로지르는 초당 역류 혈액량은 다음과 같다.

$$EROA \times V_{max}$$

(승모판 역류 구멍의 최고속도(V_{max})는 A4C에서 연속파 도플러를 사용해 측정한다)

- 승모판의 역류 구멍을 흐르는 혈액양은 좌심실의 혈류 집중구역에서 각 반구를 지나는 혈액량과 같다.
- 초음파로 역류가 있는 판막에 도달하는 혈액량을 색 혈류 지도(color flow mapping) 도플러를 사용하여 매우 정교하게 측정할 수 있다. 색 혈류 지도는 승모판 역류 구멍 주변의 혈류 집중구역을 다른 색(속도)의 반원형 고리들로 나타낸다(그림3.17b).
- 각 고리는 주어진 속도의 3D 반구를 2D로 표현한 것이다. 색 혈류 지도의 기준선을 조정하여 신호 뒤바뀜 속도(aliasing velocity)를 약 40 cm/s로 맞춘다.
- 승모판으로부터 일정한 거리에서 신호 뒤바뀜이 발생하여 색 혈류 지도 도플러에서 급격한 색 변화가 나타난다. 이 지점을 지나는 혈액의 속도는 신호 뒤바뀜 속도와 같다.
- 승모판 입구에서 색 변화까지의 거리가 반구의 반경이고, 이 반구에서 속도가 신호 뒤바뀜 속도가 된다. 신호뒤바뀜이 발생한 반구의 표면적이 PISA이고, 다음과 같이 구할 수 있다.

$$PISA = 2\pi\ (PISA_{radius})^2$$

- PISA와 신호 뒤바뀜 속도($V_{aliasing}$) 및 연속파 도플러로 측정한 MR의 최고속도(MR V_{max})가 주어진다면 연속방정식을 사용하여 EROA를 구할 수 있다.

$$EROA \times V_{max} = PISA \times V_{aliasing}$$

$$EROA = \frac{PISA \times V_{aliasing}}{V_{max}}$$

다른 판막의 역류와 달리 MR의 경우 *PISA lite*라 명명된 단순화된 PISA 방법을 사용할 수 있다. PISA lite에선 일반적으로 좌심실과 좌심방의 압력차($=4V^2$)가 대개 100 mmHg 정도이기 때문에 MR의 최대 속도(V_{max})를 500 cm/s(즉, 5 m/s)라고 가정한다. 신호뒤바

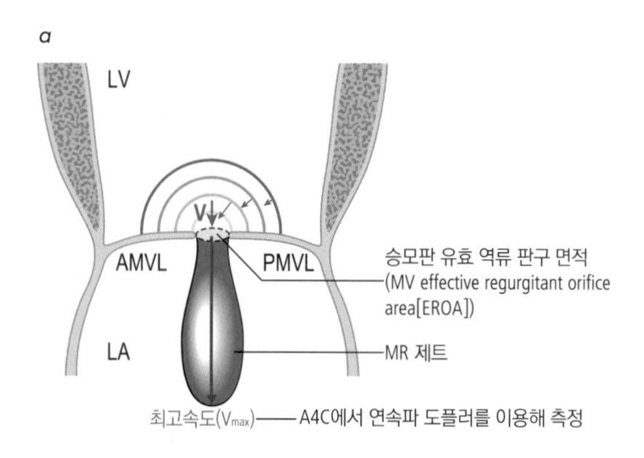

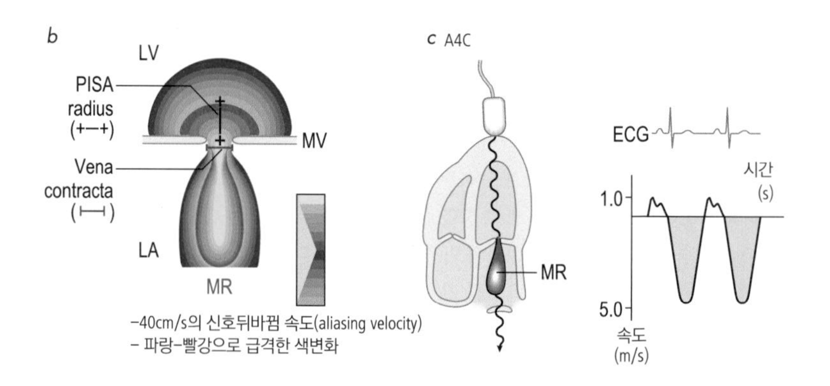

■ 그림 3.17 **연속방정식. 승모판 역류(MR).** (a) 혈류 집중구역(flow convergence)과 유효 역류 판구면적(EROA) (b) MR 도플러 색 속도 지도의 도식적 표현. 근위부 등속면(proximal isovelocity surface area, PISA)의 반지름은 승모판에서부터 파랑색 → 붉은색으로 급격한 색 변화가 나타나는 곳까지의 거리이다. (c) MR의 최고속도(Vmax)는 A4C에서 연속파 도플러를 사용해 측정한다.

뀜속도를 40 cm/s로 설정하고 PISA의 반지름을 측정할 때, PISA lite를 통한 EROA 측정 공식은 다음과 같다.

$$EROA \approx \frac{2\pi(PISA_{radius})^2 \times 40}{500} \approx \frac{(PISA_{radius})^2}{2}$$

또한 다음 공식을 통해 역류량을 계산할 수 있다.

$$\text{Regurgitant volume} = EROA \times VTI$$

VTI는 A4C에서 MR 제트를 도플러로 그려진 곡선 아래의 영역으로 계산할 수 있다.

이 방법은 다른 역류 판막에도 적용할 수 있는 효과적인 기술이며, 판막 이상이 있는 환자의 심초음파 평가에 그 사용이 증가하고 있다.

PISA를 이용한 EROA 측정은 다음과 같은 장점과 한계가 존재한다.

PISA와 EROA 사용의 장점

- 병인, 혈역학적 변수 및 다수의 판막 이상의 영향을 받지 않고 독립적으로 판막 역류의 정도를 측정할 수 있다.
- 중심성 역류제트에서 사용 할 수 있다(편심성 역류제트에서는 정확도가 떨어진다).
- 역류의 중증도를 정량적으로 평가할 수 있다
- 재현성이 좋다.

PISA와 EROA 사용의 한계

- 역류 구멍이 하나의 원형임을 가정한 공식이므로, 역류 구멍의 모양이 이와 다르면 혈류의 수렴이 반구 형태가 아니므로 PISA의 정확도가 떨어진다.
- 다수의 역류 구멍이 있는 경우 사용할 수 없다
- 편심성 역류제트의 경우 덜 정확하다
- PISA 측정의 오류가 제곱이 된다.
- 수축기 동안의 역류 흐름 변화가 고려되지 않는다.

4

심부전, 심근, 심낭

4.1 심부전

심부전에 대한 이상적인 정의는 없다. 정의 가운데 하나는 특징적인 양상의 혈역학, 신장, 신경, 호르몬의 반응을 유발하는 심장의 이상에 의한 임상 증후군이다. 더 짧은 정의는 증상을 동반한 심실 기능 장애이다.

심초음파는 심부전이 의심될 때(예: 설명할 수 없는 호흡 곤란, 정맥압 상승, 기저부 악설음[basal crackle], 제3심음과 같은 임상적 징후), 이를 확진하고 심실의 기능을 평가하고 적절한 치료를 하는데 도움을 주는데 중요한 역할을 한다.

심부전의 원인을 파악하는 데 심초음파는 중요한 역할을 한다(표 4.1). 서구에서 심부전의 가장 흔한 원인은 관상동맥질환이다. 이 외에도 수술적 치료가 가능한 심부전의 원인(예: 판막질환 또는 좌심실류[LV aneurysm])을 심초음파를 통해 찾을 수 있다. 중증 AS(75세 이상 노인의 3%에서 발견)가 심부전을 일으킬 수 있는데 심잡음이 안들리는 경우도 있다.

지난 30년간 새로운 이뇨제와 안지오텐신 전환효소 억제제(ACE 억제제)의 투여, 기계적 치료, 심장이식 등 주요 심부전 치료법이 개발되었다. 이로 인해 많은 심부전 환자들의 삶의 질이 개선되고 수명이 연장되었다.

일부 연구(예: Framingham 연구)에서 심부전의 역학 자료를 발표한 바 있다.

- 심부전 발생률은 연간 0.5~1.5%이고 고령화와 급성 심근경색증으로 인한 사망률이 감소함에 따라 많은 국가에서 증가하고 있다.
- 심근경색증에서 생존한 환자의 거의 50%에서 심부전이 발생한다.
- 유병률은 1~3%이다(70세 이상에서는 5~10%).

표 4.1 만성 심부전의 원인

심근 질환	
수축기 심부전	
● 관상동맥질환	운동이상(dyskinesia), 광범위한 기능장애, 심실류, 협동운동장애(incoordination), 기절심근(stunning), 동면심근(hibernation)
● 심근병증	특발성 – 확장성, 비후성, 제한성 독성 약물(알코올, 중금속, 독소, 독극물, doxorubicin, 기타 심독성 약물) 심근염 내분비질환(예: 갑상선기능저하증) 침윤성 심질환 – 아밀로이드, 심내막 섬유화(endomyocardial fibrosis)
● 고혈압	
● 약물	베타차단제, 칼슘차단제, 항부정맥제
이완기 심부전	
● 노인, 허혈성 심질환, 심비대	
부정맥	
● 빈맥	AF, VT, SVT
● 서맥	완전 방실 차단
심낭질환	
판막 기능 장애	
● 압력 과부하	AS
● 용적 과부하	MR 또는 AR
● 혈류 진행 장애	MS 또는 AS
단락	
심장 외 질환	
'고박출성' 심부전	빈혈, 갑상선중독증, 임신, 사구체신염, 동정맥루, 뼈의 파제트병, 각기병

Adapted from Kaddoura S, Poole-Wilson A. In: Volta SD, de Luna AB, Braunwald E, eds. Cardiology. McGraw-Hill; 1999:523-533.

확장성 심근병증(dilated cardiomyopathy, DCM)은 관상동맥이 정상이지만 수축기능은 저하되고 심장이 큰 경우를 말한다(4.4절 참고). 대개 원인은 잘 모른다. 원인이 밝혀지면 alcoholic DCM과 같이 앞에 수식어를 붙인다. 검사와 치료의 발전으로 인해 고혈압은 덜 흔한 심부전의 원인이 되었다. 그러나 고혈압은 여전히 심부전 진행의 중요한 기여요인이며,

관상동맥질환의 위험요인이다.

임상적으로 안정적이었던 심부전 환자가 악화(비대상성, decompenation)된 경우, 그 원인을 찾는 것이 중요하다. 심부전이 악화되면 호흡곤란과 같은 증상 또는 흉부 악설음(crackles), 정맥압 상승 또는 말초부종과 같은 징후를 유발할 수 있다. 심초음파는 가능한 원인을 찾는데 도움을 줄 수 있다.

- 약물을 적절히 복용하지 않은 경우(예: 이뇨제)
- 심근경색증 또는 심근허혈
- 심장의 리듬 변화(예: AF, VT)
- 판막질환(예: AS 또는 MR의 악화)
- 심근질환의 진행(예: 확장성 심근병증)
- 약물(예: 베타차단제 또는 기타 심장의 수축력을 약하게 하는 약물[negative inotropes], 심장을 느리게 뛰게 하는 약물[negative chronotropes])
- 감염(예: 폐렴, 요로감염, 연조직염, 심내막염)
- 심장 외 내과질환(예: 빈혈, 갑상선기능이상, 감염)
- 호흡기질환(예: 폐고혈압 또는 폐색전증)

급성 심부전은 다양한 원인이 있으며(박스 4.1), 가장 흔한 원인은 심근경색증 또는 심근허혈이다.

박스 4.1 **급성 심부전과 심인성 쇼크의 원인**

- 급성 심근경색증 – 광범위한 좌심실의 심근손상, 급성 VSD, 급성 MR, 우심실 경색증, 심장 파열
- 비대상성 심부전 – 약물치료의 순응도 저하, 동반 질환 또는 감염, 부정맥(예: AF 또는 VT), 심근허혈, 빈혈, 갑상선질환
- 부정맥 – 빈맥(예: AF, VT, SVT) 또는 서맥(예: 완전방실차단)
- 심장 유출로 폐쇄 – 심한 AS 또는 MS, 비후성 심근병증, 점액종
- 판막 역류 – 급성 MR 또는 AR
- 심근염
- 광범위한 급성 폐색전증
- 심장수술 후 심근 기능 장애
- 용적 과부하
- 심낭압전(cardiac tamponade)
- 폐성심(cor pulmonale)
- 중독 또는 약물과다
- 가속 고혈압(accelerated hypertension)
- 심장 외상
- 심장이식의 거부 반응
- '고박출성(high output)' 심부전(표 4.1 참고)

Adapted from Holmberg S. Acute heart failure. In: Julian DG, Camm AJ, Fox KM et al, eds. Diseases of the Heart, 2nd ed. London: Saunders; 1996:456-466 and Dobb GJ. Cardiogenic shock. In: Oh TE, ed. Oh's Intensive Care Manual, 4th ed. Oxford: Butterworth-Heinemann; 1997:146-152.

4.2 좌심실 수축 기능의 평가

이것은 심초음파의 가장 중요하고 흔한 용도 가운데 하나이다. 좌심실의 수축 기능은 심장질환의 주요 예후 인자이며, 치료에 중요한 영향을 미친다. 이상이 발견되면 임상적으로도 치료 방침이 달라진다(예를 들어 수축기 심부전이 진단되면, 금기가 없는 한 ACE 억제제 투여를 시작한다).

좌심실의 수축기능은 M-mode, 2D, 도플러로 평가할 수 있다. M-mode는 해상도가 높으며 좌심실의 내경과 벽 두께를 측정할 수 있다. 2D 방법으로 종종 국소적, 전반적인 좌심실의 수축 기능을 시각적으로 평가할 수 있다. 이 방법은 대체로 믿을 만 하지만, 검사자에 따라 측정값이 다를 수 있다. 육안으로 평가하는 것은 임상적으로 유용하나 심초음파 영상의 질이 좋지 않으면 신뢰성이 떨어지고, 시간 간격을 두고 평가할 때 제한적일 수 있으며, 좌심실 용적이 중재시술의 시기에 결정적으로 영향을 미치는 경우에는 적절하지 않은 방법이다. 심초음파 기기의 소프트웨어로 좌심실의 기능을 정량적으로 평가할 수 있다. 또한 좌심실의 형태를 기하학적으로 추정할 수 있지만, 항상 정확한 것은 아니며, 특히 심장질환이 있는 경우 그러하다.

M-mode로 좌심실 내강의 직경, 벽 운동, 벽 두께를 평가할 수 있다(**그림 4.1**). "큰 심장은 나쁜 심장이다"는 말은 중요한 사실을 담고 있다. 이는 좌심실 수축기능저하가 대개 직경의 증가와 연관되기 때문인데, 항상 그런 것은 아니다. 예를 들어 심근경색증 이후 좌심실 벽 일부가 움직이지 않는(akinetic) 부위가 넓거나 심첨부 좌심실류가 있는 경우에는 국소 벽운동 장애로 인해 수축기능이 악화될 수 있지만, M-mode로 좌심실의 직경을 측정하면 정상 범위 내일 수 있다.

좌심실 내경은 PLAX로 좌심실 수축기말(LVESD)과 이완기말(LVEDD)에 승모판엽의

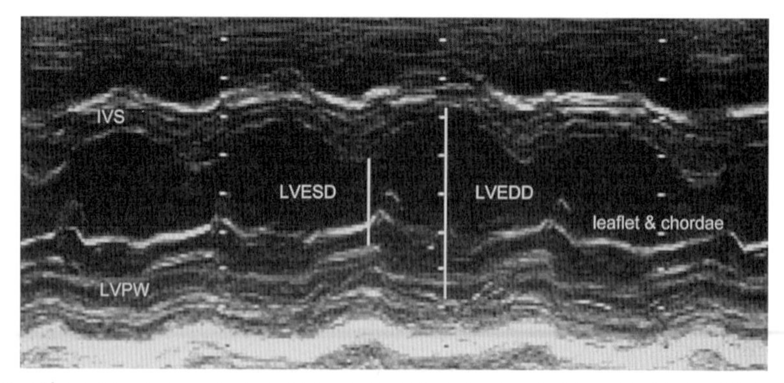

■ 그림 4.1 **좌심실의 M-mode.** 수축기와 확장기 심장의 내강과 벽 두께를 추정할 수 있다. 연속적인 심내막의 신호를 확인하여 건삭 또는 승모판엽 끝의 신호와 구분하는 것이 중요하다.

양 끝 지점에서 측정한다. 심실중격의 좌심실쪽 경계에서 좌심실 후벽의 심내막까지를 측정한다. 초음파 빔은 가능한 한 심실중격에 수직이 되도록 한다. M-mode에서 심내막과 건삭을 구별하는데 주의한다.

LVEDD는 이완기말에 측정한다(심전도의 R파). 정상 범위는 38~58 mm이다.

LVESD는 수축기말 재는데 이때 심실중격이 최고로 아래쪽으로 이동하며(일반적으로 좌심실 후벽이 가장 위쪽으로 이동할 때보다 시간상으로 약간 먼저이다), 심전도에서 T파에 해당한다. 정상 범위는 22~40 mm이다.

LVEDD와 LVESD의 정상 범위는 키, 성별, 나이 등 여러 요인에 따라 달라진다는 점을 기억해야 한다.

M-mode 측정값을 용적의 추정치로 변환할 수 있지만, 부분적인 좌심실 기능장애가 있고 심실이 공 모양(spherical ventricle)인 경우에는 정확하지 않다. LVEDD와 LVESD를 측정해 좌심실의 분획 단축(fractional shortening, FS), 박출율(ejection fraction, EF), 좌심실 용적을 계산할 수 있으며, 수축기능에 대한 추가적인 정보를 제공해 준다.

FS는 흔히 사용되는 측정법이며, 수축기과 이완기 사이의 좌심실 내경(용적이 아니라)의 변화율(%)이다. 정상 범위는 25~45%이다.

$$FS = \frac{LVEDD - LVESD}{LVEDD} \times 100\%$$

좌심실 용적은 '입체 방정식(cubed equation)'으로부터 계산할 수 있다(즉, V[용적] = D^3, 여기서 D는 M-mode로 측정한 심실의 내경). 이때 좌심실 내강은 타원형이라고 가정하는데 항상 옳은 것은 아니다. 이러한 기법의 정확도를 향상시키기 위한 다른 공식도 있다. 이완기말 용적을 $(LVEDD)^3$으로, 수축기말 용적을 $(LVESD)^3$로 계산한다. EF는 수축기와 이완기 사이의 좌심실 용적의 변화율(%)로서 다음과 같다.

$$EF = \frac{(LVEDD)^3 - (LVESD)^3}{(LVEDD)^3} \times 100\%$$

LVEF의 정상 범위는 아래와 같으며, EF는 좌심실 수축기능장애의 정도와 관련이 있다.

	정상	경도 장애	중등도 장애	중증 장애
여자	54~74%	41~53%	30~40%	< 30%
남자	52~72%	41~51%	30~40%	< 30%

참고문헌: Lang et al. J Am Soc Echocardiogr. 2015;81:1-39.

수축기 동안 좌심실 벽 운동과 두께의 변화를 측정할 수 있다. 심실중격은 좌심실후벽 쪽으로 움직이며, 이 운동의 폭을 좌심실 기능의 지표로 사용할 수 있다.

벽 두께도 측정할 수 있다. 수축기 때 벽이 두꺼워진다. 이완기말에 벽 두께의 정상 범위는 6~10 mm이다. 확장성 심근병증 또는 이전의 심근경색증으로 반흔이 생기거나 손상을 받으면 벽 두께가 6 mm보다 얇아질 수 있다. 벽 두께가 12 mm 이상이면 좌심실비대를 시사하며, 심혈관질환 위험의 중요한 독립적인 예후인자이다.

2D 심초음파는 수많은 절단면과 시야로 좌심실을 관찰하여 좌심실의 수축기능을 정상적으로 평가하는데 사용할 수 있다. 종종 숙련된 심초음파 검사자는 육안으로 좌심실의 수축기능이 정상인지, 경도 이상인지, 중등도 또는 중증 이상인지, 이상이 전반적인지 국소적인지 잘 평가할 수 있다.

2D 심초음파로 좌심실의 용적과 EF를 추정할 수 있다. 2D 영상에서 좌심실 용적을 추정하는 여러 기법들이 있지만, 모든 방법들이 자칫 비현실적일 수 있는 기하학적인 가정을 전제로 한다. 심실이 대칭형인 경우 면적-길이(area-length) 측정법을, 비대칭형인 경우 디스크 법으로 심첨부 2면을 합산하는 방법이 검증되어 있으며 정상치가 알려져 있다.

사용 가능한 여러 기법들 중 Simpson 법(**그림 4.2**)은 좌심 내강을 알려진 두께와 지름 D의 여러 절편으로 자른 후(좌심실 장축을 따라 각각 다른 면에서 많은 단축 영상을 얻음), 각 절단면의 용적을 계산한다(면적×두께). 각 절단면의 면적은 $\pi(D/2)^2$이다. 절단면이 얇을수록 좌심실 용적의 추정치는 더 정확해진다. 대부분 심초음파 기기의 컴퓨터로 계산이 가능하다. 컴퓨터는 심첨부 영상(apical view)을 좌심실 장축을 따라 20개의 단면으로 나누어 좌심실의 용적을 계산한다. 그러나 심내막의 경계를 정확하게 그려내는(tracing) 것이 어려울 때가 있다는 문제가 있다. 심내막 경계를 정하는 것은 새로운 심초음파 기술(예: harmonic image)과 일부 심초음파 기기에 있는 자동 심내막 경계 검출 시스템을 통해 일부 개선되기는 하였다.

LVEF는 수축기와 이완기의 좌심실 용적으로부터 구할 수 있다(위 내용 참고). 다른 방법으로는 수축기와 이완기의 좌심실 영상에서 좌심실의 심내막 경계를 그려서 얻은 자료를 이용할 수도 있다.

심박출량의 추정치는 좌심실 용적을 이용해 구할 수 있다.

심박출량(cardiac output) = 1회 박출량(stroke volume) × 심박수

1회 박출량 = (좌심실 이완기 용적) – (좌심실 수축기 용적)

좌심실 형태의 측정은 중요한 부분인데, 좌심실 재형성(예: 심근경색증 후)의 측면에서 충분히 활용하지 않고 있다. 좌심실이 공 모양으로 변하는 것은 예후에 있어 중요하며, 정상적인 좌심실 형태가 사라지는 것은 좌심실의 기능 장애를 시사하는 초기 신호일 수 있다. 2D 심초음파로 좌심실의 형태를 쉽게 평가할 수 있다(장축 길이와 내강 중간 직경의

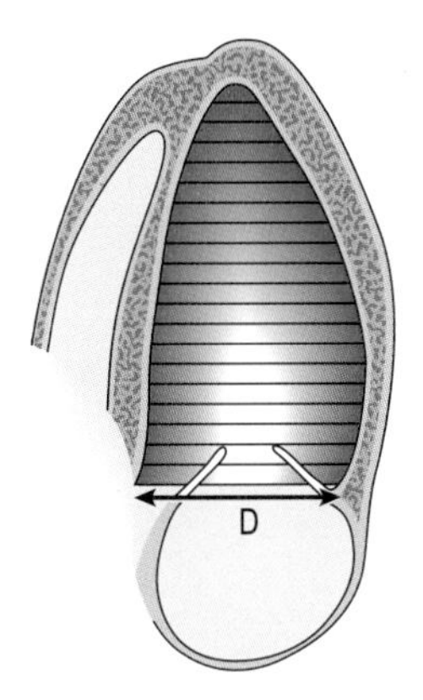

■ 그림 4.2 **좌심실 용적을 추정하는 Simpson 법.**

비를 측정).

심근경색증 후 벽 운동이상이 일어나는 위치와 범위는 LVEF와 관련이 있고 유용한 예후인자이다.

좌심실 수축기능은 새로운 3D 심초음파와 같은 새로운 심초음파 기법으로 인해 더 잘 평가할 수 있게 되었다(5.4절 참고).

좌심실의 국소 벽 운동

좌심실은 2D 심초음파로 A4C와 PSAX에서 여러 분절(16개 또는 17개)로 나눌 수 있고, 이들 분절(**그림 5.13, 5.14**)을 평가할 수 있다. 안정시와 부하시 심초음파로 분절을 평가하면 관상 동맥 질환의 위치를 결정하는 데 유용하다((5.2절 참고).

각 분절의 수축기 운동은 다음과 같이 분류할 수 있다.

- 정상
- 운동저하(hypokinetic, 움직임이 감소)
- 무운동(akinetic, 움직임이 없음)
- 이상운동(dyskinetic, 잘못된 방향으로 움직임. 예: 좌심실 수축할 때 자유벽이 바깥쪽으로 움직임)
- 심실류(aneurysmal, 심실 벽의 모든 층이 주머니처럼 밖으로 불룩하게 됨)

심부전 환자에서 심초음파로 얻을 수 있는 유용한 정보

좌심실

- 내경 – 수축기 및 이완기
- 수축기능, FS 및 EF
- 국소적 또는 전반적 벽 운동이상 – 심근경색증의 과거력, 허혈 또는 심실류의 증거
- 벽 두께 – 동심성 좌심실비대(예: 고혈압 또는 아밀로이드) 또는 비대칭성 좌심실비대 (예: 비후성 심근병증)
- 이완기 심부전의 증거

판막

- AS 또는 AR
- MR – 일차성(MR 자체가 심부전의 원인일 수 있음) 또는 심실 확장에 의한 이차성('기능성')
- MS

심낭

- 삼출
- 협착
- 심낭압전을 시사하는 심초음파 소견(예: 우심실의 이완기 허탈)

우측 심장

- 우심실 내경
- 폐동맥고혈압(TR에서 도플러 평가로 PASP 추정)

좌심방

- 내경(특히 AF에서 심율동전환 예정인 경우)

심장 내 혈전

치료에 대한 심장 크기와 기능의 변화

4.3 관상동맥질환

관상동맥질환의 평가에 있어 심초음파가 점점 더 중요한 역할을 하고 있다. 안정시, 부하시 심초음파(5장)를 시행하는 경우는 다음과 같다.

- 허혈 또는 경색의 범위 평가

- 허혈을 유발하는 관상동맥을 예측
- 심근경색증 – 급성 심근경색증의 진단과 심근경색증 이후 평가, 허혈성 심근병증에서 좌심실 기능 평가
- 우심실 경색증
- 심근경색증의 합병증 – MR, VSD, 심내 혈전, 좌심실류, 가성심실류(pseudoaneurysm), 삼출, 파열
- 관상동맥 이상(예: 동맥류, TTE와 TEE에서 보일 수 있는 관상동맥의 이상 기원[origin])
- 흉통이 있으나 관상동맥이 정상인 경우 – AS, HCM, MVP

허혈의 평가

허혈은 심초음파로 확인할 수 있는 즉각적인 변화를 유발한다.

- 벽 운동이상(운동저하, 무운동, 이상운동)*
- 벽 두께 증가 이상(수축시 벽 두께 증가가 감소 또는 소실되거나 벽 두께가 얇아짐 – 허혈에서 더 민감하고 특이적임)*
- 전반적인 좌심실 기능이상(예: EF)

(*협동운동불능(asynergy)이라고도 함.)

이것은 2D 심초음파로도 확인할 수 있지만, M-mode가 시간 해상력이 좋으므로 벽 운동과 벽 두께 변화 이상에 매우 민감하여 유용한 검사법이다. 초음파 빔이 벽과 90°를 이루어야 한다. 좌심실의 심근 중 일부(특히 심실 중격, 좌심실 후벽)를 M-mode로 검사할 수 있다(그림 4.3).

휴식, 항협심증 약물, 경피적 관상동맥성형술, 혈전용해술 또는 관상동맥우회술

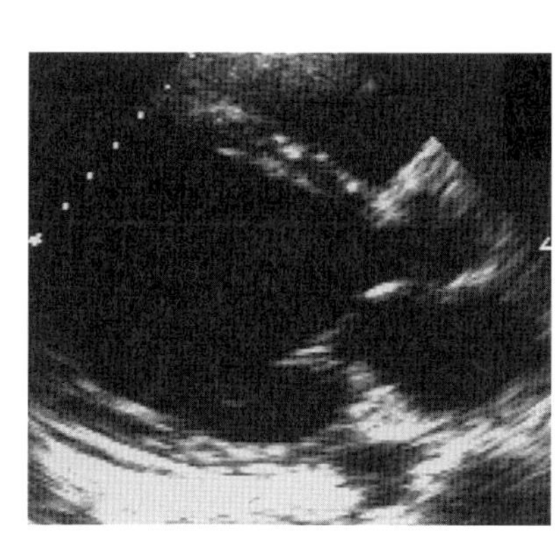

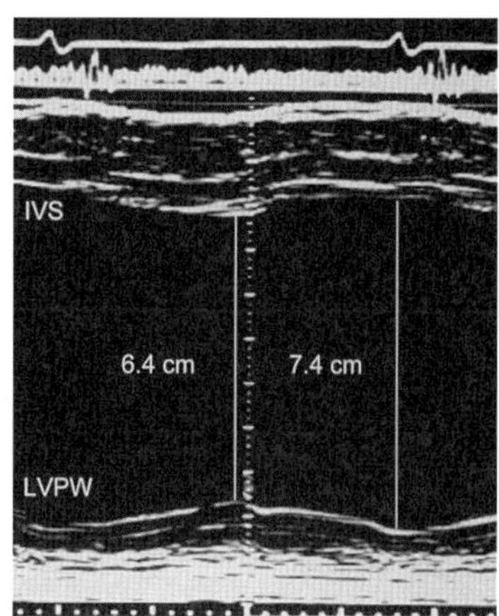

■ 그림 4.3 관상동맥질환으로 인한 좌심실 확장과 수축기능장애.

(CABG) 등으로 허혈이 해소되면 초음파상 변화가 생길 수 있다. 심근에 1시간 이상 혈액 공급이 중단되면 심근경색증과 반흔 등 영구적 변화가 생긴다.

침범된 관상동맥의 예측

앞서 설명한 바와 같이(**그림 5.13, 5.14**) 좌심실을 여러 분절로 나누어 검사한다. 부하 심초음파도 같은 방식을 사용한다.

심근경색증의 평가

심초음파는 좌심실 경색의 범위 확인, 우심실의 침범 여부 평가, 합병증 확인에 도움이 될 수 있다. 급성 심근경색증에서 좌심실의 기능 변화는 허혈에서 설명한 내용과 유사하지만, 빠르게 비가역적으로 변한다. 우심실의 침범 여부를 확인하는 것은 치료와 예후를 결정하는 데 중요하다(4.6장).

심근경색증의 합병증

심초음파로 많은 급성 심근경색증의 합병증을 확인할 수 있다.

- 광범위한 심근의 경색으로 인한 급성 심부전이 발생하고, 펌프 기능이 상실되어 심인성 쇼크를 일으킬 수 있다. 심초음파로 중증 좌심실 수축기능 장애 여부를 알 수 있다. 다음의 2가지 합병증(급성 MR과 급성 VSD)에서는 위의 상황과 달리 좌심실의 수축기능이 매우 활동적(hyperdynamic)이다.
- 급성 MR. 유두근(papillary muscle)의 기능장애나 파열(**그림 4.4**), 건삭(chorda)의 파열

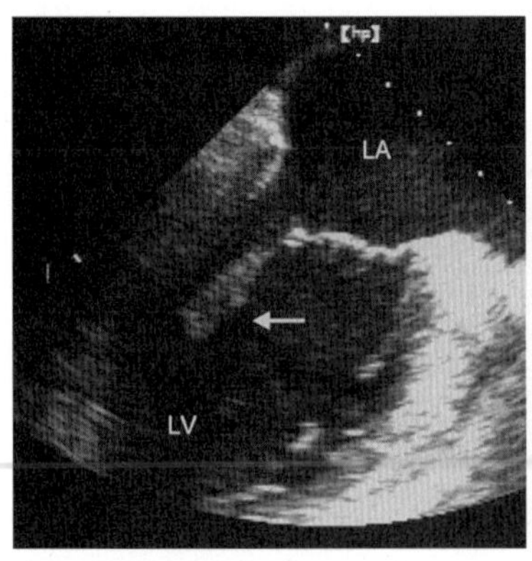

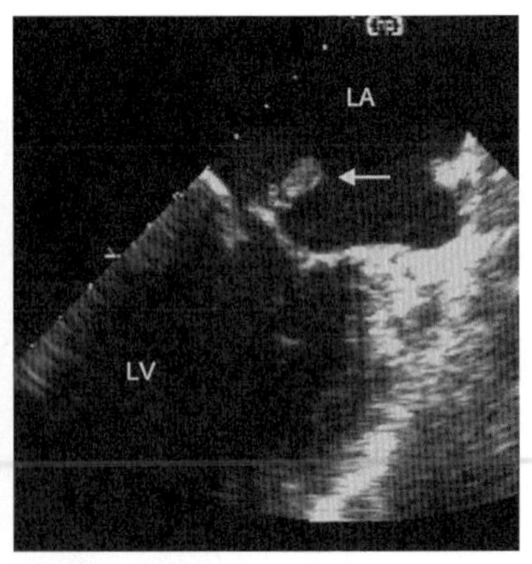

■ 그림 4.4 **급성 심근경색 이후에 발생한 유두근 파열.** 심근(화살표)과 승모판 후엽이 좌심방 내로 일탈하는 것을 볼 수 있다. 경식도 심초음파검사 영상이다.

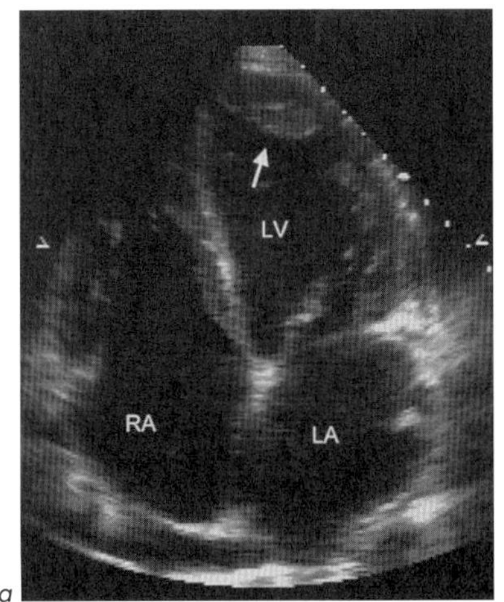

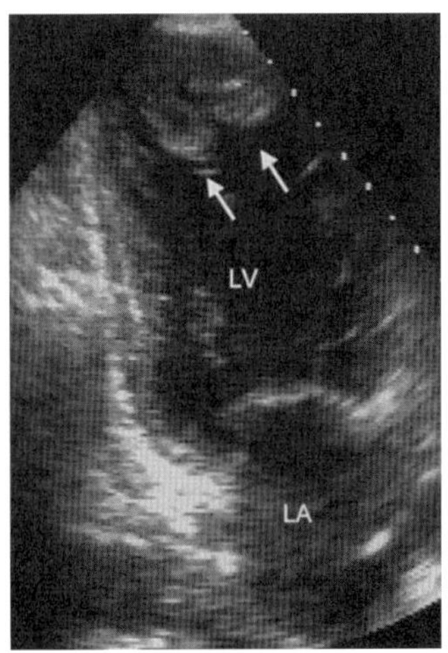

■ 그림 4.5 **심근경색증 이후 좌심실 첨부에 있는 혈전(화살표).** (a) A4C와 (b) A2C에서 뚜렷한 2개의 종괴로 보인다.

에 의해 생길 수 있으며 2D 심초음파로 확인할 수 있다. 동요(flail) MV leaflet도 생길 수 있다. MR 제트는 연속파 또는 색 혈류 지도 도플러로 관찰할 수 있다.

- 급성 VSD. 종종 심첨부 근처에 생기고 심실 하벽과 우심실 경색에서 더 흔하다. 2D 심초음파의 A4C, PLAX, PSAX에서 심실 중격이 끊어진 것을 확인할 수 있다. 색 혈류 지도에서도 결손을 관찰할 수 있다. 심실 중격의 우심실 쪽을 따라 간헐파 도플러를 대보면(PLAX, 또는 때때로 A4C에서) 제트를 관찰할 수 있다.
- 심내 혈전(그림 4.5). 2D 심초음파로 관찰할 수 있다. 주로 경색이 있는 분절 또는 심실류 주위에 위치한다.
- 좌심실류. 심첨부 또는 그 주위에서 가장 흔히 관찰된다. 하벽 보다는 전벽 심근경색증에서 더 흔하다. 2D 심초음파에서 가장 잘 보인다. 크기는 작은 것부터 매우 큰 것까지 다양할 수 있고, 때때로 좌심실보다 큰 경우도 있다.
- 가성심실류(pseudoaneurysm, false aneurysm). 드물게 발견된다. 좌심실의 자유벽이 파열되어 생기며, 혈심낭(hemopericardium, 심낭 공간에 혈액이 참), 심낭압전이 유발되고 환자 상태가 빠르게 안좋아질 수 있다. 때로는 혈심낭이 응고되어 좌심실의 파열 부위를 막아 가성심실류가 생길 수도 있다. 파열되기 전 응급으로 수술적 절제가 필요하여 진단이 매우 중요한데, 2D 심초음파는 좋은 진단법이다. 가성심실류를 진성심실류(true aneurysm)와 구분하는 것이 어려울 수 있지만, 가성심실류에서는 교통목(communicating neck)이 심실류의 직경보다 좁으며, 벽이 얇고 심장 주기에 따라 크기가 변하고(수축기에 확장), 종종 혈전으로 차 있다.
- M-mode 또는 2D 심초음파로 심근경색증의 합병증으로 발생한 심낭삼출을 확인할 수 있다.

● 심근경색증 이후 심근의 기능. 예후의 지표가 된다. 반흔성 심근은 수축기 동안 벽 두께가 두꺼워지지 않고 비정상적인 운동을 하는 얇은 분절로 관찰된다. 심초음파로 심근경색증의 범위를 평가할 수 있고, 좌심실의 수축/이완기능을 평가할 수 있으며, 남아있는 합병증을 관찰할 수 있다.

심근 '동면(hibernation)'과 '기절(stunning)'

심장은 혈액공급에 매우 의존적이다. 관상동맥이 막히면 1분 이내에 심근수축이 중단된다. 허혈이 발생하고 15분이 지나면 대개 심근세포가 괴사한다.

심근경색증 없이 혈액공급이 재개되더라도 수축 기능 장애가 남을 수 있다. 이를 심근기절(myocardial stunning, stunned heart)이라고 한다. 이것은 가역적인 수축 기능 장애 또는 이완 기능 장애를 유발할 수 있다. 기절한 심근이 생존 가능하다 하더라도 2주까지 정상기능으로 회복되지 않는 경우도 있다. 허혈이 재발하면 심장의 정상 기능을 소실할 수 있는데, 이를 '동면심근(hibernating myocardium, hibernation)'이라 정의한다.

관상동맥 구조의 심초음파적 평가

아직까지는 심초음파로 관상동맥의 대부분의 부위를 정확하게 평가할 수 없다. 그렇지만 좌우 관상동맥의 기시부를 TTE의 PSAX를 변형하여 대동맥판 높이에서 확인할 수 있다.

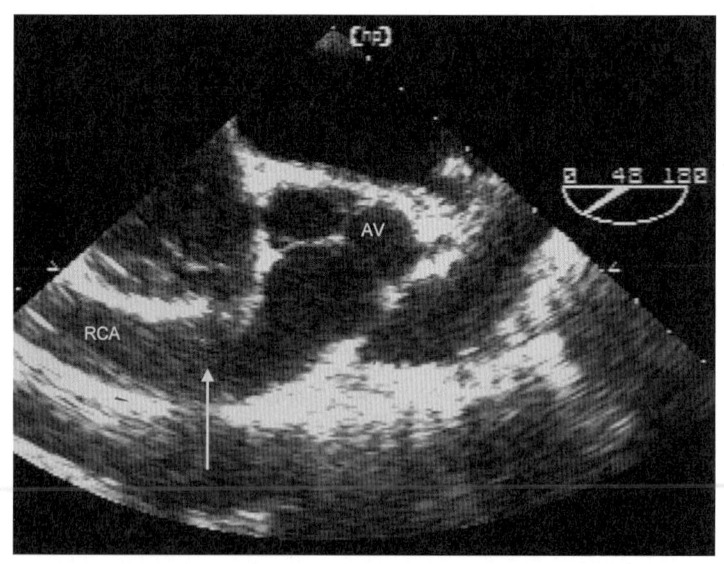

■ 그림 4.6 **관상동맥루로 인한 우관상동맥(화살표)의 심한 확장.** TEE 검사에서 대동맥판 높이의 단축 단면이다.

관상동맥 이상은 TEE로 더 잘 관찰할 수 있다. 예를 들면 다음과 같다.

- 관상동맥의 이상 기원(예: PA로부터 기원)
- 관상동맥루(coronary artery fistula)(그림 4.6)
- 동맥류(예: 가와사키 증후군은 관상동맥루가 있는 소아에서 발생하는 후천성 질환으로 직경이 수 cm까지 될 수 있음)

4.4 심근병증과 심근염

심근병증은 여러 질환들의 집합으로 사전적으로 풀면 모든 심장 근육의 이상을 의미하지만, 엄격히 말해 알려진 기저 원인이 없는 경우로 국한해야 하는데 이를 특발성 심근병증이라 한다. 최근 심근병증은 기저 원인(예: 알코올성, 허혈성, 고혈압성 심근병증 등)이 있는 상태까지 포함하는 개념으로 확장되었다. 중요한 특발성 심근병증의 종류는 다음과 같다.

- 비후성(심실벽 두께의 증가)
- 확장성(심실 용적의 증가)
- 제한성(심실의 경직도 증가)

1. 비후성 심근병증(Hypertrophic cardiomyopathy, HCM)

상염색체 우성으로 유전되고, 돌연변이율(50%까지 산발적으로 발생)이 높다. 1년에 100,000명당 0.4-2.5명의 드문 발병율을 보인다. 여러 심장단백질(B-myosin heavy chain, myosin-binding protein C, α-tropomyosin, troponin T)의 돌연변이가 기저 원인으로 확인되었다.

임상적 특징은 다음과 같다.

- 정상 관상동맥에서 발생한 협심증 – 심실비대와 심근의 산소 공급과 수요의 불균형 때문에 발생
- 부정맥
- 호흡곤란
- 실신
- 돌연심장사(연간 사망률이 성인에서 3%) - 유출로의 폐쇄 또는 부정맥 때문에 발생
- 수축기 박출성 심잡음- 판막성 AS 심잡음과 혼동될 수 있다.
- 심부전(10~15%)

특징적인 소견은 심실벽의 일부에서 관찰되는 심근의 비후이다.

- 심실중격이 자유벽보다 훨씬 두꺼워짐(asymmetric septal hypertrophy, ASH) - 환자의 60%

● 동심성 - 환자의 30%
● 심첨부 - 환자의 10%
● 우심실 비대 - 환자의 30%, 좌심실비대의 중증도와 연관됨

특히 심실중격의 비대는 좌심실 유출로 폐쇄(LV outflow tract obstruction, LVOTO)를 유발한다. 이 경우에 비후성 폐쇄성 심근병증(HOCM)이라는 용어가 적절하다. 역동적 폐쇄는 수축기 후기에 더 두드러진다. 좌심실이 비워지면서 좌심실 내강의 크기는 더 작아지고, 승모판 전엽이 전방으로 이동하여 심실중격과 맞닿게 된다. 이는 안정시에도 나타날 수 있고, 운동 중에 더 두드러진다. HCM이 있는 일부 환자에서 가장 위험한 시간은 격렬한 운동 이후(예: 미식축구경기의 중간 휴식시간)이다. 이 시간에 심박출량과 심박수가 감소하면서 심실 용적이 줄어든다. 그러면서 카테콜라민 방출이 감소하고, 칼륨 이온 같은 혈중 전해질 농도의 변화가 발생할 수 있다. 이러한 변화는 모두 좌심실 유출로 폐쇄와 부정맥의 가능성을 증가시켜 실신과 돌연사의 위험을 높인다.

심초음파검사로 HCM을 진단할 수 있는데, 특징적인 주요 소견은 M-mode와 2D 영상에서 관찰된다.

1. 비대칭적 심실중격 비대(asymmetic septal hypertrophy, ASH) **(그림 4.7)**
2. 승모판 구조물의 수축기 전방운동(systolic anterior motion, SAM). 승모판의 구조물이 수축기에 심실중격과 닿는다. 안정 시에는 안 보일 수도 있고, 발살바 술기(Valsalva maneuver)나 등용성 운동에 의해 유발될 수 있다.
3. 수축기 중기 대동맥판의 폐쇄와 떨림

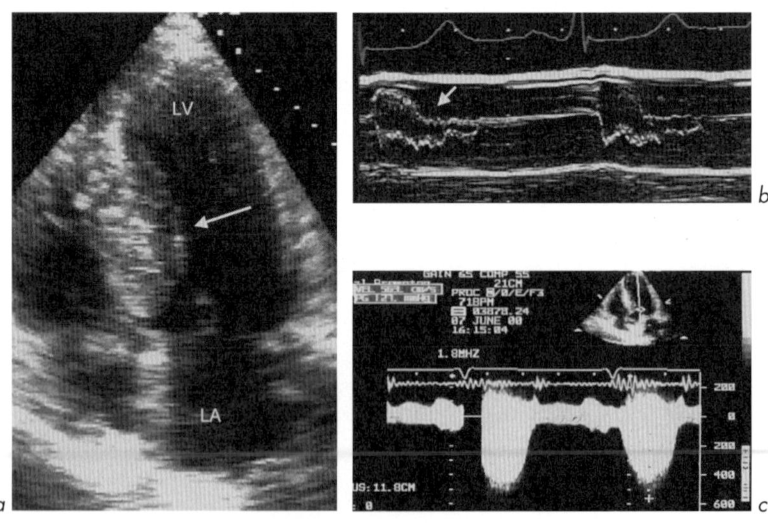

■ 그림 4.7 **비후성 심근병증.** (a) 비대칭적 심실중격 비대(화살표). (b) 대동맥판의 떨림과 수축기 중기에 조기 폐쇄(화살표). (c) 좌심실 유출로에서 최고속도 5.6 m/s(추정 최고압력차 127 mmHg)을 보여주는 연속파 도플러.

ASH의 정의는 다양하지만 심실중격과 후벽의 두께 비율이 1.5 이상이면 확실히 비대칭이다.

ASH나 SAM이 HCM에 특이적인 것은 아니다. ASH는 AS에서도 발생할 수 있고, SAM은 MVP에서 발생할 수 있다. ASH와 SAM이 함께 있는 것은 HCM을 강하게 시사하는 소견이다.

연속파 도플러는 LVOT를 지나는 혈류의 최고속도가 증가된 것을 보여준다. 표본용적을 대동맥판의 근위부인 LVOT에 놓고 간헐파 도플러로 관찰하면 속도의 증가가 판막 아래에서 발생하는 것을 알 수 있다. 이는 판막성 AS의 폐쇄와 구별된다. HCM에서 대동맥판을 지나는 혈류의 최고속도의 정점은 종종 두 갈래로 보인다. 좌심실비대 때문에 좌심실의 이완기능장애(예: 승모판 혈류 양상에서 비정상적으로 E파가 A파보다 작게 나타남, 4.5절 참고)가 관찰될 수 있다.

HCM의 치료는 환자의 증상과 신체징후, 가족력과 위험인자에 근거하여 결정한다. 치료방법에는 약물치료(예: 베타차단제), ICD, 수술적 심근절제술(좌심실 근육절제술) 혹은 도관을 이용한 에탄올 중격 절제술(그림 5.15)에 의한 LVOTO의 완화가 있다.

2. 확장성 심근병증(Dilated cardiomyopathy, DCM)

이 질환은 심방과 심실, 특히 좌심실(모든 심강이 확장되는 경우가 종종 있음)의 확장과 벽 두께와 벽운동의 감소를 특징으로 한다(그림 4.8). 발생율은 1년에 100,000명당 6명으로 추정된다. 일부 유전되는 경우도 있지만 대부분은 개별적으로 발생한다. 좌심실의 벽운동 감소는 관상동맥질환(허혈 혹은 경색) 때문에 발생하는 좌심실 수축기능 장애처럼 심실 일부가 아니라 전체적으로 나타난다.

M-mode와 2D 심초음파 소견은 다음과 같다.

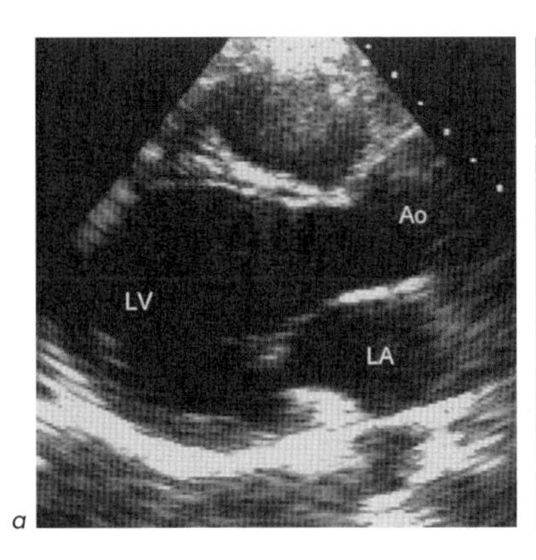

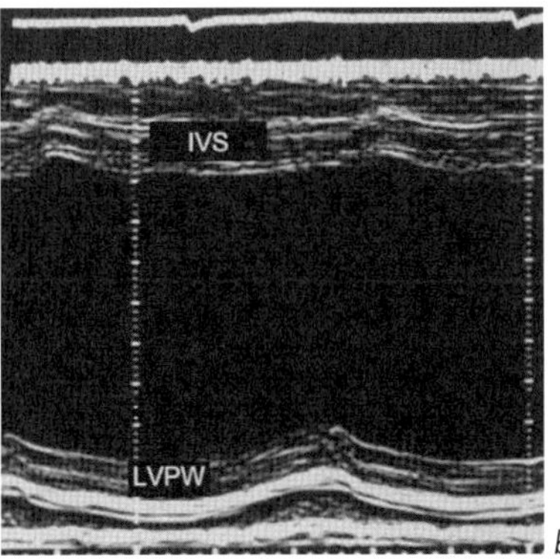

그림 4.8 **확장된 좌심실과 수축기능저하를 보이는 확장성 심근병증.** (a) PLAX. (b) M-mode.

- 모든 심강의 확장(좌, 우 심실과 심방) - 좌심실 수축기/이완기 직경의 증가
- 벽 두께와 벽운동의 감소(경도부터 중증장애까지 다양) - LVEF와 분획 단축(fractional shortening)의 감소, 심실중격과 후벽의 운동성 감소
- 심장내 혈전(좌심실, 좌심방)

도플러 검사를 통해 기능성 MR과 TR을 확인할 수 있다.

몇 가지 조건이 특발성 DCM과 유사한 임상적 특징을 유발한다. 알코올 같은 독소나 일부 항암제가 이에 속한다.

항암화학요법(Cancer chemotherapy)

Doxorubicin 화학요법은 용량의존적인 퇴행성 심근병증을 일으킨다. 다른 항암제(예: trastuzumab)도 좌심실 기능이상이나 심부전을 유발할 수 있다. 항암제를 투여받는 환자에서 투여 전후 심초음파를 시행해야 한다. Doxorubicin의 총 투여량은 약 400 mg/m^2 미만으로 유지해야 한다. Doxorubicin을 단 1회 투여받은 환자의 약 6명 중 1명에서도 경미하지만 좌심실의 수축기능이상(wall stress의 증가)이 발견되었다. 최소 228 mg/m^2을 투여받은 대부분의 환자들은 수축력의 감소나 wall stress의 증가를 보였다. 200-300 mg/m^2을 투여받은 환자들에서는 수축기능 이상 없이 이완기능 이상이 먼저 나타날 수 있다. 암 환자에서 심초음파의 역할에 대한 자세한 내용은 7.9장에 언급되어 있다.

3. 제한성 심근병증(Restrictive cardiomyopathy, RCM)

이 질환은 한쪽 또는 양쪽 심실의 심근 경직도가 증가하고 이완기능의 장애가 특징이다. 다음과 같은 몇 가지 질환에서 RCM의 임상적 특징을 보인다.

1. 특발성
2. 침윤성 질환: 아밀로이드증, 사르코이드증, 혈색소침착증, 당원축적병(예: Pompe병), 점액다당류증(예: Gaucher병, Fabry병)
3. 심근내막 섬유화: Loeffler 심근내막 섬유화, 카르시노이드, 암

RCM의 심초음파 평가는 어렵고, 소견이 특이적이지 않다. RCM의 특징이 보인다면 심근침윤이나 심근내막 섬유화의 증거가 있는지 찾아봐야 한다. RCM과 교착성 심낭염의 심초음파 감별은 어려울 수 있지만 치료에 영향을 줄 수 있어 중요하다(4.8장).

RCM의 심초음파 특징

- 좌심실과 우심실 내강 크기는 대개 정상이거나 약간 증가되어 있지만 M-mode와 2D 심초음파에서 심실벽의 수축력 장애가 보인다. 좌심방과 우심방의 확장이 관찰될 수 있다.
- 좌심실과 우심실의 이완기능 장애. 도플러 심초음파로 가장 잘 평가할 수 있다. 종종 매

우 큰 E파와 작은 A파가 보이는 비정상 '제한적 양상'이 나타날 수 있다(4.5절 참고).

침윤

소견은 기저 원인이 무엇이든 비슷하다. 아밀로이드증은 가장 흔한 침윤성 질환이다 (그림 4.9). 특징은 다음과 같다.

- 좌심실과와 우심실의 자유벽, 심실중격, 심방중격의 동심성 비후
- 감소된 좌심실과 우심실의 내경
- 심실중격과 좌심실 자유벽이 수축기때 두꺼워지지 않음
- 비후된 심근에 고음영의 '작은 반점(speckling)' 부분
- 역류와 동반된 승모판과 삼첨판엽의 비후(대동맥판과 폐동맥판도 두꺼워질 수 있음
- 심낭삼출
- 좌심실의 이완기능 이상(수축 기능 이상을 동반할 수도 있음)
- 심장내 혈전

심내막, 심근의 섬유화

- 섬유화와 호산구 침착 때문에 특히 우심실과와 좌심실 심첨부에서 내강이 폐쇄됨
- 밝은 음영의 심내막
- 좌심실 벽두께가 정상이거나 증가되고, 수축력이 감소됨
- 좌심실 내강 크기가 정상이거나 감소
- 우심실에서 좌심실과 비슷한 변화
- 우심방과 좌심방의 확장

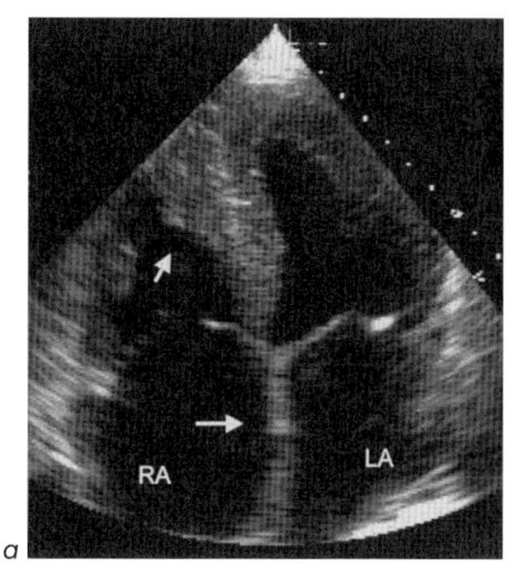

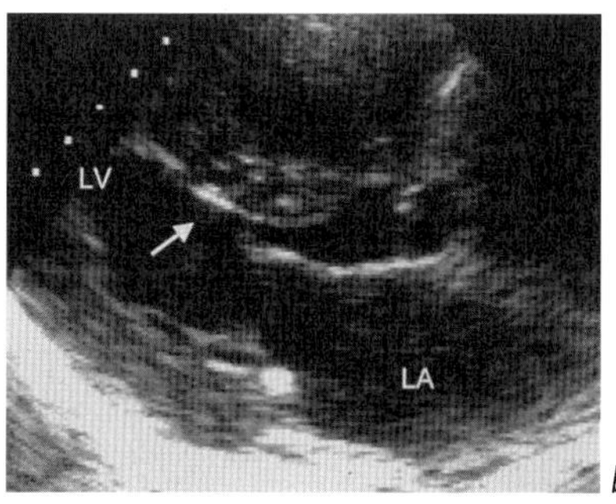

■ 그림 4.9 **심장을 침범한 아밀로이드증.** (a) 좌심실과 우심실의 비대, 우심실 내강의 심첨부 폐쇄와 혈전(화살표). 심방이 확장되고, 심방중격과 판막엽이 두꺼워진다(화살표). (b) 심실중격의 비대와 작은 반점들(화살표).

- 심장내 혈전
- 좌심실 이완기능이상(수축기능이상을 동반할 수도 있음)

RCM과 교착성 심낭염을 감별할 수 있는 심초음파적 특징은 4.8절에서 언급될 것이다.

4. 다른 심근병증

일부 심근병증은 특이적인 심초음파의 특징을 갖는다. 다음과 같다.

- 좌심실 비치밀심근(LV non-compaction)
- 스트레스 유발 심근병증(Takotsubo cardiomyopathy)
- 부정맥 유발성 우심실심근병증(Arrhythmogenic RV cardiomyopathy[ARVC] or dysplasia[ARVD])

좌심실 비치밀심근('스폰지' 심근)

이 질환은 매우 드물어서 보고된 유병률은 심초음파 연구들에 근거했을 때 전체 인구의 0.014-1.3% 분포를 보인다. 2D 심초음파(**그림 4.10**)에서 명확한 소견을 보인다. 정상('치밀') 심근과 대개 심첨부와 좌심실의 측면 자유벽에 보이는 비정상인 스폰지('비치밀') 심근으로 구분된다. 일부 환자들에서는 그물망 같은 잔기둥(trabeculations) 혹은 여러 개의 두드러진 잔기둥이 보인다. 잔기둥 사이에는 혈액이 채워지는 함몰(recess)이 있어 좌심실 내강과 교통하는데, 이를 색 혈류 지도에서 관찰할 수 있다. 좌심실의 잔기둥은 일부 정상인에서도 보이며 apical HCM 혹은 혈전처럼 보일 수 있다. 좌심실 첨부의 심초음파 영상이 일부에서 흐리게 나올 수 있기 때문에 심장 MRI를 통해 확진한다.

좌심실 비치밀심근은 대개 유년기나 성인기 초반에 발현된다. 아마도 자궁 내 발달 과정에서 치밀화가 중단되면서 발생한 발달 이상 때문으로 생각된다(선천성 심장 이상이 동반될 수 있다). 적어도 환자의 30~50%에서 유전 성향을 보인다. 좌심실 비치밀화을 유발하는 몇 가지 유전자가 확인되었고 이들은 근섬유분절(수축 구조물) 혹은 세포골격 단백질을 coding한다. 좌심실 비치밀심근이 다른 선천성 심질환과 연관되는 경우 Notch 신호 전달 경로를 방해하는 것이 최종 공통경로의 일부로 보인다. 일부는 미토콘드리아 기능 이상 혹은 대사 이상 때문에 발생한다.

세 가지 합병증(심부전, 생명을 위협하는 심실 부정맥, 전신 혈전/색전증) 위험이 증가한다.

몇 가지 해결되지 않은 문제들도 있다.

- 실제 유병률이 과소 또는 과대 평가되었을 수 있다.
- 유전적 기초에 대한 추가적 이해
- 확실한 심초음파, MRI 진단기준이 필요하다.

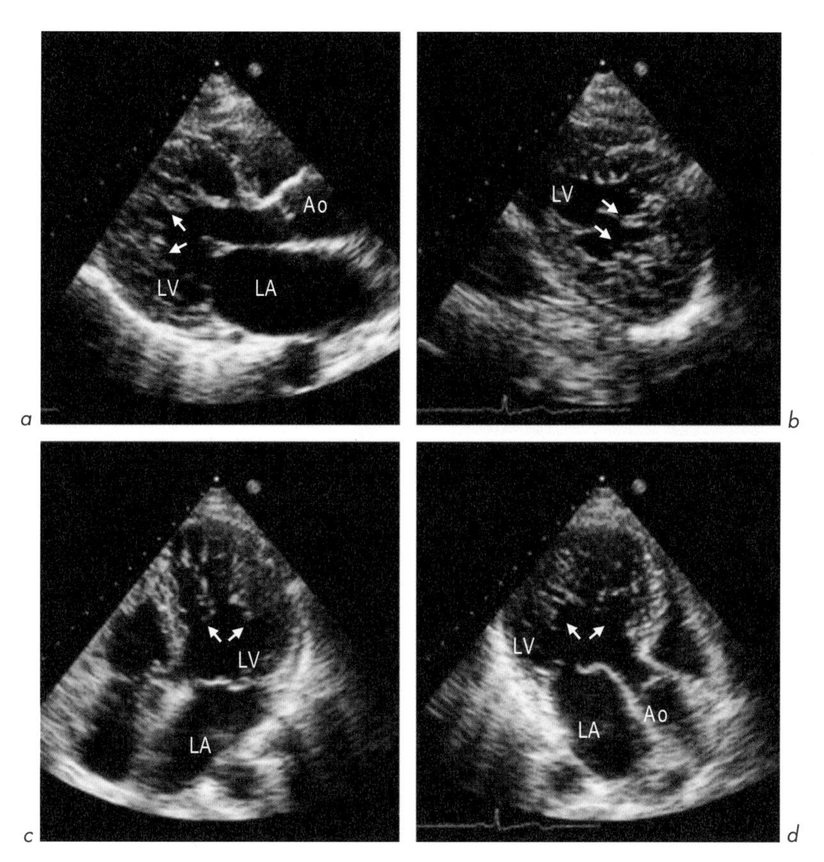

■ **그림 4.10 좌심실 비치밀심근.** 두드러진 좌심실의 잔기둥(화살표). (a) PLAX. (b) PSAX. (c) A4**C.** (d) ALAX. Images adapted from Souza O, Silva G, Sampaio F, et al. Isolated left ventricular non-compaction: a single-center experience. Rev Port Cardiol. 2013;32:229-238, with permission.

- 우심실 침범의 유병률과 진단
- 조기 진단과 치료에 의한 예후 개선 여부

스트레스 유발 심근병증('broken heart syndrome' or 'stress cardiomyopathy')

이 질환은 1990년 일본에서 Satoh와 동료들에 의해 처음 보고되었다. 타코츠보(takotsubo)는 문어(tako=octopus)를 잡는데 쓰는 낚시 항아리(tsubo=jar/pot/vase)를 뜻하는 일본어다. 이 질환에서 좌심실 수축기말 좌심실조영술(**그림 4.11**)상 좌심실이 '타코츠보(takotsubo)' 모양과 비슷해서 이 용어가 사용된다.

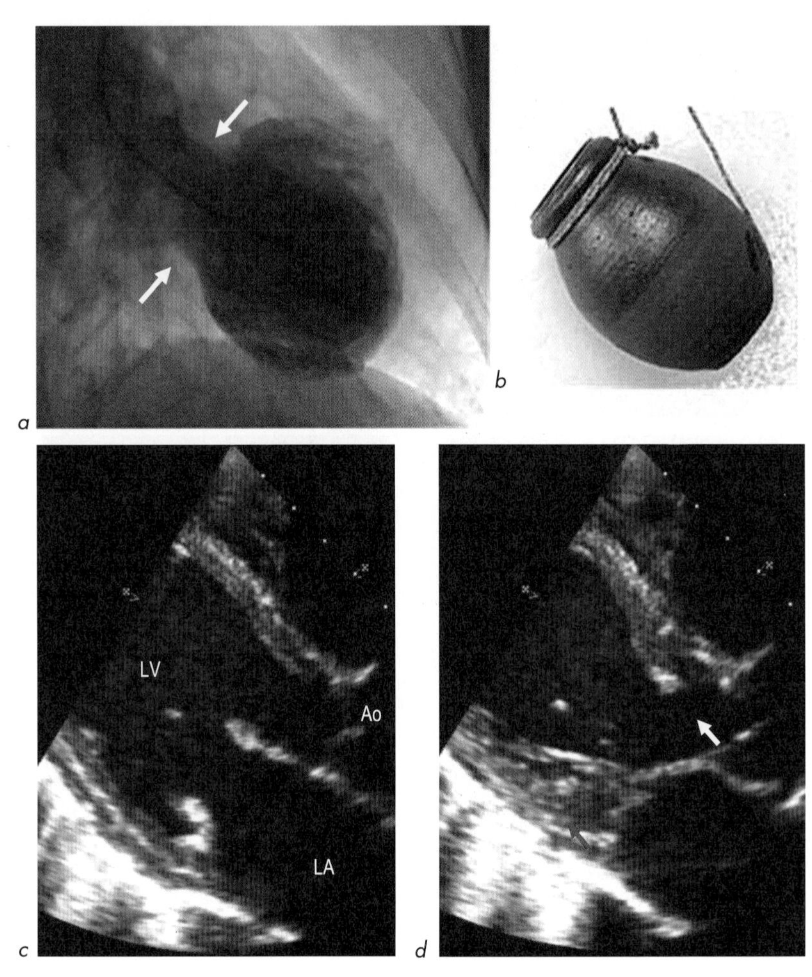

■ 그림 4.11 **스트레스 유발 심근병증.** (a) 수축기말에 전형적인 타코츠보(일본식 문어잡이 항아리) 모양의 좌심실을 보여주는 좌심실조영영상. 타코츠보 모양과 비슷하게 좌심실 첨부의 부풀어짐(구 모양)과 좁아진 목(화살표)이 보인다. (b) 타코츠보(일본식 문어잡이 항아리). (c) 스트레스 유발 심근병증 환자에서 확장기말 확대된 좌심실을 보여주는 축에서 벗어난 PLAX. (d) 같은 환자에서 수축기말. 영상 오른쪽의 심실중격(기저부의 anteroseptal segment, 흰색 화살표- 그림 5.13 참고)과 상부 후벽(posterobasal segment, 적색 화살표)은 수축하지만 영상 왼쪽의 중격과 후벽(첨부의 anteroseptal segment와 diaphragmatic segment)의 수축저하로 타코츠보 모양을 보여주는 영상. Images (a) and (b) adapted from Cesário V, Loureiro MJ, Pereira H. Takotsubo cardiomyopathy in a cardiology department. Rev Port Cardiol. 2012;31:603-608, with permission.

이 심근병증은 일본 인구의 1.2-2.2%, 서구권 국가에서 2-3%가 영향을 받는 것으로 추정된다. 남자보다 여자(환자의 약 90%)에서 훨씬 많이 발생한다. 대부분의 환자는 폐경 이후에 발생하고, 대개 발병 연령은 58~75세이다, 평균 연령은 68세이고, 60, 70대에 가장 흔하다. 보고된 증례의 3% 미만은 50세 이전에 발생했다.

대개 급성 심근경색증과 유사한 심한 흉통으로 발현한다. 발병률은 처음에 급성 관동맥 증후군으로 발현된 사람의 0.7-2.5%로 추정된다. 심한 감정적 스트레스, 물리적 스트레스 혹은 의학적 시술이나 수술에 의해 촉발될 수 있다. 보고된 증례의 85% 이상은 물리적 혹은 정서적 스트레스 이후에 발생했다. 그 예로는 사랑하는 사람의 사망으로 인한 슬픔, 공개연설의 두려움, 배우자와 다툼, 인간관계에서 오는 갈등 혹은 재정적 문제가 있다. 급성 천식, 수술, 항암화학요법, 뇌졸중, 익사에 의해 촉발된 증례보고도 있었다.

심전도의 흉부유도에서 ST 분절 상승, T파의 역위, 병적 Q파, QT 간격의 연장, 새로 발생한 좌각차단 혹은 우각차단 같은 심전도 변화가 나타날 수 있다. 심근손상의 혈중 표지자(예: troponin, creatine phosphokinase)는 대개 상승한다.

결정적으로 관상동맥조영술에서 의미있는 협착이나 폐쇄는 보이지 않는다.

병태생리는 아직 불분명하다. 제시된 기전들은 다음과 같다.

- 심외막 관상동맥의 다혈관 연축
- 급성 미세혈관 연축
- 과도한 교감신경 항진. 현저한 혈중 카테콜라민 농도 증가는 심근의 대사이상과 기절심근을 유발
- 급성 자율신경 기능이상에 의해 유발된 신경성 기절심근
- 혈전형성과 일시적 관상동맥 폐쇄-자발적인 용해로 재관류

기저 원인과 상관없이 스트레스 유발 심근병증은 급성이지만 가역적인 관상동맥 미세혈관의 기능이상을 동반한 병태생리를 특징으로 한다는 가설이 제시되어 왔다. 폐경후 여성에서 호발한다는 점은 에스트로겐 감소에 의해 유발된 스트레스 매개성 혈관수축 가설을 뒷받침한다.

심초음파는 진단에 있어 결정적이다. 전형적으로 LVEF의 감소(심하게 감소될 수 있음)와 좌심실 첨부의 부풀림(ballooning)이 관찰된다. 정상 두께의 심근을 보이는 심첨부의 좌심실류가 보일 수 있다. 광범위한 좌심실(특히 좌심실 첨부, 원위부 전벽과 측벽의 분절)의 무운동(akinesia)이 관찰된다. 승모판의 수축기 전방 운동과 MR이 보일 수 있다.

환자들은 대개 심한 심부전을 보이지만 점차 회복된다. 입원 후 수 일 혹은 수 주 이내에 좌심실 기능과 좌심실류가 완전히 회복되는 것이 일반적이다. 심초음파로 좌심실 혈전이나 심낭삼출 같은 합병증도 발견할 수 있다. 2D 심초음파는 급성기 진단에 있어 결정적 역할을 하고, 추적관찰에도 유용하다. 3D 심초음파도 도움이 된다. 다른 도움되는 검사로는 핵의학적 심근관류영상(SPECT), CT, MRI가 있다. 심도자술검사 시에 심실조영술은 타코츠보(일본식 문어잡이 항아리) 모양의 좌심실을 보여준다(**그림 4.11**). 좌심실이 주로 영향을 받지만 좌심실과 우심실 둘 다 영향을 받는 증례도 보고되었다.

임상적 진단을 위해, 다음의 진단기준이 제시되었다.

1. 급성으로 발생한 스트레스
2. 새롭게 발생한 심전도 이상(위에 기술)
3. 심장 생체표지자의 상승
4. 단일 관상동맥 영역(대부분의 급성심근경색증과 다름)을 넘어, 심첨부, 원위부 전벽과 측벽의 심한 운동저하나 무운동을 동반한 일시적인 좌심실 부풀림을 보이는 심초음파 소견
5. 관상동맥조영술상 비협착성 관상동맥질환
6. 심근염, 갈색세포종, 두부 외상 혹은 두개내 출혈, HCM의 부재
7. 대개 12주 이내로 좌심실 기능의 회복

스트레스 유발 심근병증의 치료는 일반적으로 보존적이고, 환자에 따라 개별화해야 한다. 카테콜라민 분비가 많아지므로 심근수축제를 투여하면 안 된다. 치료에는 대동맥 내 풍선 펌프, 수액, 베타차단제 또는 칼슘차단제가 있다. 아스피린은 대개 투여되지만, 급성 심근경색증이 배제된 후에는 중단한다. 일부 연구에서는 항응고치료를 추천하기도 한다. Endothelin 길항제와 아데노신 같은 혈관확장제의 역할은 향후 임상시험에서 연구될 것이다. 생활습관 변화도 치료에 포함해야 한다. 환자들은 신체적으로 건강한 상태를 유지하면서 미래의 어려운 상황에 대처하기 위해 스트레스 관리법을 배우고 익혀야 한다.

질환이 발현되어도 대부분의 환자들은 급성기에 대부분 생존하고, 병원내 사망률이나 합병증 발생률은 매우 낮다. 장기 예후는 매우 좋다. 질병 초기에 좌심실 수축기능이 심하게 떨어져도 일반적으로 수일 이내에 회복되고, 수개월 이내 정상화된다. 드물게 재발이 보고되었고 유발인자의 종류와 연관되어 있다.

부정맥 유발성 심근병증(Arrhythmogenic cardiomyopathy[AC]- arrhythmogenic RV cardiomyopathy or dysplasia[ARVC, ARVD])

AC는 주로 우심실을 침범하는 유전성 심근병증이다. 좌심실이 침범되는 경우도 있고, 좌심실을 주로 침범하는 경우도 보고되었다. 그래서 ARVC나 ARVD보다 AC로 주로 표현한다. 심외막에서 시작되어 전층으로 확장되며 심근이 섬유성 지방으로 대체되는 것이 특징이다. 우심실 자유벽을 포함하는 운동저하 영역이 있는데 우심실에서 기원하는 부정맥과 연관된다.

대개 가변적인 침투도(penetration)를 지닌 상염색체 우성 양상(모든 유전자 보인자에서 임상증상이 발현되는 것은 아니다)을 보인다. AC 환자의 약 40~50%는 plakoglobin과 desmoplakin 같은 desmosomal protein(세포를 서로 접착시키는 단백질)을 coding하는 몇가지 유전자중 하나에서 돌연변이가 있었다. AC는 주로 남자에서 많고, 환자의 30-50%는 가족성 분포를 보인다. 발병률은 미국 인구 1,000-10,000명 중 1명이다. 일부 연구에서 200명중 1명은 AC에 취약한 돌연변이의 보인자로 확인되었다. AC는 젊은 연령에서 돌연심장사(sudden cardiac death, SCD)의 원인으로 최대 17%까지 보고되었다. 침투도는 일반적으로 20-35%이지만 이탈리아 같은 일부 나라에서는 높게 나타난다. 이탈리아에서 발병율은 10,000명당

40명으로 추정되고, 젊은 연령에서 SCD의 가장 흔한 원인이다.

AC의 임상 증상은 다양하다. 심실 부정맥, 실신, SCD가 가장 심각한 임상 증상이다. AC 환자의 80%까지 실신 혹은 SCD가 생길 수 있다. 나머지 환자들은 우심실 유출로 빈맥(monomorphic VT의 일종) 때문에 두근거림 같은 증상을 보인다. 증상은 대개 운동과 관련이 있다. AC는 경쟁적 운동에 참여하기 전에 HCM이 배제된 집단에서 SCD의 가장 흔한 원인이었다. AC는 심부전을 유발할 수도 있다.

AC의 첫 임상 징후는 대개 청소년기에 나타나지만 영아기에 보일 수도 있다. AC는 유아와 젊은 성인에서 심실 부정맥의 중요한 원인이다. 조기 진단은 SCD 예방을 위해 중요하다. 삽입형 제세동기(implantable cardioverter defibrillator, ICD)를 삽입한 AC 환자의 사망률은 상대적으로 낮다. AC의 진단은 현재 심전도, 구조적 진단(심장 영상과 조직학), 임상적, 유전적 인자들을 포함한 major and minor Task Force criteria에 토대를 두고 있다. 개인과 가족의 병력 확인에 더하여 심전도(AC 환자의 90%는 심전도 이상이 있다), 심초음파, 24시간 활동 심전도, 스트레스 검사, 심장 MRI 검사가 필요하다. 진단이 불확실할 때, 심내막 전위지도는 질환의 초기에 심근 반흔을 감지하는데 도움이 된다. 심근 생검이 진단에 이용될 수도 있다.

심초음파로 종이처럼 얇아진 우심실 자유벽과 확대된 저운동성의 우심실을 관찰할 수 있다. 우심실 확장은 삼첨판륜의 확장을 일으키고, 이로 인해 TR이 발생한다. Paradoxical septal motion도 보일 수 있다.

유전자 검사는 중요하다. AC 환자의 자녀가 질환을 유발하는 돌연변이를 물려받을 확률은 50%이다. 돌연변이가 언제 발견되든, 가족들에 대한 특이적 유전자 검사는 이 질환의 위험이 있는 친족을 확인하는데 사용된다. 환자의 모든 1촌 가족 구성원은 선별검사를 받아야 하며 10대 때부터 시작해야 한다.

AC 치료의 목표는 SCD의 발생을 줄이는 것이다. 가족 선별검사로 진단된 무증상 환자도 치료의 대상이다. AC 환자의 일부는 SCD의 고위험군으로 그 특징은 다음과 같다.

- 젊은 나이
- 경쟁적 스포츠 활동
- SCD의 가족력
- RVEF가 감소된 광범위한 우심실 질환
- 좌심실 침범
- 실신
- 심실부정맥의 병력

치료방법에는 약물치료(베타차단제, sotalol, amiodarone을 포함한 항부정맥제, RVEF 감소되거나 우심실의 일부가 운동이상을 보이는 환자에서 혈전 형성과 폐혈전색전증을 예방하기 위한 항응고제), 전극도자절제술, ICD 삽입 혹은 수술이 있다. 심장이식은 조절되지 않는 부정맥 혹은 조절되지 않는 심한 심부전에서 시행할 수 있다.

스포츠 활동은 AC 환자에서 SCD의 위험 증가와 연관된다. 또한 운동으로 인한 과부

표 4.2 AC 환자에서 임상적 치료와 SCD 예방

모든 환자들을 위한 권고 사항

- 물리적 운동을 줄여라.
- 경쟁적인 스포츠를 피하라.
- 매년 다음과 같은 추적검사가 필요하다.
  - 심전도
  - 심장 영상(심초음파 혹은 심장 MRI)
  - 24시간 활동 심전도
  - 운동부하검사

환자군별 추가 권고사항

환자군	위험요소	약제	삽입형 제세동기
Definite AC 고위험군	돌연심장사 지속성 심실빈맥 설명되지 않는 실신	베타차단제	권고함
Definite AC 중위험군	Extensive disease (심한 우심실 기능부전, 광범위한 좌심실 침범, RV dysfunction, 비지속성 심실빈맥)	베타차단제	고려할 수 있음
Definite AC 저위험군	고/중위험군에 포함되지 않은 AC 확진 환자	베타차단제	권고하지 않음
무증상의 돌연변이 보인자	무증상 돌연변이를 가진 AC 환자의 친족	무조건 치료하지는 않음	권고하지 않음

Adapted from Brugada J, Fernández-Armenta J. ESC E-Journal of Cardiology Practice at: < -publications/ESC-journals-family/E-journal-of-Cardiology-Practice/Volume-10/ Arrhythmogenic-right-ventricular-dyplasia>; 2012.

하는 병의 진행을 촉진시킨다. AC는 demosomal protein의 기능이상이 발생하는 질환이기 때문에 심근 긴장을 증가시키는 요인은 심근세포 사이의 기계적 연결을 악화시키고, 심근의 대체와 섬유화를 증가시킨다. 기계적 스트레스(운동)를 받게 되면 결함이 있는 desmosome이 세포에서 떨어져 세포사에 이르게 된다. 이것이 반흔을 형성하고 지방을 침착시킴과 동시에 염증을 일으킨다. 그러므로 무증상의 돌연변이 보인자를 포함하여 AC 환자는 격렬한 신체운동(**표 4.2**)을 피해야 한다. 경쟁적 스포츠는 금기이고, 오락적인 스포츠도 추천하지는 않는다.

5. 심근염(Myocarditis)

이 질환은 심근의 염증이다. 기저 원인을 찾지 못하는 경우도 종종 있지만, 다음과 같은 원인이 있다.

- 바이러스 - Coxsackie B, influenza

- 세균 - *Mycoplasma pneumoniae*
- 기생충- Chagas병, Lyme병(7.8절 참고)
- 독소- 에탄올, 약물, 화학물질
- 결체조직질환- 전신성 홍반성 루푸스
- 진균

이것은 임상적 진단으로 기저 원인을 시사하는 병력이 있을 수 있다. 심전도는 종종 안정시 빈맥과 광범위한 T파 역위를 보인다. 심초음파 특징은 특이적이지 않고, 확장성 심근병증과 유사하며, 수축/이완기능의 이상과 새로운 판막 역류가 관찰될 수 있다. 반복적인 심초음파검사를 통해 확장성 심근병증보다 심근염의 진단을 뒷받침하는 좌심실 기능과 판막이상의 변화를 관찰할 수 있다. 심근염에서 좌심실의 국소벽운동장애가 나타날 수도 있다.

4.5 이완 기능(Diastolic function)

안정시 시행한 심초음파에서 좌심실 수축기능이 정상이거나 거의 정상이더라도 이완기능 장애나 운동/허혈시 수축기능 장애가 나타날 수 있다.

좌심실의 이완기능은 심실/심방의 경직도 및 심실수축 이후의 이완과 연관된다. 심근의 이완은 수동적인 현상이 아니며 에너지를 필요로 한다. 좌심실 이완기능 이상은 몇 가지 상태에서 발생하고, 심초음파로 평가될 수 있지만 평가방법이 다소 복잡하다. 이완기능 이상은 수축기능 이상과 동반될 수 있지만, 단독으로 존재하거나 수축기능 이상이 뚜렷해지기 전에 나타날 수도 있다.

이완기는 4단계로 구분된다(**그림 4.12**).

1. 등용적(isvolumic) 이완
2. 초기 급속충만
3. 후기 충만
4. 심방 수축

이 단계들 중 어느 한 시기의 이상도 이완기 심부전을 일으킬 수 있다.

심부전 환자의 1/3에서 이완기능 이상이 dominant하게 나타난다. 이러한 환자에서 심초음파로 이완기능을 평가하면 비정상이다. 좌심실 수축기능과 이완기능의 이상은 원인이 다르고, 더 중요하게는 치료가 달라지기 때문에 구분하여 평가해야 한다.

이완기 심부전은 노인에서 흔한데, 심장의 크기가 정상이면서 심실비대 혹은 심근허혈이 있는 환자에서 심부전 증상이 있다면 의심해야 한다. 이완기 심부전은 지역사회 심부전 환자의 최대 50%까지 발생하고, 심부전으로 병원에 입원한 환자에서는 10% 미만으로 덜 흔하다.

좌심실의 이완기능 이상은 grade I(경도), II(중등도), III(중증)로 분류된다. 이것은 아래에 자세히 기술되어 있다. 이완기능 이상의 grade는 예후를 예측하는데 있어 중요하다.

1. 등용적 이완– 좌심실 수축기말에 시작

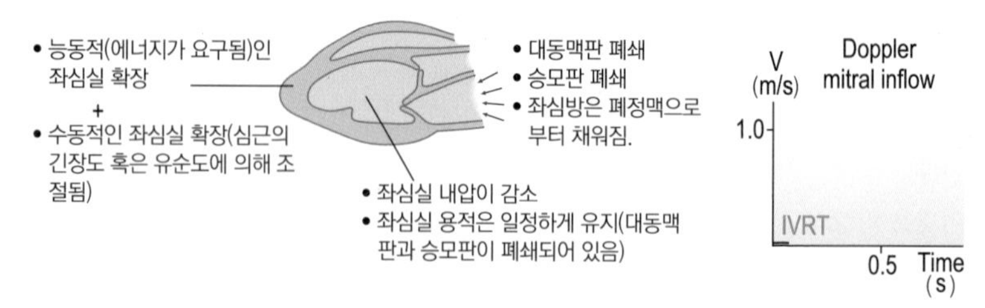

2. 초기 급속충만– 좌심실 압력이 좌심방 압력보다 낮아졌을 때 발생

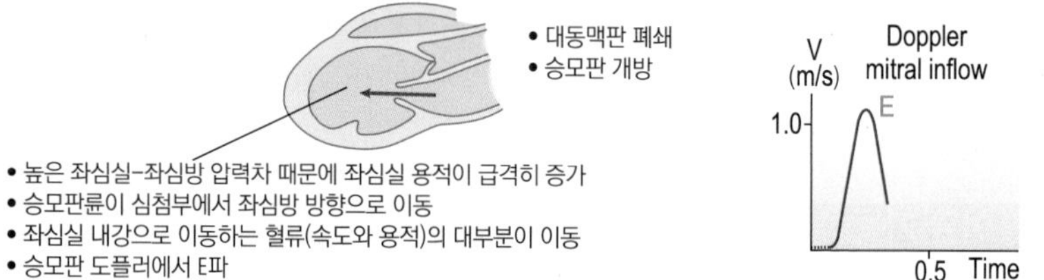

- 높은 좌심실–좌심방 압력차 때문에 좌심실 용적이 급격히 증가
- 승모판륜이 심첨부에서 좌심방 방향으로 이동
- 좌심실 내강으로 이동하는 혈류(속도와 용적)의 대부분이 이동
- 승모판 도플러에서 E파

3. 후기 감소된 충만– 좌심실과와 좌심방 압력이 같아짐

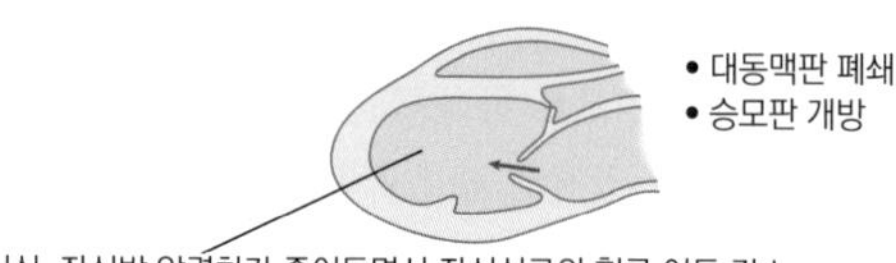

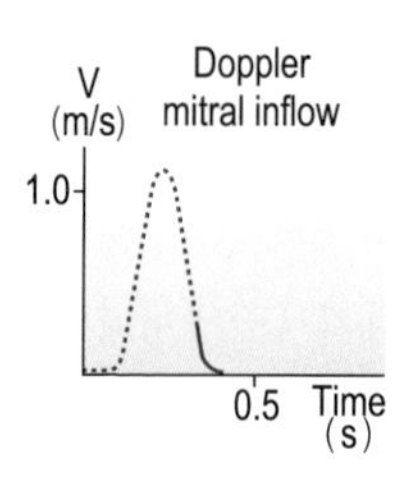

- 좌심실–좌심방 압력차가 줄어들면서 좌심실로의 혈류 이동 감소
- 혈류이동이 정지된 기간이 길어지면 diastasis ensues (no flow, no ΔP, no Δvolume)라고 함

4. 심방 수축

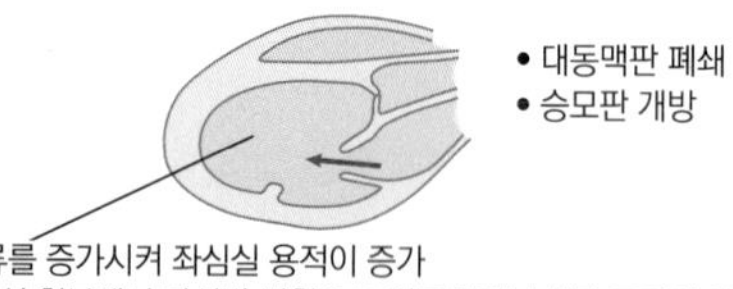

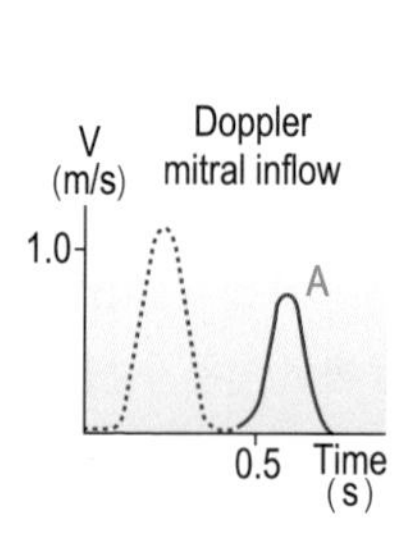

- 심방 수축이 혈류를 증가시켜 좌심실 용적이 증가
- 승모판륜이 좌심실 첨부에서 좌심방 방향으로 이동하면서 심장 모양이 변형
- 승모판 도플러에서 A파
- 심방수축은 좌심실 충만의 20~30%

■ 그림 4.12 **좌심실 이완의 단계.** 비슷한 과정이 우심실에서도 일어난다.

좌심실 이완기능 이상의 원인

아래 나열된 원인들은 종종 여러 가지를 동시에 가지고 있다(예: 고혈압, 관상동맥질환).

1. 노화에 따른 변화
2. 좌심실 비대- 고혈압, AS, 비후성 심근병증
3. 허혈성 심질환
4. 제한성 심근병증
5. 좌심실 침윤성 질환- 아밀로이드증, 사르코이드증, 카르시노이드, 혈색소침착증
6. 심낭의 교착

일반적으로 위의 원인들은 좌심실벽의 경직도를 증가시킨다. 그래서 좌심실 이완에 이상이 생기고, 좌심방에서 좌심실로의 이완기 혈류를 방해한다. 이완기능은 수축기능보다 노화에 더 민감하고, 충만 상태에 매우 의존적이다.

뉴턴의 운동 제2법칙(힘=질량×가속도)을 살펴보면 좌심방에서 좌심실로 혈액을 이동시키는 유일한 요인은 방실 압력차(mmHg/cm)라는 것을 기억해야 한다. 심실질환이 있으면 압력차에 변화가 생겨 이완기 좌심실 충만이 변경된다. 혈액의 속도가 아니라 혈액의 가속도는 방실 압력차에 비례한다. 최고 혈액속도는 최고압력차 뿐만 아니라 혈액의 이동시간의 영향을 받는다.

좌심실 이완기능의 심초음파 평가

좌심실 이완기능은 복잡하고, 나이, 전부하, 후부하, 심박수, 동반질환(예: 승모판 질환) 같은 여러가지 요인에 의해 달라진다.

심초음파검사 중 단 한가지 방법으로 평가할 수는 없다. 좌심실 충만 양상의 도플러 검사는 좌심실 이완기능의 유일한 평가방법은 아니다. E:A 비와 같은 한 가지 측정법에만 의존해서는 안 되고, 많은 해부학적, 혈역학적 특징들을 함께 고려해야 한다.

교착성 심낭염처럼 이완기능 이상을 보이지만 외과적으로 교정가능한 상태는 심초음파, 필요할 경우 MRI, CT, 심도자술 같은 검사로 배제해야 한다.

M-mode로 관찰되는 이완기 승모판 전엽의 움직임은 만약 동율동이고, MS가 없다면 특징적인 M 모양의 E-A 형태를 보인다. 좌심실이 정상보다 경직되어 있다면, 다음과 같은 승모판 전엽 움직임의 이상이 관찰된다.

- 감소된 승모판 전엽 운동(E파)
- A파 크기 증가(심방수축이 좌심실의 확장기 충만에 더 크게 기여한다)
- 감소된 E:A 비

그러나 이 지표들은 좌심실 이완기능 이상에 특이적이거나 아주 민감하지는 않다.

정상 좌심실 심근은 대동맥판(A2)이 닫히고, 승모판이 열리는 사이에 좌심실 용적 증가 없이 이완한다. 이를 가리켜 등용적 이완시간(isovolumic relaxation time, IVRT)라고 부르고, 대개 50~80 ms이다. IVRT는 종종 이완기능 이상이 심해질수록 증가하고, 정상적으로 나이가 들수록 증가한다.

2D 심초음파는 좌심실 이완기능 이상의 직접적 평가에는 도움이 되지 않지만, 다음과 같은 연관된 이상을 확인할 수 있다.

- 좌심실 비대
- 심근 침윤(예: 아밀로이드증)
- 심낭삼출과 비후
- 허혈성 심질환(국소 좌심실 벽운동과 비후의 이상 혹은 반흔형성)
- 확대된 IVC
- 동반된 좌심실 수축기능 이상

도플러는 좌심실 이완기능 이상에 대한 유용한 정보를 제공하지만 승모판을 가로지르는 혈류의 측정치만으로는 충분하지 않다.

IVRT는 보통 이완기능 이상이 심해질수록 증가하지만 나이가 들수록 증가하고, 심박수에 따라 변한다. 이완기능 이상은 이와 같이 IVRT 연장과 연관되고, 반면에 감소한 유순도와 증가된 충만압은 IVRT 감소와 연관된다. 그래서 IVRT 측정은 이완기능 이상의 중증도 평가에 있어 유용하다. 특히 약물치료에 대한 반응 혹은 질환의 진행을 평가하는 데 유용하다. IVRT는 좌심실 유출로와 대동맥판을 보여주기 위해 앞쪽으로 각이 지게 한 A4C에서 측정한다. 간헐파 도플러를 이용하여 대동맥판 유출 혈류와 승모판 유입혈류, 그리고 이상적으로 대동맥판 폐쇄음으로 정의되는 신호를 얻기 위해 3-5 mm의 표본용적을 대동맥판과 승모판 사이에 위치시킨다. IVRT는 대동맥판 폐쇄음의 중간에서 승모판 유입혈류의 시작까지의 시간으로 측정된다.

승모판 혈류 양상과 이완기능

이완기 승모판 혈류 양상은 좌심실로 유입되는 혈류를 보여준다. 이것은 표본용적을 승모판 입구에 놓고, A4C에서 간헐파 도플러로 평가할 수 있다.

승모판 혈류 양상은 많은 요인에 의해 영향을 받는다. 이러한 요인에는 좌심실 경직도, 전부하, 후부하, 심장 리듬, 전도이상, 좌심방 수축기능, 심박수, AR, MR 그리고 호흡 단계 등이 있다.

정상 심장은 특징적인 혈류 양상이 있다.

- E파는 수동적인 이완기 초기 좌심실 충만의 결과이다.
- A파는 이완기 후기에 좌심방 수축으로 인한 능동적인 좌심실 충만을 나타낸다.

- E파의 가속시간(AT)과 감속시간(DT)을 측정할 수 있다. AT는 이완기 혈류의 시작부터 E파의 최고점까지의 시간이다. DT는 E파 최고점부터 감속경사가 기저선과 만나는 지점까지의 시간이다.

E파는 종종 A파보다 크지만 나이에 따라 다르다는 것을 기억해야 한다. E파, E:A 비와 E파 감속시간은 나이가 들수록 감소하는 경향이 있다.

일반인에서 좌심실 이완기능에 있어 나이와 성별에 따른 승모판 혈류 지표들의 정상범위가 발표되었다. 근사치가 표 4.3A와 4.3B에 나와 있다.

비정상 승모판 혈류 양상(좌심실 충만을 반영함)은 3가지 형태가 있다**(그림 4.13, 4.14)**

1. Impaired(slow) relaxation(이완 장애). 좌심실 비대 혹은 심근허혈과 연관된 경미한 이완기능 이상(grade I) 때문에 좌심실 이완이 저하된다.
   - E파는 작고, A파는 크다. E:A 비는 1보다 작고, AT와 IVRT는 연장된다.
2. Pseudonormalization pattern(가정상화). 더 심한 이완기능 이상(grade II)이 좌심방 압력의 상승으로 이어지고, 이는 초기 수동적 충만을 개선하여 승모판 혈류 양상이 정상처럼 보인다(좌심실 비대 또는 좌심방 확장 같은 다른 이상의 존재로 정상 이완기능과 구별됨).
   - E파 속도가 A파 속도에 비해 두드러지게 크다. E:A 비가 1보다 크다.
3. Restrictive pattern(제한성 양상). 심한 이완기능 이상(grade III)에서 보인다. 감소된 좌심실 충만은 제한성 심근병증 혹은 교착성 심낭염(좌심실 이완기압의 급속한 상승을 유발하는 상태)에 의해서도 유발될 수 있다. 그러나 좌심실 충만압 상승, 수축기 심부전, MR과 HCM 같은 상태에서도 나타날 수 있다.
   - E파는 매우 높고, A파는 작다(E≫A). DT와 IVRT는 짧다.

표 4.3A 승모판 혈류 지표

대규모 집단연구에서 성별차이*	남자	여자
최고 E파 (m/s)	0.66 ± 0.15	0.70 ± 0.16
E파 감속시간 (s)	0.21 ± 0.04	0.20 ± 0.04
최고 A파 (m/s)	0.67 ± 0.16	0.72 ± 0.18
E : A 비	1.04 ± 0.38	1.03 ± 0.34

**Data from Tromsø Study. Schirmer H, Lunde P, Rasmussen K. Mitral flow derived Doppler indices of left ventricular diastolic function in a general population: the Tromsø study.* Eur Heart J. *2000;21:1376-1386*

표 4.3B 승모판 혈류 지표

나이의 영향*	나이 <50세	나이 >50세
최고 E파 (m/s)	0.72 ± 0.14	0.62 ± 0.14
E파 감속시간 (s)	0.18 ± 0.02	0.21 ± 0.04
최고 A파 (m/s)	0.40 ± 0.10	0.59 ± 0.14
E:A 비	1.9 ± 0.6	1.1 ± 0.3

**Data from Tromsø Study. Schirmer H, Lunde P, Rasmussen K. Mitral flow derived Doppler indices of left ventricular diastolic function in a general population: the Tromsø study.* Eur Heart J. *2000;21:1376-1386.*

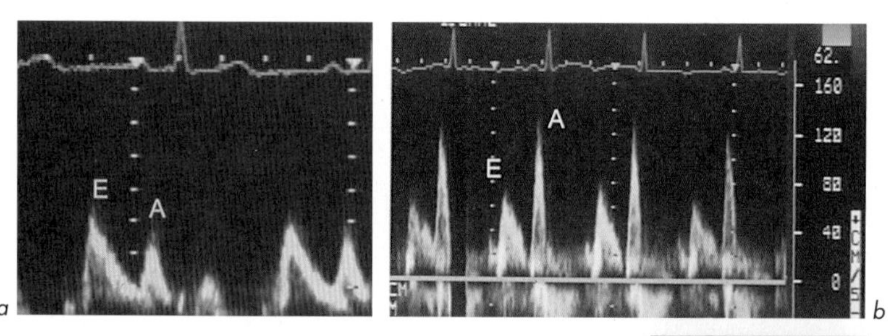

■ 그림 4.13 **간헐파 도플러에서 승모판 혈류 양상** (a) 정상. (b) 높은 A파. (c) 높은 E파

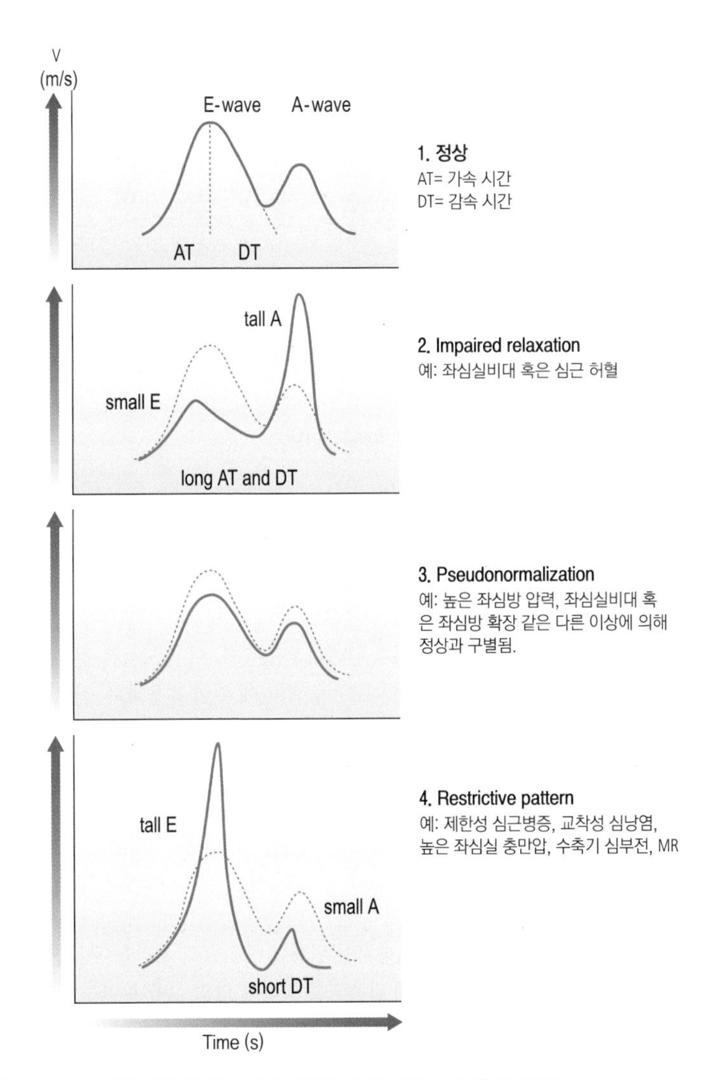

■ 그림 4.14 **승모판 혈류 양상.** 정상과 좌심실 이완기능이상의 여러 grade에 따른 양상

심초음파로 이완기능을 평가하는 다른 방법

일부 심초음파 장비에서 가능한 '음파 정량화(acoustic quantification)'로 이완기능을 평가할 수 있다. 자동 경계감지 소프트웨어를 이용하면 좌심실의 심내막 경계가 A4C에서 지속적으로 보여진다. 이것은 면적/시간과 좌심실 용적/시간 곡선을 보여준다. 승모판의 도플러 혈류 양상이 정상이라도 이완기 충만 지표들의 이상이 관찰될 수 있고, 이것은 이

완기능 이상을 조기에 확인하는데 민감한 검사법이다.

좌심방 용적 측정

좌심방 용적은 좌심실 이완기능 이상에서 만성적으로 상승된 좌심방 압력 때문에 증가한다. 좌심방 용적은 수축기 말 A4C의 승모판이 열리기 직전의 정지 영상에서 Simpson's 방법(4.2절 참고)을 이용해서 측정할 수 있다.

좌심방 용적은 체표면적(body surface area, BSA)으로 나누어 지수화 된다. 좌심방 용적 지표의 정상 범위는 남녀 모두에서 34 ml/m^2 미만이다.

심근 조직 도플러 영상(Tissue Doppler imaging, TDI)

이완기 중 좌심실 충만시에 심근벽은 바깥쪽으로 움직인다. 이 움직임의 진폭, 양상과 속도는 간헐파 TDI(또는, DTI)를 이용해서 기록된다. 이것은 심근의 역학을 확인하고, 정량화하는 중요한 방법이다. 간헐파 TDI로 측정한 속도는 임상적으로 사용되고, 예후 평가에도 쓰인다. 속도 scale, wall filter, 심초음파 장비의 gain이 심근 운동의 도플러 속도(내강의 혈류속도보다 낮다)를 나타내기 위해서 조정된다. 이 속도들은 전부하의 영향을 덜 받고, 도플러 승모판 혈류에 더하여 이완기능 평가에 있어 유용하다. 신호는 A4C에서 2-3 mm의 작은 표본용적을 승모판륜에서 1 cm 떨어진 좌심실 기저부 심근에 놓고 간헐파 도플러를 이용하여 기록한다. 신호는 기저부 중격이나 기저부 측벽에서 측정되는데 중격의 신호가 더 재현성이 좋은 편이다. 속도 scale을 약 0.2 m/s 정도로 줄이고, wall filter는 신호의 질을 향상시키기 위해 줄여서 검사한다. 일부 심초음파 장비는 자동적으로 이 조정을 해주는 조직 도플러 설정이 되어 있다. 기록은 정상적으로 호흡주기 중 안정시기인 호기말에 이루어진다.

심장 주기는 충만과 박출이라는 기계적인 변화를 중심으로 시간을 구분한다. 박출 전후로 등용적 구간도 있다. 박출 도중에 탐촉자를 향하여 양의 값을 보이는 수축기 심근파(S_m or s', S')가 있다. 충만 구간에는 2가지 요소가 있다 – E_m(or e', E') 그리고 A_m(or a', A') **(그림 4.15)**. 심근 운동의 양상은 비슷하지만 음의 값을 보이며, 승모판 혈류와 비교할 때 속도가 느리다. 심근 조직 도플러 속도를 승모판륜에서 기록하면, 이완기 초기 확장때 탐촉자로부터 멀어지며 8-12 cm/s의 속도를 보인다. 이를 초기 심근 속도(E_m or e', E')라고 부른다. 심방 수축 이후에 심첨부에서 멀어지는 두번째 속도파가 보이며, 이를 심방 심근 속도(A_m or a', A')라고 부르고, 대개 4-8 cm/s의 값을 갖는다. 정상 E_m:A_m 비는 1보다 크다. 감소된 E_m:A_m 비는 이완 이상을 나타낸다. E_m:A_m 양상은 중등도에서 중증의 이완기능 이상이 있는 환자에서 정상 좌심실 충만과 가정상화 양상을 구분하는데 도움이 된다.

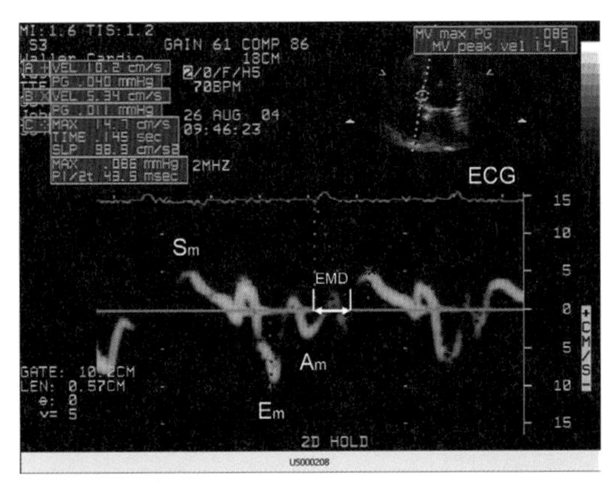

■ 그림 4.15 **심근 조직 도플러 영상(TDI).** 심실중격의 운동을 보여주는 A4C. Sm, 수축기; Em, 초기; Am, 심방 근육 속도; EMD, 전기-기계적 지연

TDI로 측정된 변수들과 IVRT의 근사치는 다음과 같다.

- E_m 10.3 ± 2.0 cm/s
- A_m 5.8 ± 1.6 cm/s
- E_m /A_m 2.1 ± 0.9
- IVRT 63 ± 11 ms

폐정맥 혈류

폐정맥 혈류 양상, 속도, 기간은 좌심실 이완기능 이상 때문에 발생한 좌심방 용적과 압력 증가에 따라 변한다. 간헐파 도플러는 A4C에서 2-3 mm 표본용적으로 폐정맥 혈류를 측정하는데 이용된다.

성인의 80% 이상(ICU 환경에서는 더 낮음)에서 측정될 수 있지만 좌심방 벽운동 때문에 유발된 허상에 의해 종종 영향을 받는다. 그림 4.16은 정상적인 폐정맥 혈류 양상을 보여준다.

좌심실 이완기능을 평가하는 심초음파검사 방법

미국심초음파학회(ASE)와 유럽심초음파학회(EAE)(2009)에서는 좌심실 이완기능의 평가에 대한 지침(**그림 4.17**)을 발표했다(2016년에 지침이 변경되었으므로 참고 바람 - 역자 주). 그것은 4가지 심초음파 측정법으로 구분된다.

1. 좌심방 크기. 좌심실의 이완기능장애에서 좌심방 확장은 만성적인 좌심방 압력 상승 때문이다.

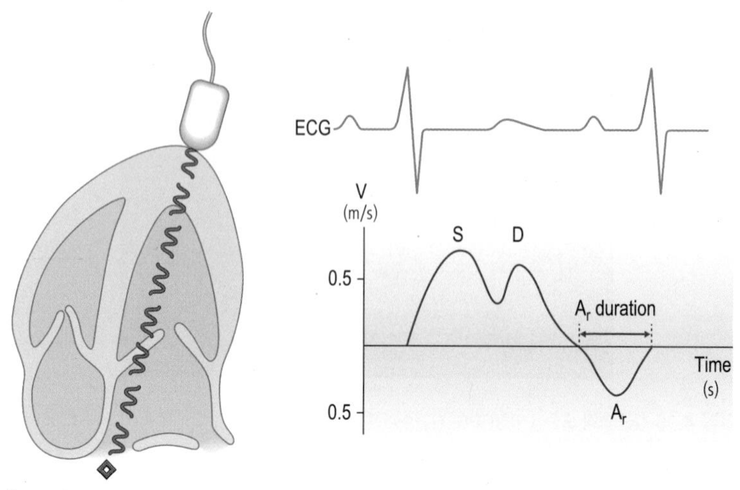

■ 그림 4.16 **폐정맥 혈류.** 폐정맥에 위치(폐정맥 구멍에서 1-2cm 떨어짐)한 간헐파 도플러 표본 용적. S, 수축기 혈류; D, 이완기 혈류; Ar, 심방 수축에 의한 역행성 혈류. 빨간색 화살표는 Ar 기간을 나타낸다.

2. 좌심실의 조직 도플러 영상
3. 간헐파 도플러로 승모판 혈류- 좌심실 충만을 평가한다.
4. 간헐파 도플러에 의한 폐정맥 혈류- 좌심방 용적과 압력의 변화는 폐정맥 혈류 양상, 속도와 기간에 영향을 준다.

다른 확인 가능한 원인이 없다면, 좌심방 크기 증가와 비정상 좌심실 TDI 수치는 좌심실 이완기능 이상을 나타낸다. 승모판과 폐정맥 혈류 양상은 중증도 평가에 도움이 된다.

이완기능의 등급을 정하는 것은 예후 예측에 있어 중요하다. 일부 연구에서 나이, 성별, LVEF로 보정한 무증상의 인구집단에서도 경도(grade I)의 이완기능 이상은 정상 이완기능을 가진 사람들과 비교할 때 3년과 5년 후 총사망률이 5배 차이가 났다. 또한 사망률은 이완기능 이상이 심해질수록 증가되었다.

그러나 특별히 노인에서 이완기능 이상을 진단할 때 주의해야 할 사항이 있다. 평가시에 나이나 심박수(예: 승모판 E파, E:A 비와 E_m[e']은 심박수가 증가될수록 감소함) 같은 요인을 고려해야 한다. 특이적으로 심혈관질환의 병력이나 표지가 없는(예: 좌심실 비대가 없는) 60세 이상의 많은 인구에서 E:A 비가 1보다 작고, DT는 200 ms보다 크다. 이것은 나이를 고려할 때 정상으로 여겨진다.

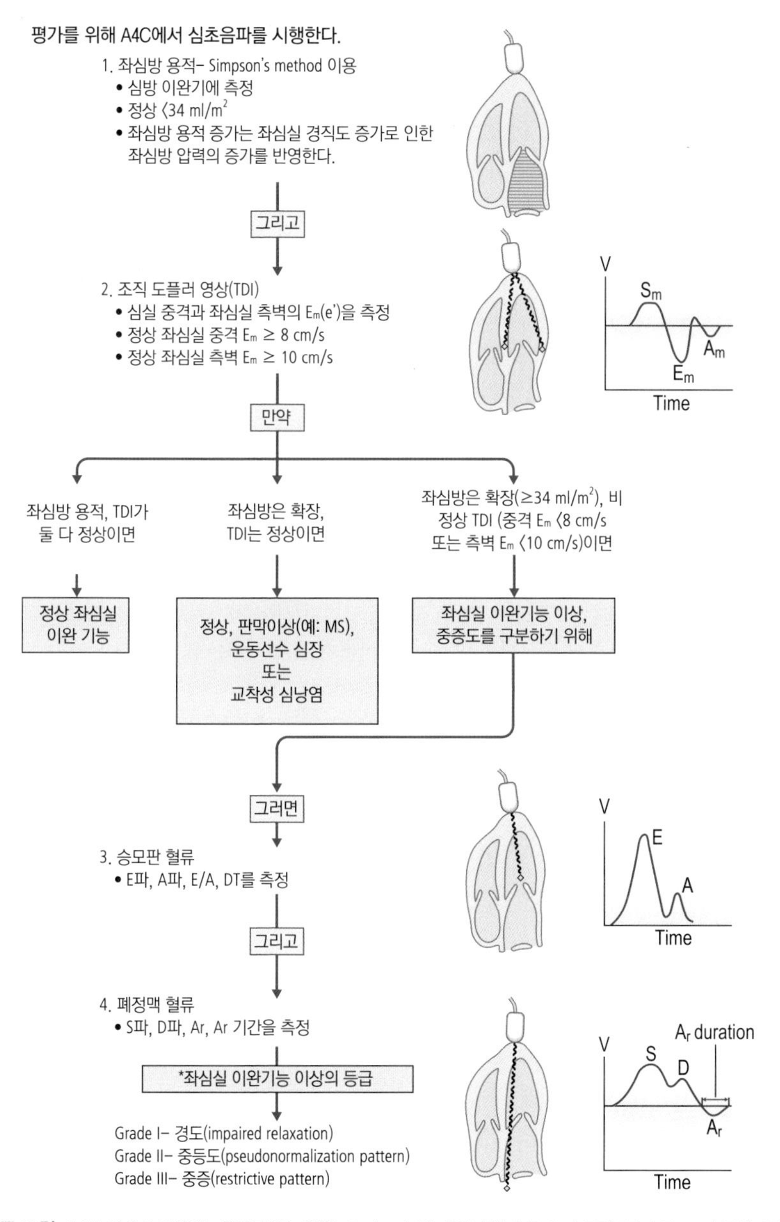

■ 그림 4.17 **좌심실 이완기능을 평가하는 방법.** E_m (or e', E'), 초기 심근속도; E, 승모판 E파 속도; A, 승모판 A파 속도; DT, 감속시간; Ar, 심방수축에 의한 역행성 혈류; Ar-A, Ar에서 A파 기간을 뺀 기간.
*좌심실 이완 기능이상의 등급은 다음과 같다.
Grade I(경도)- E/A <0.8, DT >200 ms, 평균 E/E_m ≤8, Ar-A <0 ms.
Grade II(중등도)- E/A 0.8-1.5, DT 160-200 ms, 평균 E/E_m 9-12, Ar-A ≥30 ms.
Grade III(중증)- E/A ≥2.0, DT <160 ms, 평균 E/E_m ≥13, Ar-A ≥30 ms.
Based upon American Society of Echocardiography(ASE) and European Association of Echocardiography(EAE) guidance, 2009.

운동선수 심장(athletic's heart)과 운동전 선별검사

과격한 스포츠 훈련은 심박출량의 증가를 가능하게 하는 몇 가지 생리적, 생화학적 적응과 연관된다. 심방, 심실 크기의 증가는 오랜 기간동안 심박출량의 지속적인 증가에 따른 필연적인 결과이다. 심초음파 연구에 따르면 일부 운동선수에서는 심장의 크기가 상당히 증가되었지만, 대부분의 운동선수들은 심장 확장의 정도가 심하지 않았다. 훈련은 심장 해부학에서 주로 '운동선수 심장'의 발현으로 이어지는 좌심실의 보상성 변화를 일으킨다. 이것은 보통의 여가활동으로 운동을 즐기는 사람에서는 나타나지 않는다. 왜냐하면 이것이 발현되는데 상당한 운동량이 필요하기 때문이다. 훈련에 대한 심장의 형태학적 적응의 주요한 결정인자는 신체 크기(체표면적 또는 키)와 스키, 사이클, 육상, 카누 같은 지구력을 요하는 운동여부이다. 심장의 크기는 이러한 변수들을 감안할지라도 운동선수마다 크게 다르다. 이는 유전적, 내분비계 및 생화학적 요인들이 심장의 크기에도 영향을 준다는 것을 시사한다.

스포츠 활동의 유형이 좌심실 재형성의 형태에도 영향을 준다.

일반적으로 2가지 주요한 적응 형태가 있다.

- 좌심실 확장. 격렬한 지구력 훈련(예: 장거리 달리기/사이클/스키/카누)은 좌심실 확장 때문에 지구력 유형의 좌심실 질량 증가로 이어지고, 심하지는 않지만 벽 두께가 증가하여 경도의 좌심실 비대가 발생한다.
- 좌심실 비대. 강도 높은 등장성 운동(예: 역도)은 '근력 유형'의 동심성 좌심실 비대를 일으킨다.

대부분의 운동선수들은 지구력과 근력강화 운동을 혼합해서 훈련한다는 사실에 주의해야 한다. 그래서 운동선수 심장의 한쪽 적응형태만 나타나는 경우는 드물고, 대부분은 혼합된 형태를 갖는다. 치열한 경쟁에 참가하는 일부 운동선수들은 근육강화 목적으로 스테로이드 보충제를 사용해왔고, 이것은 병적인 좌심실 비대를 일으킬 수 있다.

운동선수 심장과 HCM(표 4.4) 같은 좌심실 비대의 다른 원인을 심초음파로 감별하는 것은 어려울 수 있지만 다음의 사항들이 감별에 도움이 된다.

- 일반적으로 운동선수심장이 있는 남자에서 좌심실 후벽의 이완기 두께가 13 mm 이상인 경우는 드물다(남자 운동선수의 약 2%에서 13-16 mm 두께를 보인다).
- 좌심실 후벽 두께와 좌심실 내경의 비율은 정상이다.
- 운동선수 심장만 있는 경우 16 mm 이상의 좌심실 후벽 두께를 보인 보고는 없다. 이러한 경우 HCM일 가능성이 높다.
- 운동선수 심장과 병적인 좌심실 비대 사이의 감별은 여자 운동선수에서는 상대적으로 쉽다. 프로 여자 운동선수에서 정상 좌심실 후벽의 두께는 6-12 mm이므로 증가된 벽 두께는 비정상으로 간주한다.
- 운동선수 심장과 병적인 비대를 감별하는 다른 방법으로 승모판 혈류 E:A 비, 최고 E_m

표 4.4 HCM과 운동선수 심장을 구별하는 심초음파 특징

	HCM	운동선수 심장
임상병력	HCM 가족력	지구력을 요하는 운동선수
훈련중단의 효과	효과 없음	심초음파 소견의 회귀
좌심실 수축기능	정상일 수 있다	정상
좌심실 이완기능	비정상	정상/정상 이상
이완기말 좌심실 직경	〈4.5 cm	〉5.5 cm
확장기 심실중격 두께 또는 좌심실 후벽 두께	제한 없음	〈1.6 cm

파 속도(운동선수 심장의 경우 중격과 좌심실 측벽에서 8 cm/s 이상)를 측정하는 조직 도플러 영상, 조직 strain 영상을 이용한 이완기능평가도 있다.

심초음파 이외의 검사도 시행할 수 있다. 운동 중 최대산소섭취량(MVO_2) 측정은 유용한 검사로 HCM 환자에 비해 운동선수 심장이 있는 사람에서는 정상범위 이상이다.

운동전 선별검사와 심초음파

많은 나라에서 경쟁적인 운동을 하기 전에 종합 건강검진을 받도록 권고한다. 심혈관계통의 관점에서 이것은 모든 병력(예: 심장 증상과 HCM 혹은 돌연사의 가족력)과 혈압, 맥박수, 심혈관 검사를 포함한 모든 검사를 의미한다. 추가 검사에는 심전도, 운동부하 심전도, 심초음파가 있다. 증상이나 가족력이 없고, 검사결과가 정상인 사람에서 운동 능력에 영향을 주는 의미있는 심장질환이 발견될 확률은 매우 낮다. 이러한 사람에서 심초음파로 심장질환이 진단되는 비율은 낮다. 심초음파는 다음의 경우에 시행해야 한다.

- 운동 중 실신의 병력
- 돌연심장사 혹은 HCM의 가족력
- HCM 혹은 AS를 시사하는 심잡음

운동선수의 선별검사

일부 나라에서 심초음파는 모든 프로 운동선수들에게 추천된다. 좌심실 유출로 폐쇄를 유발하는 상태(HOCM 혹은 AS)에 대한 선별검사는 임상적 평가로 이뤄져야 한다. 근위부 대동맥 질환 혹은 잠재된 판막질환은 드물다. 심초음파를 통해 일부에서 양쪽 관상동맥 기시부를 관찰할 수 있다. 이것은 관상동맥 기시부 기형이 운동 중 돌연사와 연관되기 때문에 중요하다.

심초음파로 확인되는 운동의 위험을 증가시키는 상태

고/중등도 위험:

- HOCM
- 대동맥 확장(예: Marfan 증후군)
- 판막성 AS(중증 혹은 중등도)
- 잠재성 DCM
- 폐동맥 고혈압
- 관상동맥 기시부 기형

저위험:

- 경도 MR을 동반한 승모판 탈출증
- 36 mmHg 미만의 도플러 압력차가 있는 이첨 대동맥판 같은 경도 AS
- 경도 MS
- 경도 PS
- 단순 ASD
- 작은 VSD

4.6 우측 심장과 폐

우심실 기능

우심실 기능은 많은 선천성, 후천성 심질환에서 중요한 역할을 한다. 우심실 기능의 정확한 측정은 치료를 계획하고 예후를 예측하는데 있어 중요하다. 최근까지 우심실 기능에 대한 관심은 좌심실 기능보다 적었다. 이러했던 주 원인은 우심실이 혈액순환에서 가지는 중요한 역할에 대해 이해가 부족했고, 우심실의 복잡한 해부학적 구조로 인해 기능을 평가하기 어려웠기 때문이다.

심초음파는 우심실의 용적과 기능을 평가하는데 중요한 역할을 하지만, 종종 조영 심실조영술(contrast ventriculography), 방사핵 심실조영술(radionuclide ventriculography), 초고속 CT(ultrafast CT), 자기공명영상(MRI) 등의 검사법을 함께 이용한다. 우심실 압력-부피 고리(RV pressure-volume loops, 주로 심도자술로 구한 자료를 이용)를 얻으면 훨씬 더 정확하게 평가할 수 있다.

우심실 기능의 임상적 중요성

1. 심근경색증

심근경색증에서 우심실 기능장애가 생길 수 있음이 잘 알려져 있다. 전벽 심근경색증

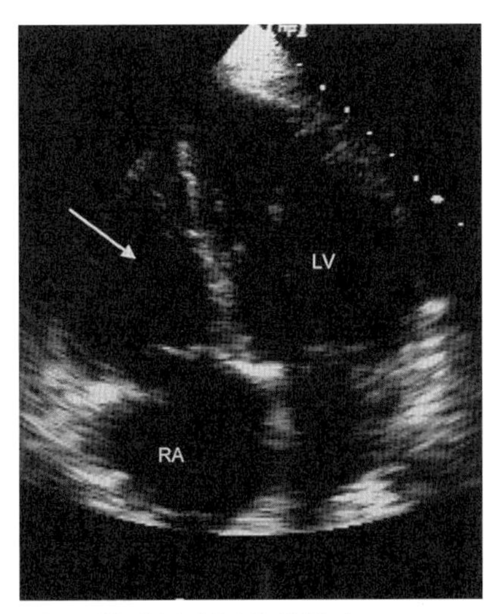

■ 그림 4.18 **우심실의 심근경색증 이후 생긴 우심실의 확장(화살표). A4C.**

은 주로 지속적인 국소적 좌심실 기능장애 및 일시적인 전반적 우심실 기능장애와 관련이 있는 반면에, 하벽 심근경색증는 양심실의 지속적인 국소적 기능장애와 관련이 있다. 우심실과 좌심실에서 심근경색증에 대한 혈역학적 반응은 상이하다. 광범위한 우심실의 심근경색증 환자에서 심인성 쇼크가 흔하고, 좌심실의 심근경색증과 다른 치료적 접근이 필요하다(**그림 4.18**).

우심실 기능장애의 정도는 급성 심근경색증에서 예후를 평가하는데 사용할 수 있다. RVEF는 예후를 나타내는 유용한 지표이며, RVEF가 낮은(<35%) 환자에서 2년 사망률이 높게 나타난다.

또한 우심실 기능은 심근경색증 후 VSD가 발생한 환자에서 예후를 예측하는데 중요하다. 우심실 기능장애는 이러한 환자에서 심인성 쇼크와 사망의 주요 원인이다.

2. 심장판막질환(예: MS, PS)

우심실 기능은 수술 시기를 결정하는데 중요한 역할을 한다.

3. 폐고혈압을 유발하는 만성 폐질환

우심실 기능은 만성 기류제한 또는 폐섬유화증(pulmonary fibrosis)이 있는 환자의 장기 예후에 중요한 역할을 한다. 이러한 환자가 폐고혈압, 우심실 확장, 심부전(폐성심[cor pulmonale]을 유발)과 동반되어 있으면 예후가 나쁘다.

4. 패혈성 쇼크와 개심술 후 쇼크

이것은 우심실 기능장애와도 관련이 있으며, 아마도 우심실 후부하 및 수축력의 변화로 인해 발생하는 것으로 보인다.

5. 수술 전후 선천성 심질환(예: VSD, ASD, 복합 심질환)

단락(예: VSD, ASD) 또는 팔로 4징(tetralogy of Fallot), 대동맥 전위(transposition)와 같은 복합성 질환이 있는 환자에서 중요한 예후 지표이기 때문에, 우심실의 기능 평가가 매우 중요하다.

6. 심낭삼출

확장기 우심실 허탈은 심낭압전의 중요한 심초음파 지표이다.

우심실 기능의 심초음파 평가

우심실 기능의 평가가 어려운 이유는 다음과 같다.

1. 우심실은 좌심실보다 기하학적으로 복잡하다.
2. 우심실 자유벽은 잔기둥형성(trabeculation)이 발달해 있어 경계를 구분하기 어렵다.
3. 일부 영상 기법에서 우심실과 다른 심방, 심실이 서로 겹쳐서 정확한 용적 측정이 어렵다.
4. 우심실이 흉골 바로 아래에 위치하므로 심초음파검사 시 어려움이 있다(초음파 빔이 뼈를 투과할 수 없다).
5. 전에 개흉술을 받았거나 만성 폐질환 환자는 우심실 평가가 특히 어렵다. 종종 이러한 환자에게 우심실 기능검사가 중요하다.

이러한 한계에도 불구하고 M-mode와 2D 심초음파를 통해 우심실의 크기와 기능을 추정하는데 사용한다. 우심실을 관찰하는데 가장 우수한 심초음파 단면은 다음과 같다.

- 늑골하부 4방도(subcostal 4-chamber)
- A4C
- PLAX에서 우심실 유입(inflow)과 유출(outflow)이 보이도록 탐촉자에 각을 줌
- PSAX에서 승모판, 유두근, 대동맥판 높이

우심실 내강 직경, 벽 두께, EF를 추정할 수 있다. 우심실 기능은 심근 수축력, 전부하, 후부하에 민감하지만 좌심실 수축력, 심실중격, 심낭 내 압력에도 민감하다. 우심실 기능분석 시 이러한 모든 요인을 고려해야 하며, EF만으로 이런 모든 요소를 알아낼 수는 없다.

우심부전(right-sided failure)은 우심실 확장, 운동 저하와 관련이 있다. 모든 단면에서 우심실이 좌심실과 크기가 같거나 크면 비정상이다.

매우 숙련된 검사자라 하더라도 수검자의 약 50%에서만 심초음파로 우심실을 적절히 검사할 수 있다.

새로운 3D 심초음파 기술(5.4장)은 우심실 구조와 기능을 더 정확히 평가하는 데 도움

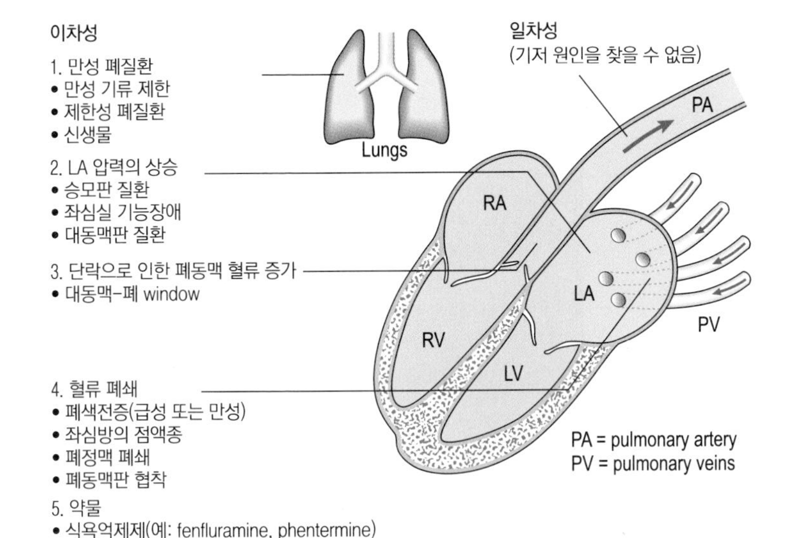

■ 그림 4.19 Causes of pulmonary hypertension.

이 된다.

폐고혈압(pulmonary hypertension)

폐동맥압이 다음 값보다 높을 경우 비정상으로 본다.

- 안정 시 30/20 mmHg (정상은 25/10 mmHg)
- 안정 시 평균 25 mmHg
- 운동 중 평균 30 mmHg

폐고혈압의 중증도를 다음과 같이 분류할 수 있다.

- 경도: 안정 시 폐동맥 수축기압 < 40 mmHg
- 중등도: 안정 시 폐동맥 수축기압 40~70 mmHg
- 중증: 안정 시 패동맥 수축기압 > 70 mmHg (평균 폐동맥압 > 40 mmHg)

50세 이상 성인에서 폐고혈압은 관상동맥질환과 전신 고혈압에 이어 3번째로 흔한 심혈관질환이다.

심초음파는 폐고혈압의 기저 원인(**그림 4.19**)과 중증도 평가에 유용하지만(**그림 4.20**), 이러한 환자들의 다수는 폐질환을 동반하므로 심초음파검사가 기술적으로 더 어려울 수 있다. 특히 폐가 과팽창되어 있거나 폐섬유화증인 경우에 그렇다.

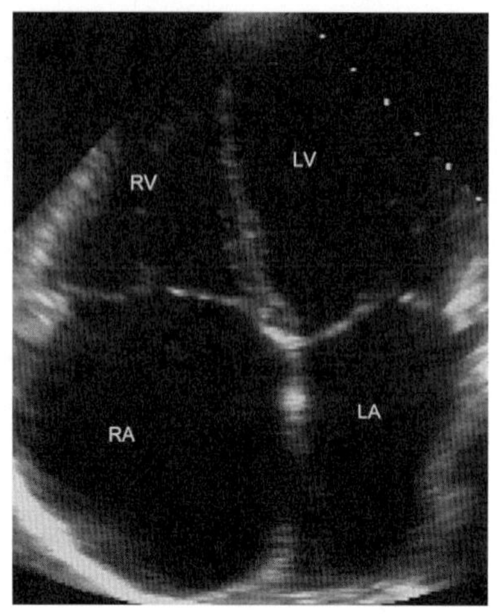

■ 그림 4.20 **폐고혈압.** A4C에서 우심방과 우심실의 확장.

폐고혈압의 심초음파적 특징

M-mode

- 폐동맥판 혈류에서 A파가 없거나 수축기 중기 패임(notch)이 있는 비정상적인 M-mode 소견
- 좌심실은 정상이지만 우심실은 확장됨
- 심실중격의 비정상적인 운동(심실중격의 '우심실화[right ventricularization]')
- 기저 원인 확인. 예: MS(폐동맥 수축기압은 중증도의 지표임)

2D 심초음파

- 폐동맥의 확장(예: PSAX의 대동맥판 높이로). 폐동맥의 직경은 정상적으로 대동맥의 직경보다 크지 않다.
- 우심실 확장 또는 비대
- 우심방 확장
- 심실중격의 비정상적인 운동
- 기저 원인 확인. 예: 승모판 또는 대동맥판 질환, ASD, VSD, 좌심실 기능장애

도플러

폐고혈압의 간접지표로서 TR 속도 또는 짧은 폐동맥 가속시간(AT, acceleration time, 폐동맥혈류의 시작부터 최고속도까지 걸리는 시간)을 이용해 폐동맥 수축기압을 평가하는 것이 가장 좋은 방법이다(3장 참고). 폐동맥의 AT가 >140 ms라면 정상 폐동맥 수축기압이고, AT가 <90 ms라면 폐동맥 수축기압이 >70 mmHg 이상임을 시사한다(중증 폐고혈압).

폐색전증

폐색전증은 종괴, 주로 혈액응괴(혈전)가 혈액을 떠돌다 폐동맥계를 막는 상태를 말한다. 혈전의 기원은 대개 다리, 골반 또는 복부에 있는 전신 정맥이다. 혈전 외에 색전을 일으킬 수 있는 것은 종양, 지방 또는 공기이다. 폐색전증은 매우 흔한 상태이며, 미세색전은 부검에서 60%까지 발견되지만 생전에는 훨씬 적게 진단된다. 임상적으로 발견된 폐색전증에서 10%까지는 치명적이다. 폐색전증 후 폐조직은 환기가 일어나지만 관류는 되지 않는다. 이로 인해 가스교환 장애와 저산소증(혈액 내 산소량 감소)이 유발된다. 몇 시간 뒤 색전이 발생한 폐의 영역은 경색된다. 폐색전증의 혈역학적 효과는 폐동맥압의 상승과 심박출량의 감소이다. 심초음파가 진단에 도움이 될 수 있다.

명백한 기저 원인이 없을 수 있지만, 폐색전증을 일으킬 수 있는 혈전은 다음의 결과로 생길 수 있다.

- 느린 혈류
- 국소적 손상
- 정맥압박
- 과응고상태

폐색전증의 위험요인

- 부동
- 장시간 침상 안정
- 하지 및 골반 골절
- 악성종양
- 전신 쇠약을 일으키는 질환. 예: 심부전
- 임신 및 출산
- 수술 후, 특히 복부 또는 골반
- 유전성 과응고 상태. 예: Factor V Leiden, 단백 S 결핍, 단백 C 결핍 또는 항트롬빈 III 결핍
- 흡연
- 과량의 에스트로겐. 예: 경구피임약

폐색전증의 임상적 특징

폐색전증의 크기와 폐순환의 폐쇄 정도에 따라 다양한 임상양상을 보인다. 광범위한 급성 폐색전증이 있으면 주로 흉막성 흉통, 호흡곤란, 객혈 또는 혈역학적 허탈이 발생한다.

임상 및 심초음파 특징에서 4가지의 뚜렷한 양상이 있다.

1. 증상이 없는 폐색전증. 많은 작은 폐색전증은 임상적으로 진단되지 않는다.
2. 작거나 중간 크기의 폐색전증. 말단 폐혈관에 있는 폐색전증.
   - 흉막성 흉통(pleuritic chest pain)과 호흡곤란. 폐색전증 발생 후 30%에서 종종 3일

이상 객혈이 발생한다. 설명할 수 없는 호흡곤란 또는 기침 또는 새롭게 발생한 심방세동 같은 비특이적인 형태의 임상양상이 나타날 수 있다.

- 빈호흡이 생기고, 폐색전증이 발생한 부위에 흉막마찰음(pleural rub), 거친 수포음(coarse crackles)이 들린다. 발열이 있을 수 있다. 심혈관계 진찰시 정상일 수 있다.
- 혈액이 있는 흉수가 있을 수 있다.
- 흉부 X선은 정상일 수 있다.
- 중등도 크기의 폐색전증인 경우 심전도에서 동성빈맥, 심방세동, 우심장긴장이 나타날 수 있다.
- 혈액검사에서 FDP(fibrin degradation product) 또는 D-dimer가 상승한다.
- 골반과 다리의 초음파검사, 환기-관류 스캔(V/Q scan), 나선형 컴퓨터단층촬영(spiral CT), 자기공명영상 등의 기타 검사들도 폐색전증을 진단하는데 유용하다.
- 심초음파에서 작은 폐색전증은 대개 정상 소견이다. 중등도 크기의 폐색전증에서는 일부 심초음파에서 우측 심장 확장의 소견이 있을 수 있다.

3. 큰 폐색전증. 드물게 발생하며, 폐색전증이 주폐동맥에 박혀서 우심실 유출로의 폐쇄로 인해 갑자기 허탈이 발생한다.
   - 가슴 중앙에 심한 흉통(관상동맥 혈류 감소로 인한 심근허혈에 의해).
   - 쇼크, 심박출량의 갑작스런 감소로 인한 실신, 또는 사망을 초래할 수 있다.
   - 정맥압(JVP) 상승, 현저한 a wave, RV heave, gallop 리듬, 제2심음 연장이 있을 수 있다.
   - 흉부 X선에서 폐문 부위에 주폐동맥이 두드러지고 pulmonary oligemia가 나타난다.
   - 심전도에서 동성빈맥, 우심방 확장, 우심실 긴장, 우측편위, 새롭게 발생한 불완전/완전 우각차단(RBBB)이 나타나며, 심방세동이 있을 수도 있다. 우측 유도에서 T파 역위가 있을 수 있다. S1Q3T3 양상은 드물다.
   - 폐동맥조영술 또는 나선형 CT에서 폐색전증을 확인할 수 있다.
   - 폐동맥판 상방에 폐쇄가 있으면 심초음파로 vigorous LV, 우심방/우심실 확장, TR 평가를 통한 폐동맥 수축기압 상승 여부를 알 수 있다.
4. 다발성 재발성 폐색전증. 폐동맥 순환 영역의 점진적인 폐쇄
   - 폐동맥 순환 영역의 점진적인 폐쇄로 인해 수 주~수개월에 걸쳐 진행성 호흡곤란이 생길 수 있다. 비특이적인 쇠약감, 협심증, 두근거림 또는 운동성 실신이 발생하기도 한다.
   - 신체검진시 pulmonary vascular bed의 다발성 폐쇄로 인한 폐고혈압의 신체징후와 RV heave와 P2 항진이 있는 우심실 과부하의 징후가 있다.
   - 흉부 X선은 정상일 수 있다.
   - 환기-관류 스캔에서 다발성 불일치 결함(mismatched defect)이 있다. 다리 및 골반 초음파에서 비정상 소견이 있을 수 있다.
   - 심초음파에서 우심실 확장, 우심방 확장, 폐동맥 수축기압 상승이 있는 폐고혈압의

양상이 나타난다.

폐색전증의 심초음파 소견은 색전증의 크기와 폐순환의 폐쇄 정도와 관련이 있다. 중요한 사항은 다음과 같다.

- 심초음파 소견이 정상이라고 해서 폐색전증을 배제할 수 없다(특히 작은 폐색전증의 경우).
- 기존의 심혈관질환이 있으면 이것을 심초음파검사 시 고려해야 한다.
- 큰 폐색전증. 우심실 확장, 우심부전, 우심방 확장이 있는 우측 심장 압력과 용적의 과부하 양상이 있다.
- 우측 심장 압력 증가로 인한 TR이 있을 수 있다.
- 중간 크기의 폐색전증에서는 경미한 우측 심장 확장과 TR이 있을 수 있다.
- 좌심실 평가가 필수적이다. 하부 급성 심근경색증와 우심실 경색에서 우측 심장 확장의 심초음파 소견과 유사한 소견을 보일 수 있지만, 폐색전증에서 폐동맥 수축기압이 상승하는 것과 달리, 심근경색증에서는 정상이다.
- 우심실 압력은 대부분 60~70 mmHg를 초과하지 않는다. 폐색전증에서 우심실 압력이 70 mmHg가 넘으면 만성 폐색전증의 급성 악화 또는 기저질환으로 폐고혈압이 있던 환자에서 폐색전증이 발생한 경우를 감별해야 한다.

때때로 폐동맥 근위부에서 폐색전증을 관찰할 수 있다. 때로는 '이동 중'인 폐색전증을 삼첨판 부속물 또는 수술 중 TEE에서 관찰할 수 있다. 우심방 압력이 증가하면 난원공 개존증(PFO)을 통해 우좌단락이 관찰될 수 있고 심방중격(interatrial septum)이 우에서 좌로 움직일 수 있다.

폐색전증에서 예후가 좋지 않은 심초음파 소견은 다음과 같다.

- 의미 있는 우측 심장 확장
- 우심실 수축기능장애
- 이동 중인 폐색전증

폐색전증의 치료

- 급성기 치료 - 소생술, 고농도 산소, 진통제, 침상 안정, 수액, 강심제 투여, 중환자실 관리
- 추가적인 폐색전증의 예방 - 항응고제(예: 헤파린 정맥주사 후 경구 와파린 또는 기타 항응고제 투여, 보통 최소 6개월 이상) 또는 때로는 재발성 폐색전증이 있거나 항응고제를 투여할 수 없는 경우 물리적 방법을 사용한다(예: 신정맥 높이에서 IVC에 필터 삽입).
- 폐색전증의 용해 - 혈전용해요법. 예: 스트렙토키나제(streptokinase) 또는 조직 플라스미노겐 활성제(tPA) 정맥주사
- 수술 - 큰 폐색전증인 경우 드물게 수술적 제거가 필요하다.

4.7 장축 기능(long-axis function)

심실 수축은 장축방향(longitudinal)과 단축방향(circumferential, short axis)으로 일어난다. 장축 기능을 통해 정상적인 심장 생리와 질환의 상태에 대한 중요한 정보를 얻을 수 있다.

장축 기능의 심초음파 평가

좌심실(**그림 4.21**)과 우심실 장축은 심첨부(상대적으로 흉벽 쪽에 고정)에서 기저부(승모판와 삼첨판륜)까지 이어진다. 각 부분(좌심실, 우심실, 자유벽, 심실중격)의 기능을 심초음파로 검사하는데, M-mode 또는 도플러 심초음파를 이용하여 측정값을 구한다. 장축 변화의 진폭, 속도, 시간을 주의 깊게 관찰한다.

M-mode로 mitral annular plane systolic excursion(MAPSE)을 측정하여 좌심실 장축 기능을 평가하고, tricuspid annular plane systolic excursion(TAPSE)을 측정하여 우심실 수축기능을 평가하는데 사용할 수 있다(**그림 4.22, M-mode의 ①과 ③**). 승모판륜 수축기 속도도 측정할 수 있다(mitral annular systolic velocity[MASV], tricuspid annular systolic velocity[TASV]). 아직 대규모 연구에서 정상 수치가 확인되지는 않았지만, 다음은 좌심실 및 우심실 장축기능의 대략적인 정상의 하한을 반영한다.

- MAPSE 1.0 cm
- MASV 10 cm/s
- 좌심실 장축 수축기 strain -20%
- TAPSE 2.0 cm

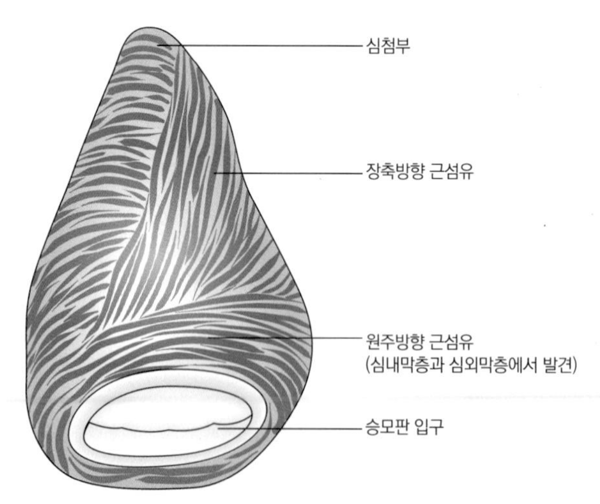

■ 그림 4.21 **좌심실 근섬유 배열의 모식도.**

- TASV 20 cm/s
- 우심실 장축 수축기 strain -30%

Strain은 초기 용적에 대한 심장의 방 용적의 상대적인 변화 %이다.
이러한 측정은 연령, 호흡, 초음파 빔 각도와 같은 요인들에 의해 영향을 받는다.

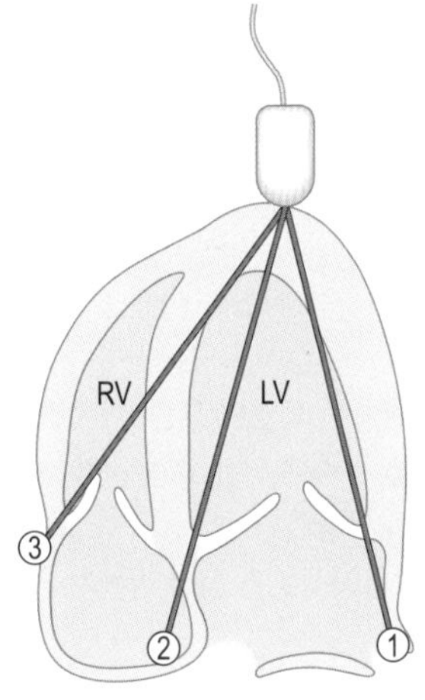

① 좌심실 자유벽(외측벽)
주로 circumflex artery +/− LAD로부터 혈류를 공급 받음

② 심실중격
좌전하행동맥

③ 우심실 자유벽
주로 우관상동맥으로부터 혈류를 공급 받음

■ 그림 4.22 **장축 기능의 평가.** M-mode에서 심첨부 쪽으로 대동맥륜이 움직인다.

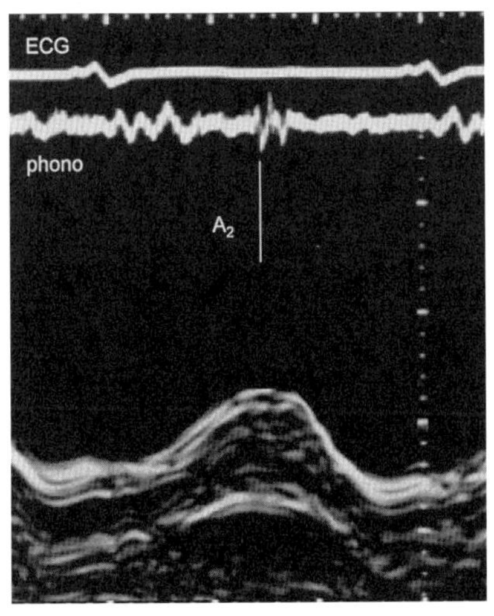

■ 그림 4.23 **장축 기능의 평가.** M-mode에서 수축기 동안 심첨부로 승모판륜의(좌심실 자유벽 쪽) 움직임. 심전도와 phonocardiogram을 대동맥판이 닫히는 시점(A2)과 같은지 알기 위해 기록한다.

정상 생리에 기여하는 장축(그림 4.22, 4.23)

1. 박출률(ejection fraction, EF)

장축 기능은 정상 EF와 좌심실 내강 형태의 변화를 유지하는데 중요한 역할을 한다.

2. 심방으로 유입되는 혈류

심실 수축 동안 승모판륜과 삼첨판륜이 심첨부 쪽으로 움직이면, 판막륜이 있는 면이 아래쪽으로 이동하면서 양쪽 심방의 용적이 증가한다. 심방 용적이 증가하고(압력이 떨어지면서) 대정맥과 폐정맥에서 심방으로 혈류가 유입된다.

3. 이완기 초기 혈류

이완기 초기 혈류가 좌심실로 유입되는 동안 승모판륜은 좌심방 쪽으로 되돌아간다. 심첨부와 흉벽의 위치를 고려하면, 혈액이 실제로 움직이지 않아도 승모판륜이 좌심방 쪽으로 움직이면서 좌심방에 있던 혈액이 좌심실에 위치하는 모양이 된다. 이 현상은 도플러로 측정할 수 없다. 이 현상, 그리고 이와 유사한 심방 수축에 의한 효과는 좌심실의 1회 심박출량의 10~15%, 우심실의 1회 심박출량의 20%를 담당한다.

좌심방은 수동적인 구조물이 아니다. 심실 수축 동안 좌심방은 심실 밖에서 운동을 하여, 이완기 초기에 좌심실로 혈류를 전달한다.

4. 심방 수축

심방이 수축하는 시기에는 심방의 혈액량이 감소한다. 심방의 측벽과 후벽은 종격동에 고정되어 있으며, 심방 용적이 줄어드는 주 기전은 대동맥판륜이 심실의 심첨부로부터 멀어지는 것이다.

질환에서 장축 기능

1. 심실 기능

장축 기능을 통해 양쪽 심실의 EF을 추정할 수 있다. 이 방법은 PSAX 영상을 얻기 어렵지만, A4C 영상을 얻을 수 있는 경우에 유용하다(예: 중환자실에서 인공호흡기를 하고 있는 중증 환자에서).

급성 심근경색증 후 장축 기능의 국소적 저하는 흔하다. 이러한 결함은 심근관류 영상(예: Thalium)의 고정관류결손부위(fixed defect)와 관련이 있다.

승모판 치환술 이후에는 장축 기능이 저하되지만, 승모판 성형술 후 또는 MS에서는 저하되지 않는다. 하지만 심폐바이패스(cardiopulmonary bypass)를 한다고 무조건 이 현상이 발생하는 것은 아니며, 장축 기능의 저하는 유두근 기능이 소실되었음을 의미한다.

제한성 좌심실 질환에서는 이완기말에 좌심실 크기가 정상이더라도 장축의 진폭이 낮다.

2. 관상동맥질환과 허혈

장축 기능으로 허혈을 매우 민감하고 비침습적으로 평가할 수 있다. 이것은 많은 양의 세로 근섬유가 심내막하에 위치하기 때문인 것으로 추정된다. 장축 기능은 관상동맥질환(예: 만성 안정형 협심증)에서 흔히 비동시적이고 특정 구획(segment)에서 이상이 생긴다. 수축의 시작이 흔히 지연되는데, 이러한 변화는 노화에 따른 좌심실 이완기능장애의 '비정상 이완(abnormal relaxation)'양상(도플러에서 초기 E파가 감소하거나 소실되고 A파는 증가)을 설명해 준다.

3. 전도장애

장축 기능은 근섬유가 심내막하에 위치하므로 전도장애와의 연관성이 많다. 이러한 이상은 RBBB와 LBBB의 형태로 나타난다. 장축 기능 평가를 통해 이를 통해 특히 중증 심실질환 환자에서 비정상적인 심장 내 전도의 유무/정도와 심부전 환자에서 서로 다른 조율 방법(pacing mode)의 효과를 알 수 있다.

4. 좌심실비대

단축단면에서 수축기능이 정상이더라도 좌심실비대에서 좌심실 이완기능은 비정상적이기 때문에, 장축 기능이 흔히 비정상으로 나타난다.

5. 심방 기능

장축 기능을 평가하여 AF 환자에서 심율동전환(7.2장) 후에 심방의 기계적 기능이 회복되었는지 여부를 알 수 있다(우심방은 좌심방보다 빨리 회복). 빗살근(pectinate muscle)의 수축은 방실륜(atrioventricular ring)의 움직임을 유발하는데, 이것은 심방의 기계적 활동의 초기에 나타나는 반응이다.

4.8 심낭질환(pericardial disease)

심낭은 심장을 둘러싸는 주머니로 바깥쪽의 섬유성 심낭(fibrous pericardium)과 안쪽의 장액성 심낭(serous pericardium)으로 구성되어 있으며, 바깥쪽은 벽측막(섬유성 주머니에 부착), 안쪽은 장측막(또는 심장외막(epicardium), 심장에 부착)으로 되어 있다**(그림 4.24)**.

장액성 심낭의 두 층 사이에 잠재적인 심낭 공간이 있으며, 정상적으로 소량의 심낭액(< 50 mL)이 있다.

심초음파는 심낭액 증가(심낭삼출), 심낭압전 또는 교착성 심낭염을 유발하는 많은 병적 변화를 평가하는 가장 효과적인 방법이다. 정상적인 섬유성 심낭은 초음파를 매우 잘 반사해 밝게 보인다. 심낭액은 초음파를 잘 반사하지 않아 검게 보인다. 일부 사례에서 심낭주위 지방 pad 또는 낭종(cyst)이 발견되기도 있다(6.1절 참고).

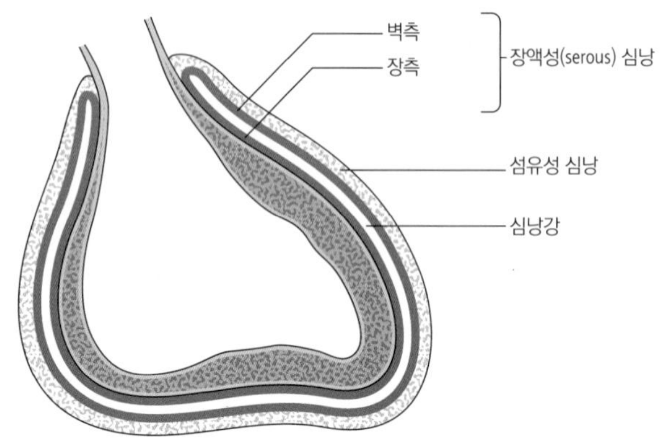

■ 그림 4.24 **심낭의 층.**

1. 심낭삼출(pericardial effusion)

심낭삼출은 장액, 혈액, 또는 드물게 고름(매우 중증 질환일 때)으로 구성될 수 있다.

심낭삼출의 원인

- 감염 – 바이러스, 세균(결핵 등), 진균
- 악성종양
- 심부전
- 심근경색증 후 – Dressler 증후군
- 심장 외상 또는 수술
- 요독증
- 자가면역 – 류마티스 관절염, 전신성 홍반성 루푸스, 경피증
- 염증 – 아밀로이드, 사르코이드
- 갑상선기능저하증
- 약물 – phenylbutazone, penicillin, procainamide, hydralazine, isoniazid
- 대동맥 박리
- 방사선
- 원발성

M-mode와 2D 심초음파는 심낭삼출을 평가하는 가장 중요한 방법이다(**그림 4.25, 4.26**). M-mode에서 PLAX로 무에코의 심낭삼출을 좌심실 후벽 아래 또는 우심실 전벽 위에서 관찰할 수 있다. 2D 영상에서도 심장을 둘러싸는 무에코의 심낭삼출이 보인다. 심낭삼출은 심낭 공간 전반에 있거나 특정 부위에 작은 방을 형성(loculation)할 수 있다.

2D 또는 M-mode로 심낭삼출과 흉수(두 가지가 동시에 생길 수 있지만)를 감별할 수

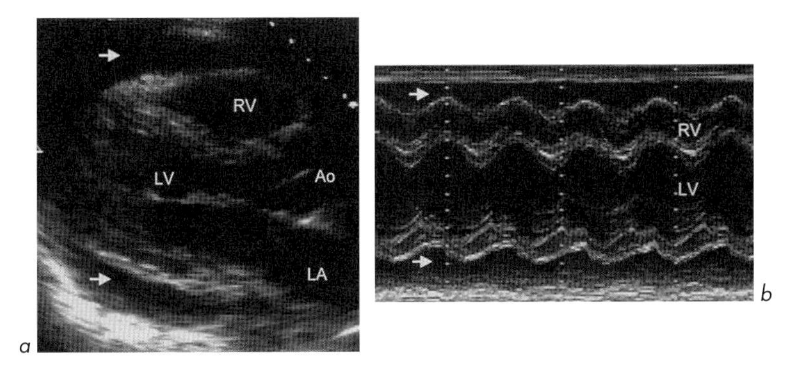

■ 그림 4.25 **심낭삼출.** (a) PLAX에서 우심실 앞쪽과 좌심실 뒤쪽에 삼출이 관찰된다(화살표). (b) M-mode에서 삼출이 보인다(화살표).

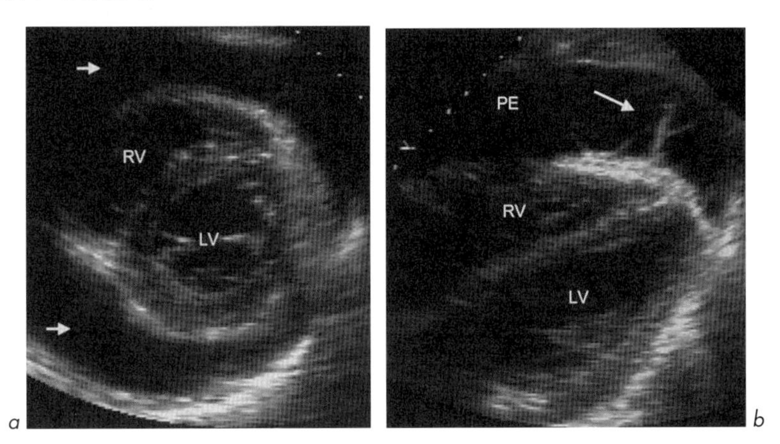

■ 그림 4.26 **심낭삼출.** (a) PSAX의 승모판 높이에서 관찰되는 심낭삼출(화살표). (b) 확대한 흉골 하부 단면에서 관찰되는 심낭삼출(PE) 내 fibrin strands(화살표).

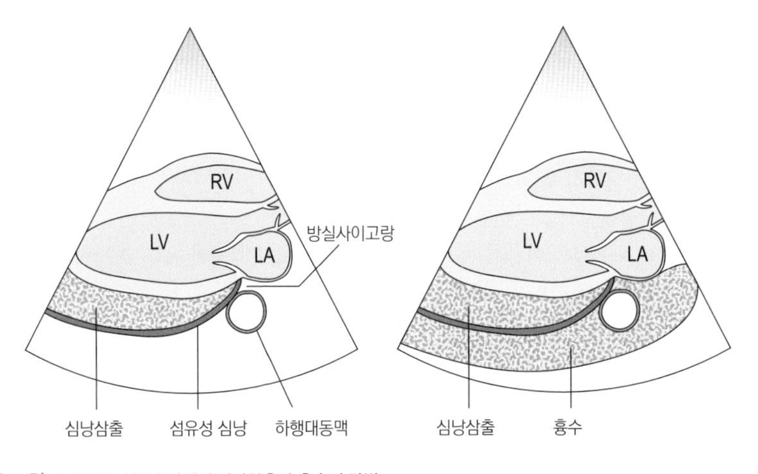

■ 그림 4.27 **2D 심초음파에서 심낭삼출과 흉수의 감별.**

있다(그림 4.27). 흉수와 달리 심낭삼출의 무에코 공간은 atrioventricular groove에서 끝나며 하행대동맥을 넘지 않는다.

심초음파로 심낭삼출의 양을 추정할 수 있다. M-mode 또는 2D로 심장 주위 무에코 공간의 깊이를 측정하여 심낭삼출의 양을 정량화할 수 있다. 더 정확한 방법은 대부분의 심초음파기기 컴퓨터에 있는 면적계(planimetry[면적 추정]) 기능을 이용하는 것이다. A4C의 정지 영상에서 다음을 측정한다.

1. 심낭 주위를 tracing(여기에서 컴퓨터로 심장과 심낭을 종합한 용적을 계산한다.)
2. 심장 주위를 tracing(심장의 용적을 구해 줌). 두 용적의 차를 이용해 심낭삼출의 양을 구할 수 있다.

2. 심낭압전(cardiac tamponade)

심장 외부의 압력(예: 심낭삼출액의 축적 또는 심낭협착)으로 인해 심장기능장애가 발생하는 위험한 상황이다. 심낭압전은 다량의 심낭삼출 또는 소량의 삼출이 급속히 형성되어 심장에 압력을 가해 생길 수 있다(심낭이 늘어나서 심낭삼출을 수용할 시간이 있으면 심낭압전 없이도 다량의 심낭삼출이 생길 수 있음).

심낭압전의 임상적 특징

- 빈맥(심박수 > 100회/분)
- 맥박 용적(맥압차)이 작은 저혈압(수축기혈압 <100 mmHg)
- >10 mmHg의 기이맥(pulsus paradoxus - 흡기 동안 정상적으로 수축기혈압이 약간 저하[<5 mmHg]되는데 그 이상으로 저하)
- 수축기 'X'하강이 두드러지면서 JVP 상승. JVP는 흡기 동안 정상만큼 떨어지지 않거나 드물게 오히려 상승할 수 있음(Kussmaul's paradox).

기억할 사항: 심낭압전은 임상적 진단이다. 심초음파는 이를 뒷받침하는 근거를 제시해 준다.

심낭압전의 심초음파적 특징

- 다량의 심낭삼출
- 우심방 또는 우심실의 이완기 허탈. 둘 다 심낭압전에 민감도가 높다. 심낭삼출 배액으로 심낭압전을 해결하면 우심실의 이완기 허탈이 바로 회복된다. 우심방의 이완기 허탈은 그렇게 빨리 회복되지 않으므로 심낭압전의 더 민감한 지표일 수 있다.
- 도플러에서 흡기와 호기 동안 정상적으로 볼 수 있는 승모판/삼첨판을 통과하는 혈류와 SVC의 혈류 변화폭이 커진다.

심초음파 유도하에 치료적 심낭삼출액을 흡인(심낭천자술, pericardiocentesis)하면 안전하게 심낭압전을 해결해 생명을 구하는데 도움이 될 수 있다. 심초음파로 심낭삼출액이 모여 있는 위치와 정도를 확인하고 시술의 성공 여부를 평가할 수 있다.

3. 급성 심낭염(acute pericarditis)

이는 심낭의 염증을 지칭하는 것으로, 여러 가지 원인이 있으며 심낭삼출이 동반될 수 있다. 임상적 특징은 매우 다양한데, 일부에서는 비교적 증상이 없을 수 있는 반면에 일부에서는 심근까지 염증이 퍼져서(심근심낭염, myopericarditis) 혈역학적 이상을 일으키는 중증 질환이 생길 수도 있다.

급성 심낭염의 임상적 특징

- 흉통은 대개 흉골하부에 생기며 어깨나 목으로 방사할 수 있다. 통증은 호흡, 주로 심호흡을 하거나(흉막성 흉통, pleuritic chest pain), 움직이면 악화된다. 통증은 종종 똑바로 누우면 악화되고, 앉으면 호전된다.
- 특히 바이러스 또는 세균 감염, 심근경색증 또는 류마티스열에 의한 심낭염일 때 발열이 있을 수 있다.
- 권태감(malaise)
- 심막마찰음(pericardial friction rub). 이것은 표면을 비비거나 긁는 것 같은 소리로 들리며 '눈 위를 걸을 때' 나는 발소리와 유사하다.

심낭염의 원인

- 원발성
- 바이러스 감염(예: Coxsackie)
- 심근경색증. 급성 또는 1개월~1년 후(Dressler 증후군)
- 요독증. 신부전 말기에서 있을 수 있으며 무증상일 수 있다.
- 악성종양, 특히 기관지암 또는 유방암, 호지킨림프종, 백혈병, 악성흑색종
- 결핵. 권태감을 동반한 미열(특히 저녁에), 체중감소, 급성 심낭염의 특징적 증상(진단을 위해 심낭 흡인이 필요할 수 있음)
- 폐렴을 동반한 세균성, 화농성 심낭염(예: 포도상구균, 헤모필루스 인플루엔자균 또는 패혈증). 종종 치명적이며 치료로 항생제 투여 및 외과적 배액을 한다.
- 외상
- 방사선요법. 심장이 충분히 차폐되지 않았을 경우에 발생한다.

검사

심전도에서 안장(saddle) 모양으로 위로 오목한 ST 분절 상승이 보이면 진단적이다(그림 4.28). 염증표지자와(적혈구침강속도[ESR], C-반응 단백질) 백혈구 수가 증가한다. 심

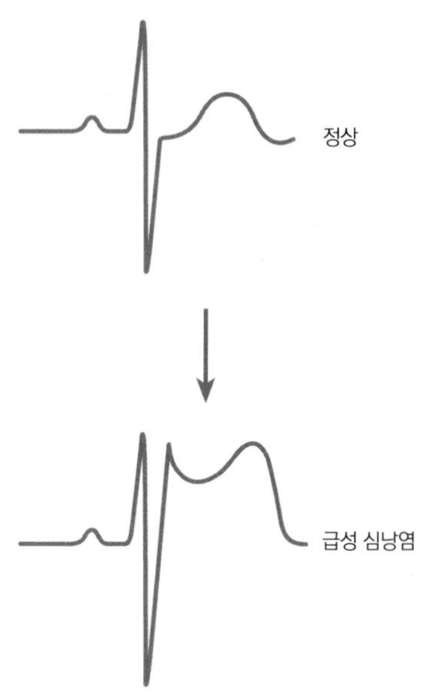

■ 그림 4.28 **급성 심낭염의 심전도에서 '안장 모양의(saddle-shaped)' ST분절의 상승(화살표).**

근염이 동반되면 심근효소와 트로포닌이 상승할 수 있다.

치료

중증 또는 재발성 심낭염이면 비스테로이드 소염제(NSAIDs)와 스테로이드를 투여한다. 임상적으로 급성 심낭염 환자에서 종종 심초음파가 필요하다.

급성 심낭염에서 심초음파 소견

- 합병증이 동반되지 않은 바이러스성 심낭염에서는 심초음파에서 병리적 특징 없이 정상 소견일 수 있다.
- 심낭삼출이 있을 수 있다.
- 동반 소견이 있을 수 있다(예: 급성 심근경색증으로 인한 국소 벽 운동 장애).
- 심낭 '비후'

급성 심낭염에서 심초음파의 사용

- 기저 원인을 진단하는데 도움
- 심낭삼출, 심근심낭염, 수축기 및 이완기 심실 기능 장애와 같은 합병증 확인
- 동반된 심낭삼출
- 국소 벽 운동 장애

- 종양 확인

4. 교착성 심낭염(constrictive pericarditis)

이 상황에서는 비교적 유연성이 있는 섬유성 심낭이 섬유화 또는 석회화로 인해 점점 더 빳빳해져서 심실의 이완기 확장을 제한하고 이완기 충만이 줄어든다.

교착성 심낭염의 원인

- 결핵
- 결체조직질환
- 악성종양
- 외상과 심장 수술 후
- 요독증
- 기타 감염 – 세균, 바이러스
- 원발성

심초음파는 교착성 심낭염의 진단과 평가에 중요하며, 이 질환에 내재된 생리학적 기전을 이해하는데 도움이 된다.

심장이 빳빳한 심낭에 둘러싸이게 되면, 심장주기 동안 모든 심장의 방의 용적이 변화하는데 제한이 따른다. 이로 인해 심장의 모든 부분과 정맥 및 동맥 연결부에서 압력, 혈류, 용적에 영향을 미친다. 교착성 심낭염에서 심장의 4개 방의 전체 용적은 비교적 고정되어 있어서, 하나의 심장의 방 용적이 증가하면 다른 방의 용적은 줄어든다. 이를 상호 의존성(interdependence)이라 한다.

예를 들어 정상 호흡 동안 흡기 시 흉강 내압이 떨어지면 우측 심장으로 정맥 환류가 증가한다. 교착성 심낭염에서는 상호의존성 때문에 우측 심장의 용적 증가(우심방 및 우심실)는 좌측 심장의 용적을 제한하여 감소시킨다(이것은 흉강 내압의 감소와 더불어 폐로부터 좌측 심장으로 혈류 유입이 감소되어 생긴다). 심장의 스탈링 기전(Starling's mechanism)은 쉽게 말해 정상 심장에서 심장의 방이 늘어나면 심장의 박출력과 1회 심박출량이 증가되는 것을 말한다. 즉 더 많은 혈액이 심장의 방으로 들어오면 더 많은 혈액이 나가게 된다. 좌측 심장의 용적이 감소하면 대동맥으로 1회 심박출량이 감소하게 된다. 이것은 교착성 심낭염에서 볼 수 있는 흡기 시 현저한 수축기혈압 감소(기이맥, pulsus paradoxus)를 유발하는 요인 중 하나이다.

이러한 생리적 변화는 교착성 심낭염에서 심초음파 소견을 이해하는 데 도움을 줄 수 있다.

- 심실 충만은 조기에 종료되어(이완기 초기 또는 중기에) 심실의 이완기 확장을 제한시키고 이완기 충만을 감소시킨다.

- 좌심실과 우심실의 이완기말 용적이 감소되면 1회 심박출량도 감소하게 된다.
- 심장의 4개의 방과 이와 연결된 정맥의 압력이 증가한다.
- 우심방 및 좌심방 압력 상승과 충만 제한은 우심실과 좌심실로 혈류가 짧은 시간 동안 빠른 속도로 흐르게 한다.
- 심장의 최대 용적이 고정되어 있어서 우측 심장의 용적 증가는 좌측 심장의 용적 증가를 제한하고 그 반대의 경우도 일어나게 된다(상호의존성).
- 심장은 흉강 내압의 정상적인 호흡 변화와 비교적 독립적이지만, 심장과 연결된 정맥과 동맥(심낭 바깥에 위치)은 그렇지 않다. 이로 인해 호흡에 따라 비정상적인 심장 충만 양상이 일어나고 1회 심박출량과 혈압에 영향을 미치게 된다(위에서 설명한 바와 같이 스탈링 기전에 의함).

교착성 심낭염의 심초음파적 특징

M-mode와 2D 심초음파

- 두꺼워진 심낭. 정량화하기 어렵고 흔히 과대평가되는 경향이 있다. 정상 심낭은 초음파를 매우 잘 반사하기 때문에 밝게 보인다. 밝기의 정도는 심초음파기기의 gain 설정에 따라 결정된다. M-mode에서 두꺼워진 심낭은 어둡고 두꺼운 초음파 선 또는 여러 개의 평행선으로 보인다.
- 석회화된 심낭 – 국소적 또는 전반적
- 비정상적인 심장중격의 움직임, 특히 이완기말(과장된 전방 운동, 'septal bounce')
- 전신 정맥압 상승으로 인한 IVC 확장
- 비정상적인 좌심실 충만 양상 – 이완기 초기에는 좌심실만 확장한다. 이를 실시간으로 확인하기 어렵다. M-mode에서 이완기 중기 또는 말기에 좌심실 후벽의 움직임이 편평하게 관찰된다.
- 승모판의 조기 폐쇄 – 좌심실 이완기압 상승으로 인해
- 우심실의 이완기말 압력의 상승과 함께 이완기에 폐동맥판의 조기 개방

도플러

'제한적 양상(restrictive pattern)'의 비정상적인 좌심실의 이완기 충만을 반영하는 비정상적인 승모판 혈류 양상

- 초기 이완 속도 증가(큰 E파)
- 급속한 감소(rapid deceleration)
- E파와 비교해 매우 작은 A파(E:A 비 > 1.5)
- 승모판과 삼첨판 혈류의 짧은 압력 반감기
- 승모판 혈류(흡기 시 E파 저하가 > 25%) 또는 삼첨판 혈류(호기 시 E파 저하가 > 25%)의 호흡에 따른 과장된 변이

- 비정상적인 간정맥과 폐정맥의 혈류 양상
- SVC 혈류의 현저한 수축기 'X'하강

심초음파로 교착성 심낭염을 정확히 진단하는 것은 어려울 수 있다. 특히 제한성 심근병증 또는 심근침윤으로 인한 제한성 심근기능 양상과 구별하는 것은 쉽지 않다(**표 4.5**). 진단을 위해 심장 자기공명영상(MRI)과 카테터 삽관을 통한 직접 압력 측정이 필요할 수 있다.

표 4.5 **심초음파에서 교착성 심낭염과 제한성 심근병증의 감별진단**

	교착성 심낭염 (constrictive pericarditis)	제한성 심근병증 (restrictive cardiomyopathy)
심낭	비후 〉4 mm (평가가 어려울 수 있고 석회화되어 있을 수 있음)	정상
좌심실 크기와 두께	정상	좌심실비대, 작은 좌심실 내강
좌심실 수축기능	정상	비정상일 수 있음
좌심실 이완기능	정상	비정상
좌심실과 우심방 용적	정상	증가
심실중격운동	호흡에 따른 이동	정상
승모판 경유(transmitral) 혈류 양상	IVRT와 E파 속도의 호흡에 따른 변이 E 〉 A, E:A ratio 〉 1.5	IVRT와 E파 속도에서 호흡에 따른 의미 있는 변이 없음 E 〈 A – 초기 질환 E 〉 A – 후기 질환
간정맥 혈류	호기 시 이완기 혈류 역전	흡기 시 이완기 혈류 역전
폐정맥 혈류	수축기 혈류가 주가 됨	이완기 혈류가 주가 됨
폐동맥 수축기압	약간 상승(35~40 mmHg)	중등도~중증 상승(≥ 60 mmHg)
심근조직 도플러영상 (TDI)	정상 또는 속도 증가(예: Em, e')	속도 감소(예: Em, e')
중격 Em, e'	≥ 7 cm/s	〈 7 cm/s
E:Em 비	〈 15	〉 15

A, 승모판 A파 속도; E, 승모판 E파 속도; Em(또는 e'), TDI로 측정한 초기 심근속도; IVRT, isovolumic relaxation time(등용적 이완기).

4.9 심부전을 위한 기구치료 – 심장재동기화 치료

심부전 관리가 진일보하였다. 이식할 수 있는 전기장치 치료법이 일부 환자에게는 선택사항이 되었다. 심부전 환자는 전기적 활성화의 부조화(*전기적 비동기화*로 알려져 있음)와 좌심실, 우심실의 수축기 및 이완기 기능의 부조화(*기계적 비동기화*로 알려져 있음)를 가질 수 있다. 심부전 환자는 승모판 역류증과 같은 심박출량에 영향을 미치는 다른 문제가 있을 수 있다.

심장재동기화 치료(CRT)는 혈역학 개선을 목표로 동시에 양심실을 심박조율하는 기술이다. CRT는 특히 치료약제에 내성이 있고 치료약제를 최대로 사용하는 중증 심부전 환자의 치료법으로 추가되었다. 몇 개의 대규모 국제 연구에서 CRT가 이득이 있음이 보고되었다 – 예: MIRACLE(Multicenter InSync Randomized Clinical Evaluation), COMPANION(Comparison of Medical Therapy, Pacing, and Defibrillation in Heart Failure), CARE-HF(CArdiac Resynchronization-Heart Failure) and EchoCRT(Echocardiography Guided Cardiac Resynchronization Therapy). CRT는 심부전이 있는 모든 환자에 적합한 것은 아니기 때문에 잠재적인 반응자를 선택하기 위한 방법을 고안해야 한다. 심초음파검사가 CRT 환자를 선택하는 데 중요한 역할을 할 것으로 기대했지만, 그 역할은 치료를 최적화하고 진행과정을 모니터링하는 데 특히 도움이 될 것으로 보인다.

CRT는 어떻게 진행되는가?

CRT는 3개의 심박조율 리드가 정맥을 통해 심장안으로 내려오는 전기 맥박 발생기(조율기)를 가슴 상단에 이식한다(**그림 4.29, 4.30**). 리드는 우심방, 우심실 및 좌심실(일반적으로 후자는 심장정맥굴을 통해)에 배치된다. 이러한 CRT 조율(CRT-P)장치는 심방, 우심실 및 좌심실 기능을 재동기화하여 심장 기능을 향상시키는 데 사용된다. 또한 일부 장치에는 심장제세동기 기능(CRT-D 장치라고 함)이 포함되어 있어 심실빈맥과 심실세동으로 인한 사망률을 감소시킬 수 있다. 또다른 일부 장치는 폐 간질액의 정도가 변함에 따라 흉부 임피던스를 추정할 수 있어 환자나 의사에게 폐부종을 조기에 알릴 수 있다.

심초음파검사는 심실 수축기 및 이완기 기능(예: LVEF)을 평가하고 비동기화 증거를 찾으며 승모판 역류증과 같은 심부전의 다른 소견들을 찾는 데 사용될 수 있다.

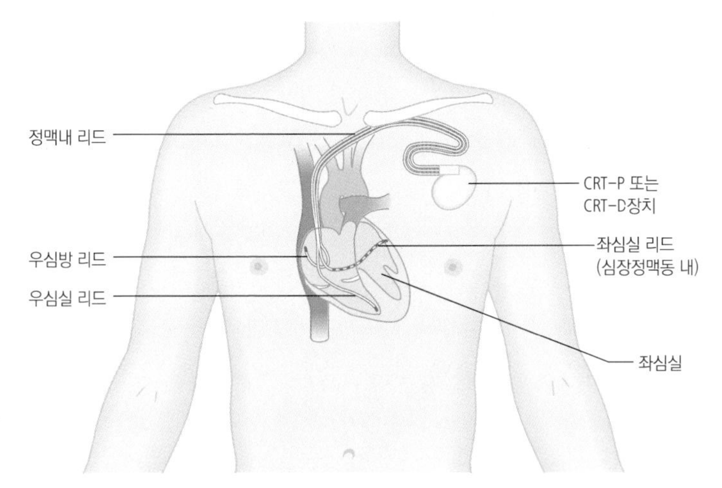

그림 4.29 **심장박동조율기(CRT-P) 또는 제세동기(CRT-D)를 이용한 심장재동기화 치료(CRT)**

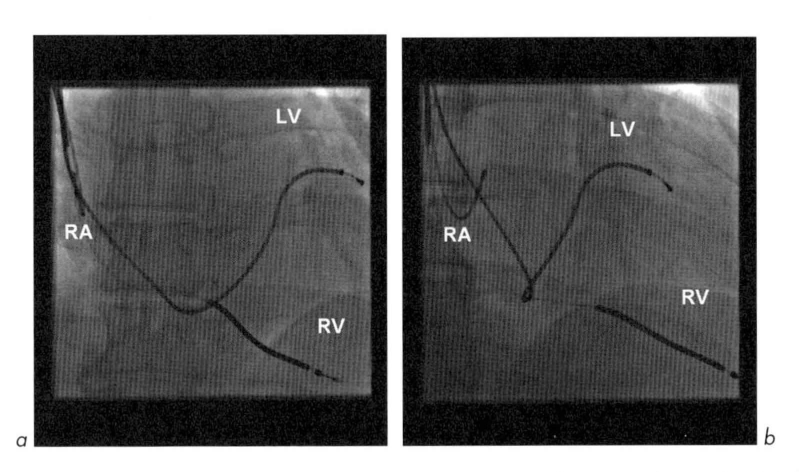

그림 4.30 **심장내에 CRT 3개의 리드를 보여주는 흉부 방사선 사진.** (a) 전후방 (b) 우전방 경사투영. 좌심실 리드는 심장정맥굴 내에 있다.

심부전의 비정상적인 전기적 활성화와 기계적 비동기화

심전도의 QRS 복합체는 시간에 따른 심실 심근내 전기력의 벡터합을 나타낸다. 정상적인 전기활동은 심근의 Purkinje 네트워크를 통해 전파된다(그림 4.31). 손상된 심근에서는 전도가 손상되고 전기 전파의 속도와 방향이 바뀌고 비정상적인 전기적 활동이 유발된다. 비정상적인 심실 탈분극은 지연되고 조기 심실 수축 영역을 생성하여 기계적 활동이 동기화되지 않아 수축기 및 이완기 기능이 손상된다.

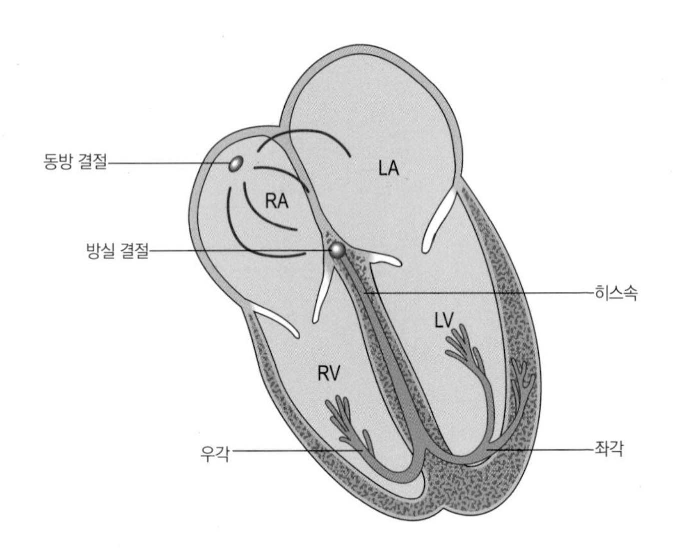

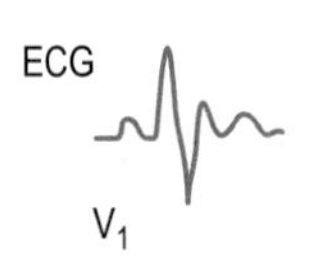

우각차단 원인
- 인구의 1-5%에서 정상변이
- 특발성 전도조직 질환/섬유증
- 선천성 심질환 - 심방중격결손, 심실중격결손, 폐동맥판 협착증, tetralogy of Fallot
- 심근질환 - 심근병증
- 관상동맥질환 - 급성 심근경색증
- 폐질환 - 폐성심
- 재발하는 다발성 폐색전증
- 급성 폐색전증
- 약물 및 전해질 이상 - class IA약제, 저칼륨혈증
- 우심실 수술

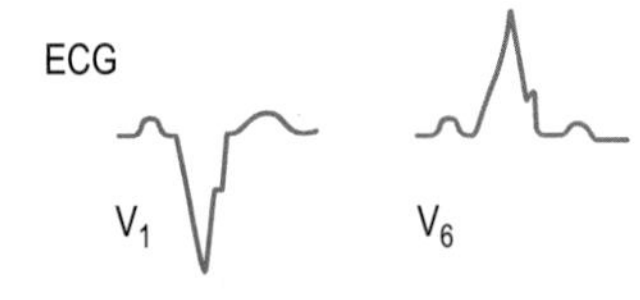

좌각차단 원인
- 특발성 전도조직 질환/섬유증
- 심근질환 - 심근병증
- 관상동맥질환 - 급성 심근경색증, 중증 다혈관 질환
- 좌심실 유출로 폐쇄 - 대동맥판 협착증
- 좌심실비대 - 고혈압

그림 4.31 **심근 전도계 - Purkinje 네트워크**

심부전에는 다음이 있을 수 있다:

- 심실간 비동기화 – 우심실에 비해 좌심실 활성화의 열등한 조정
- 심실내 비동기화 – 좌심실내 한 영역이 다른 영역에 비해 지연된 활성화

비정상적인 탈분극화는 심전도상 QRS 연장(각차단, BBB)으로 나타난다. 형태는 좌각차단, 우각차단 또는 비특이적인 심실내 전도지연이다. 정상 QRS 간격은 120 ms 미만이다. QRS 간격과 박출률간에 직접적인 관련이 있으며 QRS 간격과 심실내 기계적 비동기

화 간에는 좋은 상관관계가 입증되었다. 우각차단은 인구의 5%까지 정상적으로 관찰된다. 좌각차단은 병적이다. 각차단은 심부전 전체환자의 약 20%에서 발생하지만 중증 심부전 환자에서는 35% 이상에서 발생하고 각차단은 사망률에 대한 강력한 독립 예측인자이다.

심초음파검사는 CRT를 위한 환자 선택에 중요한 역할을 하는가?

CRT의 혜택을 누릴 수 있는 심부전 환자를 선택하는 것은 여전히 복잡하다. 다수의 대규모 임상 연구에서 이 문제를 다루었지만 일부에서만 환자 선택에서 비동기화를 심초음파검사로 측정하였다(예: CARE-HF 연구에서 120-149 ms의 QRS를 가진 환자가 총 11%를 차지).

QRS 간격, 특히 좌각차단 형태는 CRT의 주요 선택 기준으로 남아 있다. QRS 간격이 >150 ms인 환자는 QRS 간격이 130-150 ms인 환자보다 CRT에 반응할 가능성이 크다. 비록 심초음파검사가 CRT를 최적화하고 치료 반응을 평가하기 위한 기저치 측정(예: 좌심실 용적과 수축기 기능, 승모판 역류증 정도, 기계적인 비동기화 측정 등)을 평가할 때 이점이 있지만 CRT를 선택하기 전에 일상적으로 심초음파 평가가 필요하지는 않다. EchoCRT 연구에서 CRT는 비동기화의 심초음파 증거유무와 상관없이 증상이 있는 심부전, 좌심실 박출률 ≤35% 및 QRS간격 <130 ms인 환자에서는 효과가 없는 것으로(불리한 결과와 연관될 수 있음) 나타났다.

이보다 짧은 QRS 간격(예: 130-150 ms)을 가진 사람들에서는 비동기화의 심초음파 측정이 잠재적인 CRT반응자를 선택하는 데 일부 역할을 할 수 있다.

CRT를 위한 선택에서 심초음파검사

- QRS 간격 >150 ms - 기계적 비동기화에 대한 심초음파 평가가 필요 없음
- QRS 간격 <130 ms - 비록 비동기화의 심초음파 근거가 있더라도 CRT는 유익하지 않거나 해로울 수 있음(EchoCRT 연구)
- QRS 간격 130-150 ms - 불확실하고 비동기화의 심초음파 평가가 도움이 될 수 있음 (CARE-HF 연구에서는 120-149 ms)

CRT에 대한 유익한 반응은 심실간 비동기화의 재동기화로 일부 초래된 것으로 초기에는 간주되었다. 그러나 QRS 간격만으로는 CRT에 대한 좋은 반응을 항상 예측하지 못한다. QRS 연장에도 불구하고 약 20-30%의 환자가 CRT에 반응하지 않는다. *좌심실 심실내 비동기화가 심실간 비동기화보다 CRT 반응에 대한 더 유용한 예측인자임*이 밝혀졌다. 폭이 넓은 QRS을 가진 환자는 좌심실 비동기화의 가능성이 높지만, 넓은 QRS환자의 30% 이상이 좌심실 비동기화를 갖지 않는다. 이 30%는 부분적으로 연구에서 무반응자와 비슷한 비율로 설명할 수 있다. 이러한 관찰 결과는 좌심실 비동기화를 측정하고 CRT에 대한 반응을 예측하기 위해 또다른 심초음파 변수를 측정하는 연구를 필요로 했다.

따라서, 심초음파 기술은 잠재적인 CRT 반응자를 식별하기 위한 목적으로 기계적 비

동기화를 평가하기 위해 개발되었다. 또한 심초음파검사로 좌심실 박출률을 측정하고 심부전에서 승모판 역류증의 중증도를 평가할 수 있다.

CRT의 목표

- 심실내 수축의 재동기화
- 심실간 수축의 재동기화
- 방실 조율의 최적화
- 승모판 역류증의 감소
- 혈역학적 개선
- 심실의 부적절한 개조의 역전
- 증상 개선
- 예후 향상

연구에 따르면 올바르게 선택된 심부전 환자에서 CRT는 다음과 같은 결과를 초래할 수 있다:

- 향상된 기능상태
- 입원 감소
- 증상 개선
- 삶이 질 향상
- 운동능력 향상
- 사망률 감소

또한 CRT는 다음과 같은 심초음파 종료점을 향상시킨다:

- 좌심실 수축기능 향상
- 좌심실 크기 및 용적 감소
- 승모판 역류증 감소
- 수축기 및 이완기 직경과 용적이 감소함에 따라 좌심실 '역방향 개조'

CRT에서 심초음파검사의 사용

1. 환자 선택 – 치료에 대한 잠재적 반응자 식별(위 내용 참고)
2. 장치 삽입 후 CRT의 최적화
3. 진행 및 결과를 모니터링하고 평가하기

1. CRT 환자 선택

여러 대규모 임상 연구에서 심전도 기준에 따라 CRT 환자를 선정했으며 일부 연구(예:

CARE-HF 와 EchoCRT)에서는 심초음파검사의 유익한 역할에 대해서 조사하였다. 심 심초음파검사는 CRT에서 환자의 선택과 치료에 반응할 수 있는 사람과 불필요한 시술을 피할 수 있는 사람(예: 넓은 QRS를 가진 무반응자)을 예측하는데 도움이 될 수 있다고 여겨졌다. 연구에 따르면 이 환자의 약 30%가 무반응자이고 심초음파 평가는 기계적 비동기화를 결정함으로써 도움이 될 수 있다고 제안하였다.

기계적 비동기화에 대한 심초음파검사 평가 - 심실간 및 좌심실 비동기화

심초음파검사는 기계적 비동기화를 평가할 수 있다. 몇 가지 기술이 사용된다. 여기에는 M-mode, 2D 심초음파 및 조직 도플러 영상(TDI)을 포함한 도플러 기법과 반점 추적 심초음파(STE) 및 3D 심초음파를 포함한 최신 기법이 포함되며 그 중 일부는 복잡하고 후처리 과정 및 분석이 필요한다.

TDI가 광범위하게 사용된다. 방법에는 간헐파 TDI, 색으로 구분된 TDI, 조직 추적, 변위 매핑, strain과 strain rate영상 및 조직 동기화 영상(TSI)이 포함된다.

심초음파검사는 심실간(좌심실에서 우심실) 및 좌심실내 비동기화를 검사하는 데 사용할 수 있다. CRT에 대한 반응을 예측하는 데 이상적인 기술은 없으며 조합을 사용해야 한다. 좌심실 비동기화는 심실간 비동기화보다 CRT에 대한 반응을 더 정확하게 예측한다.

CRT에 대한 반응에 영향을 줄 수 있는 다른 요소는 다음과 같다.

- 관상정맥 해부학 - 좌심실 리드 배치에 영향을 주고 정맥조영술(**그림 4.32**)에 의해 평가될 수있음
- 흉터 조직의 존재 - 리드 배치에 영향을 미치며 심초음파검사, MRI 및 technetium-99m labeling과 같은 핵의학 기술로 평가될 수 있음

기계적 비동기화를 평가하는 심초음파 기법

M-mode

- 130 ms 이상의 흉골연 장축 중격 및 후벽 운동 지연이 좌심실 비동기화의 표지자이다.

2D 심초음파

- 반자동 심내막 경계 방법을 사용할 수 있다. 심초음파 조영제가 좌심실 경계 검출을 최적화할 수 있다. 측벽과 중격의 관계를 바라보는 심첨 4방도는 벽 운동 곡선을 생성할 수 있다. 컴퓨터로 생성된 국소 벽 운동 곡선은 좌심실 비동기화를 측정하기 위해 Fourier 변환을 기반으로 한 수학적 추적분석에 의해 비교된다. 좌심실 경계 탐지를 사용하면 지역 및 부분 영역 변경이 결정되고 시간에 대해 구성되어 변위 지도를 산출할 수 있다. 이들로부터 좌심실 비동기화가 결정된다. 광범위한 좌심실 비동기화가 있는 일부 환자는 CRT로 즉각적인 혈역학적 향상을 보인다.

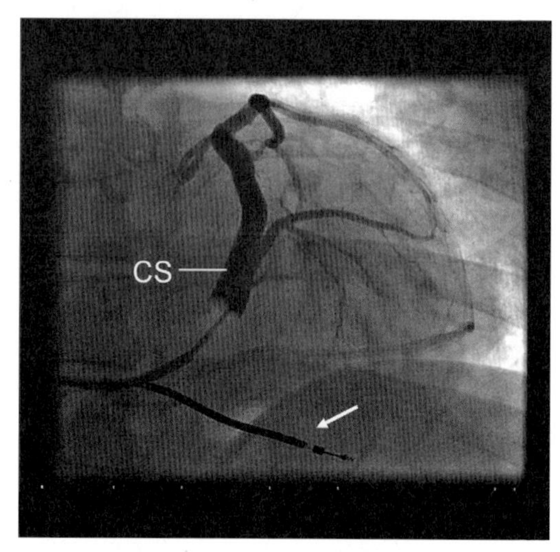

■ 그림 4.32 **CRT를 위한 심장정맥굴(CS) 리드를 삽입하기 전의 관상 정맥도.** 우심실 리드가 보인다(화살표).

간헐파 및 연속파 도플러

- 좌심실 유출로 및 우심실 유출로 혈류흐름. 심전도 기록을 동시에 사용하면 QRS 시작과 혈류흐름 시작 간의 지연을 결정할 수 있다. 이것은 전자-기계 지연(EMD)의 표지자인 대동맥과 폐동맥 사전 방출 기간(A-PEP와 P-PEP)을 제공한다. 정상 A-PEP는 <140 ms이다. 좌심실 비동기화의 표지자로서 A-PEP 증가만이 CRT의 유용한 예측 인자는 아니다. 심실간 기계적 지연(A-PEP에서 P-PEP빼기)은 보통 40 ms 미만이다. 40 ms를 초과하는 지연은 심실간 비동기화의 표지자이다. 이 측정은 CRT 평가에 더 도움이 될 수 있다.
- 간헐파 도플러 승모판 혈류는 심장주기 길이의 백분율로 이완기 충만 시간(승모판 E파의 시작부터 A파 끝까지의 시간)을 측정하는 데 사용할 수 있다. 정상치는 > 40%이다. 이것은 단독으로 CRT 반응을 예측하는데 도움이 되지는 않지만 기준치와 CRT 추적 관찰에서 도움이 될 수 있다.

조직 도플러 영상(TDI)과 반점 추적 심초음파(STE)

TDI 기술이 비동기화를 평가하기 위해 널리 사용된다. STE 기법(예: strain 분석)도 사용된다. 이것은 7.9절에서 더 자세히 논의된다. TDI 기술에는 다음이 포함된다:

- 좌심실 비동기화의 2-, 4- 또는 12-분절 모형을 사용하는 간헐파 TDI는 CRT에 대한 반응을 예측하는 데 사용된다. TDI는 종축 심장 운동의 속도를 측정하고 전기 활동과 관련하여 벽 운동의 시점을 비교하여 EMD를 제공한다. 다른 변수들도 유도된다(예:

최고 수축기 속도, 최고 수축기 속도에 대한 시간). 한 번에 하나의 분절만 검사할 수 있다. 시간이 많이 걸리고 분절들을 동시에 비교할 수 없다. 측정은 심박수, 부하 상태 및 호흡에 영향을 받는다. 최고 수축기 속도의 시점을 종종 식별하기 어렵고, 부정확한 좌심실 비동기화 정보를 제공한다. 이 방법은 심근 분절의 능동 운동과 수동 운동을 구별할 수 없다. TDI는 또한 좌심실과 우심실 자유벽의 최고 수축기 속도 사이의 지연을 비교하여 심실간 비동기화를 평가할 수 있다.

- 색 구분 TDI를 사용하여 좌심실 비동기화를 평가할 수 있다. 색으로 구분된 영상에 후처리가 필요하다. 추적은 최고 수축기 속도에 대한 시간을 표시하는 데 사용할 수 있다. 처음에는 심첨 4방도를 사용했다. 속도추적은 기저부, 중격 및 측부 분절에서 이루어졌고 중격에서 측방으로의 지연이 측정되었다. 60 ms 이상의 지연은 CRT에 대한 급성 반응을 예측했다. 결과적으로 중격, 외측, 하측 및 전방 부분을 포함하여 4-분절 모형이 적용되었다. 65 ms를 초과한 지연은 CRT에 대한 반응을 예측했다.
- 조직 추적. 이것은 시간에 따른 속도 곡선의 적분으로 계산되며 심장주기 동안 조직의 변위를 보여준다. 분절의 수동적 움직임과 능동적 움직임을 구별하지 않는다. 심근 변위의 색 구분된 화면을 제공하여 좌심실 비동기화와 최신 활성화 영역을 쉽게 시각화할 수 있다.
- Strain과 strain rate 분석. Strain은 심근 변형의 무 차원 측정이며, 심근 역학을 평가한다(4.7절과 7.9절 참고). Strain은 원래 치수와 비교한 객체 치수의 비율 또는 백분율 변화이다. Strain rate은 변형이 발생하는 속도이다. 이것들은 능동적인 수축기 수축과 분절의 수동적 운동을 구별하는 것에 도움을 줄 수 있다. 색으로 구분된 TDI 영상의 오프라인 분석이 필요하다. 심장주기 동안 사건의 시점을 정확하게 측정할 수 있다. 단점은 TDI에서 각도 의존적이며 잡음에 쉽게 영향을 받는다는 것이다.
- 조직 동기화 영상(TSI). TSI는 TDI 자료의 신호처리 알고리즘으로 최대 심근 속도를 탐지하고 색상을 암호로 바꾼다. 색으로 구분된 정보는 2D 심초음파 영상에 중첩되어 해부학적 영역과 관련된 시각적 및 기계적 정보를 제공한다. 좌심실 비동기화는 반대편 벽의 최대 속도에 대한 시간의 차이로 나타낼 수 있다(예: 측면벽에 대한 하중격벽[4방도], 하벽에 대한 전방벽[2방도] 및 후벽에 대한 전중격벽[장축도]). 다중 평면 TSI는 컬러 코딩된 좌심실 활성화의 3D 재구성을 제공할 수 있다.

CRT에서 3D 심초음파검사

3D 심초음파검사는 다음과 같은 목적으로 사용할 수 있다.

- 좌심실 용적과 좌심실 박출률을 평가하기 위해
- 국소 벽 운동장애를 검사하기 위해. 이것은 좌심실 비동기화(지역적인 기능의 분석) 및 분절 용적 변화의 분산의 정도를 나타낸다. 심장주기에 걸쳐 각 분절(좌심실의 16 또는 17 분절 모형 사용)의 용적 변화가 표시될 수 있다. 동기식 수축으로 각 분절은 심장주기의 거의 동일한 지점에서 최소 용적을 달성할 것으로 예상된다. 좌심실 비동기화에

서 각 분절의 최소 용적 지점의 시점에 분산이 존재한다. 분산 정도는 좌심실 비동기화의 정도를 반영한다.

- 판막 역류증을 정량화하기 위해(예: MR)
- 좌심실 수축 시점의 3D 자료의 '극 지도'를 사용하여 전기 생리학자가 최적의 리드 배치위치를 선택하도록 안내하기 위해

현재 3D 심초음파검사를 사용하는 CRT 반응 예측에 대한 광범위한 자료는 없다.

2. 장치 삽입 후 CRT의 최적화

또한 심초음파검사는 CRT 삽입 후 심장박동조율기 설정을 최적화하는 데 중요한 역할을 한다. 방실 및 심실 조율 지연의 변화는 CRT의 이점을 향상시킬 수 있다**(그림 4.33)**. CRT에 대한 반응은 즉각적인 이점(심박출량과 같은 혈역학 변수와 승모판 역류증의 급격한 개선)과 장기적인 이점(임상 변수, 좌심실 수축기능, 좌심실 역 개조 및 승모판 역류증의 추가 감소)을 유발한다.

CRT에서 방실 및 심실간(VV) 지연의 최적화

이러한 심장박동조율기 설정을 최적화하면 CRT의 이점을 더 향상시킬 수 있다. 방실 및 VV 지연은 최신 CRT 장치를 사용하여 최적화할 수 있다. 도플러 심초음파는 방실 지연을 최적화하는 데 사용될 수 있다**(그림 4.33)**. 이 심초음파 유도 최적화는 심부전 환자의 심박출량이 최대 50%까지 급격하게 증가하는 환자에게 중요하다. 이것은 대동맥 수축기 도플러 혈류가 시작되기 직전에 좌심방 수축에 해당하는 A파의 종료가 가능하도록 최적의 방실 지연을 결정함으로써 수행된다. 최적화의 효과는 좌심실 비동기화가 줄어들고 좌심실 박출률이 증가하는 것을 관찰함으로써 알 수 있다.

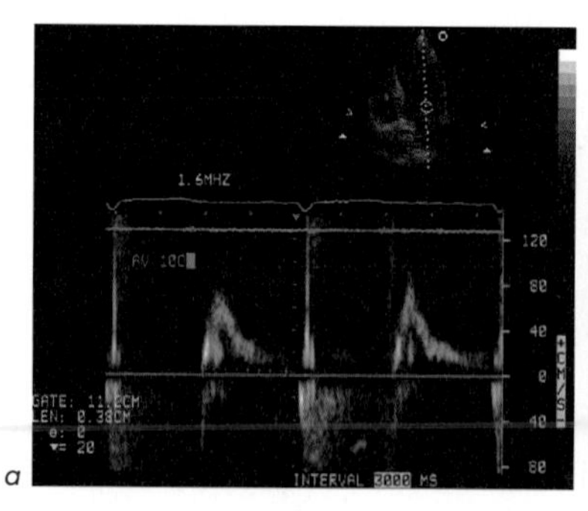

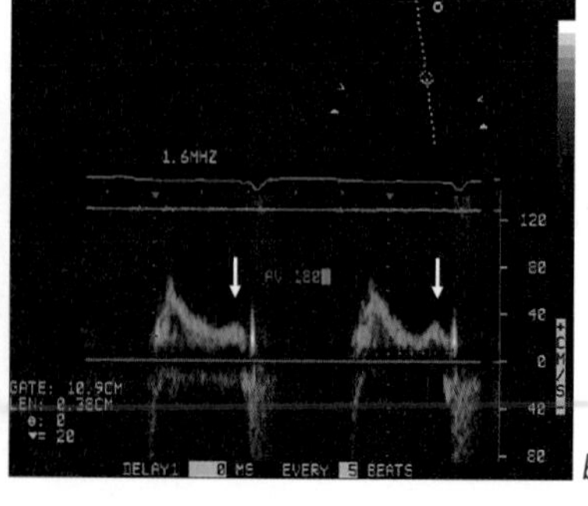

■ **그림 4.33 CRT 최적화. 좌심실 유입시 간헐파 도플러.** 심장박동조율기 설정을 변경하여 방실 시간 간격을 (a) 100 ms에서 (b) 180 ms로 변경하면서 A파(화살표)의 출현으로 좌심실 충만이 향상된다.

승모판 역류증의 감소

승모판 역류증의 감소는 CRT 후에 보고 되었으며 VV 최적화로 개선될 수 있다. 승모판 역류증의 중증도는 심초음파 도플러 기법으로 검사할 수 있다.

3. CRT에 대한 반응의 심초음파 평가

CRT의 장기적인 진행과 결과를 모니터링하고 평가하기 위한 심초음파검사의 사용

CRT로 인한 급격한 호전에도 불구하고 CRT에 장기간 반응하는 사람을 결정하는 것은 객관적으로 평가하고 계량하기가 어려울 수 있다. CRT 환자의 약 40%에서 위약 효과가 있다.

소규모 연구에서는 처음에는 CRT에 대한 급성 혈역학적 반응을 평가하기 위해 침습적인 방법을 사용했다. 장기 반응은 보통 CRT 후 3-6개월에 평가된다. 주로 임상변수 또는 심초음파 변수로 평가한다. 급성 혈역학적 반응과 만성 결과 사이의 관계는 아직 명확

박스 4.2 CRT에 대한 장기 반응 표지자

임상적

- 뉴욕심장협회(NYHA) 기능 등급
- 6분 도보 거리
- 심부전 입원
- 삶의 질 점수
- 최고 VO_2 운동 능력
- 심장 사망률

심초음파

- 좌심실 박출률
- 역방향 개조
- 심실간 재동기화
- 좌심실 크기/용적
- 승모판 역류증
- 좌심실 재동기화

Adapted from Bax JJ, Abraham T, Barold SS, et al. Cardiac resynchronization therapy: part 2 - issues during and after device implantation and unresolved questions. J Am Coll Cardiol. 2005;46:2168-2182

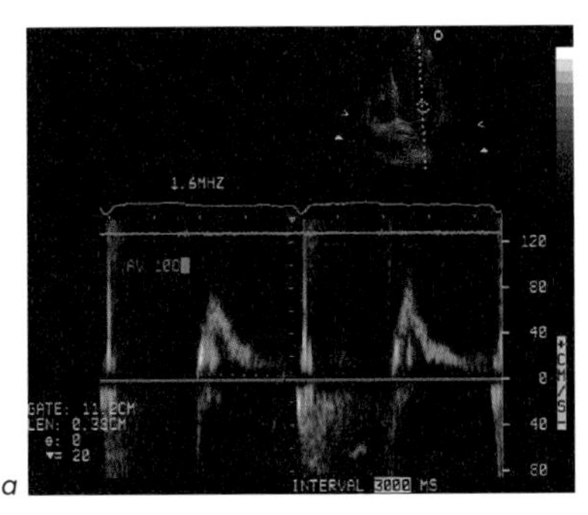

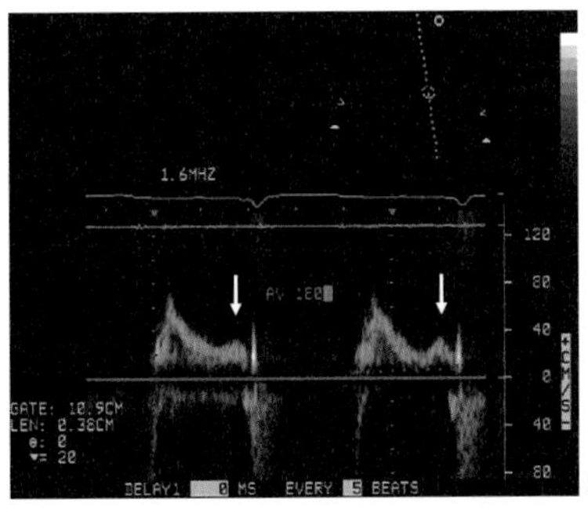

■ 그림 4.34 **CRT에 따른 역방향 개조.** CRT 장치 삽입 후 기준시점(a) 및 6개월(b)에 이완기말에 좌심실은 나타내는 흉골연 단축단면도. 좌심실 이완기말 용적은 감소했다.

하지 않다.

CRT 후 임상적으로 호전되는 환자에서 임상 반응과 심초음파 반응은 동시에 일어나지 않을 수 있다. 임상적 호전을 보이는 일부 환자는 역방향 개조(좌심실 수축기말 용적이 15% 초과 감소로 정의될 수 있음)와 같은 심초음파 변수의 개선을 보이지 않을 수 있으며 그 반대의 경우도 있다. 향상된 심초음파 변수보다 향상된 임상 변수를 보이는 환자가 더 많다(박스 4.2). 이러한 불일치는 초기 환자 선택을 더욱 복잡하게 만든다.

CRT는 좌심실 크기, 좌심실 용적, 좌심실 박출률의 변화와 역방향 개조(좌심실 수축기 및 이완기 직경과 용적의 감소, 그림 4.34)를 유발하여 좌심실내 비동기화와 심실간 비동기화를 개선시킨다. 심초음파검사는 이러한 변화를 측정하는 데 도움을 줄 수 있다. 궁극적은 임상적 종결점은 입원과 사망률의 감소를 포함한다.

지침

심부전 환자가 CRT의 혜택을 누릴 수 있는 지침을 마련하였다(박스 4.3 참고). 이 지침은 추가 임상 정보가 있을 때 변경될 수 있다.

박스 4.3 **부정맥 및 심부전에 대한 ICD 및 CRT의 적응증(NICE 기술 평가 지침 [TA314]2014년 6월 기준)**

ICD는 다음과 같은 경우에 선택사항으로 추천된다:

- 이전에 심각한 심실성 부정맥이 있는 환자로 치료 가능한 원인이 없는 환자를 치료:
  - 심실빈맥 또는 심실세동으로 인해 심정지에서 살아남았거나
  - 실신이나 혈역학적 문제를 야기하는 자발적으로 지속된 심실빈맥을 가지고 있거나
  - 실신이나 심정지가 없는 지속된 심실빈맥을 유지하고 좌심실 박출률이 35% 이하이지만 심부전 증상은 NYHA 3등급보다 나쁘지 않은 경우
- 다음과 같은 사람들을 치료:
  - 돌연사의 고위험인 가족성 심장질환(예: 긴 QT 증후군, 비후성 심근병증, Brugada 증후군 또는 부정맥 유발성 심근병증)이 있거나
  - 선천성 심질환의 외과 수술을 받은 경우

ICD, 제세동기가 있는 CRT(CRT-D) 또는 박동기능이 있는 CRT(CRT-P)는 NYHA 등급, QRS 간격 및 좌각차단의 존재에 따라 좌심실 박출률 35% 이하의 좌심실 기능장애가 있는 심부전 환자를 위한 선택사항으로 추천된다.

	NYHA 등급			
QRS 간격	I	II	III	IV
<120 ms	돌연사의 고위험군이면 ICD			ICD와 CRT는 임상적 적응증이 아님
120–149 ms 좌각차단 없음	ICD	ICD	ICD	CRT-P
120–149 좌각차단 있음	ICD	CRT-D	CRT-P 또는 CRT-D	CRT-P
≥150 ms 좌각차단 상관없음	CRT-D	CRT-D	CRT-P 또는 CRT-D	CRT-P

5

경식도, 3D, 부하, 기타 심초음파 기법

5.1. 경식도 심초음파

앞서 언급된 심초음파 기법은 흉벽을 통한(경흉부 심초음파, transthoracic echo[TTE]) 초음파를 이용한 것이었다. 식도의 중간지점에서 볼 때, 식도는 심장과 상행대동맥에 매우 근접하면서 뒷쪽에 위치하고, 하행대동맥 앞쪽에 위치한다(그림 5.1).

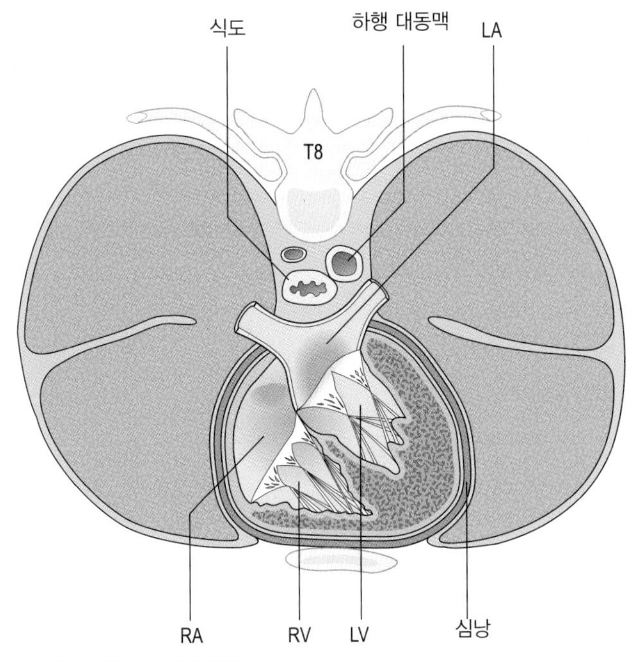

■ 그림 5.1 위에서 바라본 T8 높이의 단면도

식도 안에 탐촉자를 두고 심장을 검사하는 기법을 경식도 심초음파(transesophageal echo, TEE 또는 TOE)(**그림 5.2-5**)라 한다. 상부위장관 내시경에 사용되는 것과 비슷하게 생긴 탐촉자가 장착된 기구를 이용하는데, 초음파가 늑골, 흉벽, 폐의 방해를 받지 않고, 심장을 검사할 수 있다. 탐촉자의 끝을 위와 식도의 다양한 깊이에 위치시키고 탐촉자의 끝을 조작하거나 손잡이에 달린 조절기로 초음파빔(ultrasound beam)의 각도를 변화시켜 다양한 영상을 얻을 수 있다.

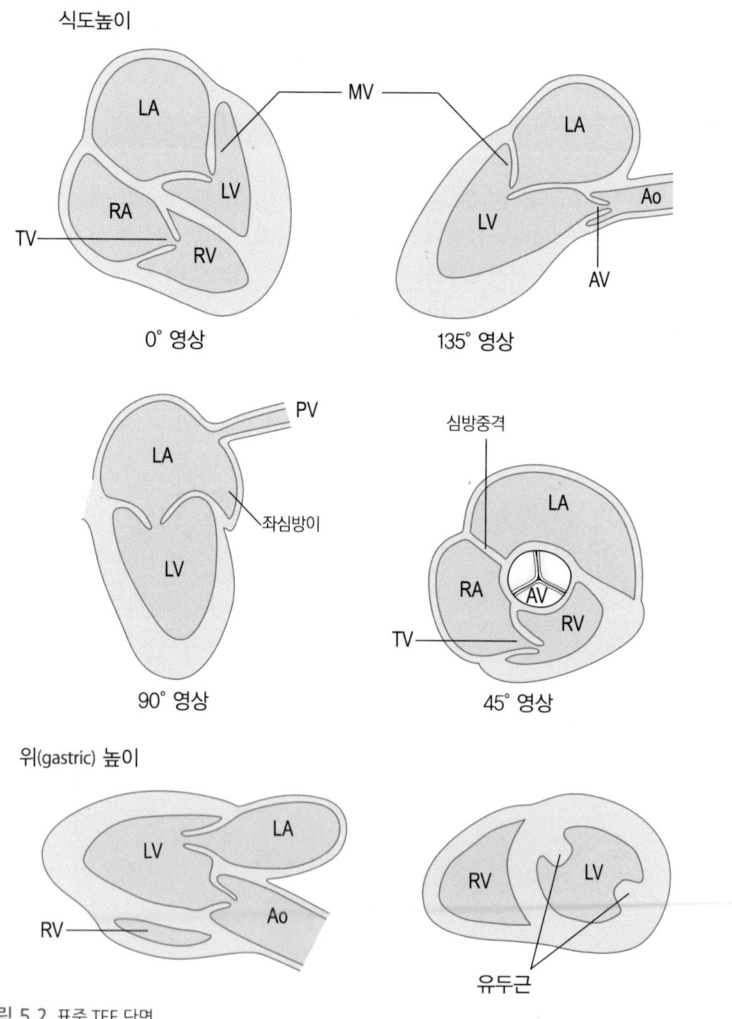

■ 그림 5.2 표준 TEE 단면

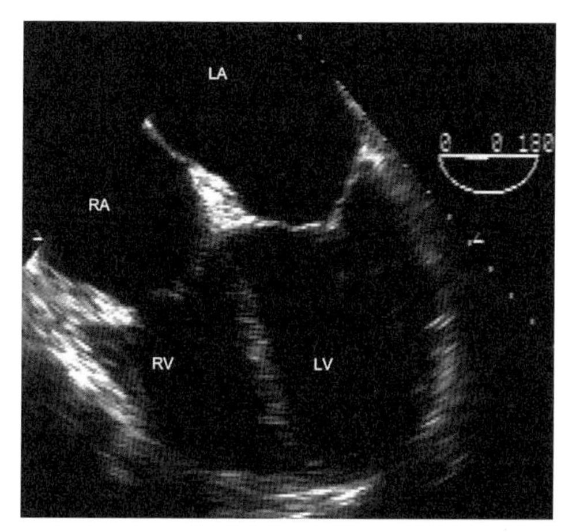

■ 그림 5.3 TEE의 4방도

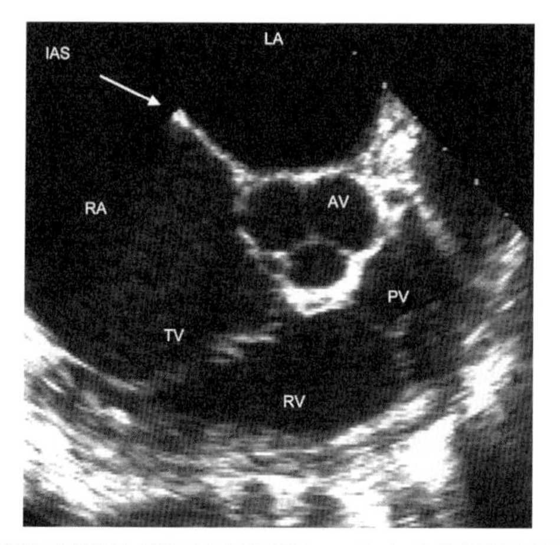

■ 그림 5.4 TEE로 관찰한 대동맥판 높이에서 단축 단면도(short axis view). 심방중격이 잘 보인다(화살표).

TEE의 장점

- 향상된 영상의 질과 해상도 – 탐촉자가 심장에 매우 가까이 위치하여 초음파를 방해하는 구조물이 거의 없다. 조직에 의한 감쇠(attenuation)가 적고 초음파가 투과되어야 하는 깊이가 TTE보다 얕기 때문에 높은 주파수의 초음파를 이용할 수 있다(예: 2.4MHz 대신 5MHz).
- TTE로 명확히 볼 수 없는 심장의 부분들을 관찰할 수 있다(예: 뒤쪽에 위치한 좌심방이[LA appendage], 하행 대동맥[descending aorta], 폐정맥[pulmonary vein] 등).

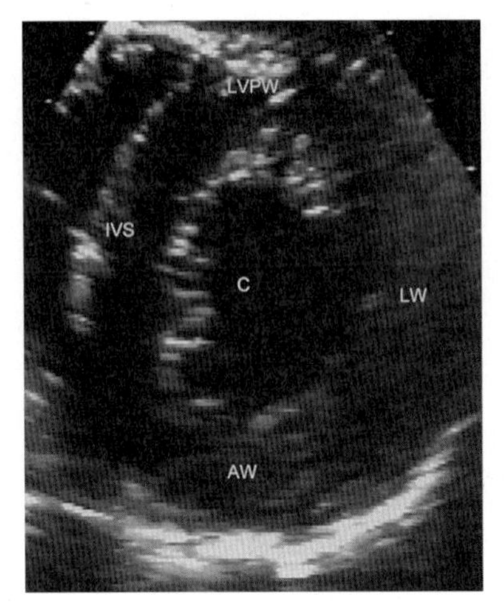

■ 그림 5.5 TEE로 관찰한 좌심실의 단축단면도- transgastric view. AW: anterior wall, C: cavity, IVS: interventricular septum, LVPW: LV posterior wall, LW: lateral wall

TEE의 단점

- 침습적인 기법 – 약간의 잠재적인 위험이 있다
- 검사자가 단면에 대해 새로 익혀야 한다.

TEE는 침습적이기 때문에 TTE를 시행한 이후에 적절한 적응증이 있는 경우에만 시행해야 한다. TEE에서 얻은 결과는 TTE의 보완재이지 대체재가 아니다. TEE의 위험성(예: 식도 손상)과 얻을 수 있는 이득을 고려하여 신중하게 시행한다.

TEE의 용도

- 승모판 질환 – 협착(판막과 판막하 구조물의 평가, 판막치환술 대신 판막성형술 또는 승모판 풍선성형술이 가능한지 적합성 평가), 탈출(판막 성형술의 적합성), 역류(중증도 및 성형술의 적합성)(그림 5.6)
- 심내막염 – 증식물, 농양
- 인공 판막 – 혈역학적 평가, 안정성, 심내막염
- 대동맥 질환 – 상행대동맥, 대동맥궁 또는 하행 흉부대동맥의 박리, 외상, 죽종
- 대동맥판 질환
- 혈전색전성 혈관질환 – 뇌졸중/일과성 뇌허혈 발작(Transient Ischemic Attack, TIA) 또는 말초 색전증
- 좌심방이 – 혈전
- 심장 내 종괴 – 점액종 등의 종양, 혈전

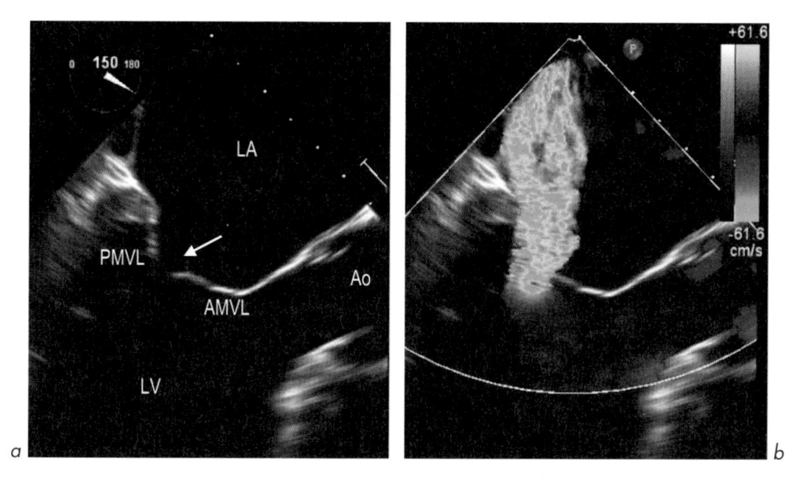

■ 그림 5.6 중증 MR의 TEE 영상. (a) PMVL의 움직임이 제한되어 생긴 AMVL과 PMVL의 교합 실패(coaptation failure)가 보인다. 화살표 부위에 결손이 관찰된다. (b) 중증 MR의 도플러 색 영상이다.

- 중격 결손 – ASD(특히 경피적 폐쇄술의 적합성 평가), VSD, 조영(contrast) 검사
- 수술중 모니터링 – 승모판 성형술의 평가, LV 기능과 국소 벽운동 장애, 심근절제술
- 선천성 심장질환 – 해부학적, 혈역학적 평가
- 중환자실의 중증 환자
- 공기 또는 지방 색전증 – 혈역학적 평가

환자의 준비와 TEE 시행 중 관리

환자에게 다음과 같은 위험성에 대해 미리 알려주고 동의를 받아야 한다.

- 식도의 외상 또는 천공
- 정맥내 진정(sedation)의 위험성
- 위 내용물이 폐로 흡인

환자는 검사전 최소 4시간 동안 금식해야 한다. 의치와 심하게 흔들리는 치아도 없어야 한다. 또한 식도 질환을 시사하는 연하곤란(고형물 또는 음료를 삼키는 것의 어려움)의 병력이 없어야 한다. 비강 캐뉼라를 이용해 검사 중에 산소를 공급하고, 산소포화도 측정기(pulse oximeter)로 산소포화도를 모니터링하며, 입에서 타액을 제거할 수 있는 흡인기를 구비하는 것을 권장한다. 검사 중에는 다른 심초음파검사처럼 지속적으로 심전도 모니터링을 해야 한다. 소생술을 위한 장비도 준비해야 한다.

국소마취 스프레이(예: lidocaine[lignocaine] 10%)를 이용하여 인두를 마취시킨다. 수차례 분사하게 되면 일부가 전신으로 흡수될 수도 있다. 벤조다이아제핀(Benzodiazepine),

미다졸람(midazolam) 같은 속효성(short-acting) 정맥진정제도 종종 사용된다. 환자를 왼쪽으로 돌아눕게 하고 목을 완전히 구부려 탐촉자가 식도로 삽입되기 쉽도록 한다. 플라스틱 재질의 마우스피스를 입에 물려 탐촉자와 검사자의 손가락을 보호한다.

전신마취를 하는 경우는 드문데, TEE가 꼭 필요하지만 국소마취제와 정맥진정제로 검사하는 것을 환자가 견디지 못할 경우에 시행한다. TEE는 대부분 외래 기반으로 검사를 시행하며 검사 후에 최소 1시간은 먹거나 마시지 않도록 한다. 이는 목구멍이 아직 마비되어 있고 의식이 아직 온전치 않아 목구멍이 화끈거리거나 폐로의 흡인이 발생할 가능성이 있기 때문이다.

TEE의 금기

- 환자가 검사 시행에 대한 동의를 거부하거나 동의할 수 없는 경우
- 알 수 없는 원인의 연하곤란
- 식도 질환 – 종양, 식도염, 식도정맥류, 게실, 협착, 말로리-바이스 증후군(Mallory-Weiss tear), 기관식도누공(trachea-esophageal fistula)
- 심한 경추 관절염 또는 불안정성
- 출혈성 위궤양
- 저산소증을 동반한 중증 폐질환

TEE의 합병증(0.2-0.5%)

- 외상 – 경미한 출혈부터 식도 천공까지 다양
- 저산소증
- 부정맥 – 상심실성 빈맥(SVT), 심방세동(AF), 심실빈맥(VT)
- 후두연축, 기관지연축
- 협심증
- 약물 관련 – 호흡 저하, 알레르기 반응

TEE가 필요한 상황

1. 심장, 대동맥에서 유래한 색전증

TEE는 뇌졸중이 있는 50세 미만의 젊은 환자에서 종종 시행된다. 약 20%에서 심장의 색전 원인을 발견할 수 있다.

임상적으로 심장내 혈전이 강력하게 의심되더라도 TTE로 이를 찾아내는 것은 위음성률이 높아서 어렵다. TEE는 영상의 해상도가 좋을 뿐 아니라, 좌심방이(LA appendage)처럼 혈전이 잘 생기는 부위를 잘 관찰할 수 있는 장점이 있다**(그림 5.7, 6.3)**. 좌심방이는 심

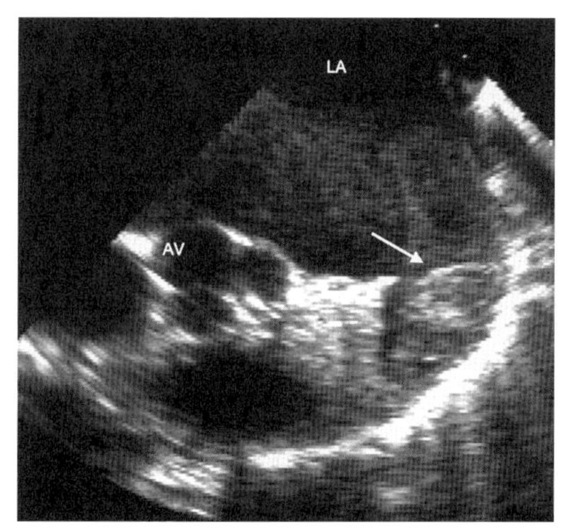

■ 그림 5.7 좌심방이(LA appendage)의 혈전(화살표). 좌심방 내에 자발 에코 조영(spontaneous echo contrast)도 관찰된다.

장의 기저질환을 가지고 있는 환자에서 혈전이 가장 잘 생기는 부위이다.

좌심방의 혈전의 위험인자는 다음과 같다.

- 승모판 질환(특히 MS)
- 심방세동
- 좌심방의 확장
- 저박출 상태(예: 심부전)

TIA나 뇌졸중 같은 뇌허혈 환자에 대한 몇몇 연구에서 최대 5%까지 좌심방 혈전이 발견되었고 이 중 75%는 좌심방이에 있었다. 혈전은 원형 또는 타원형의 덩어리 형태로 나타나며 좌심방이를 완전히 채우는 경우도 있다. 다음의 경우처럼 좌심방의 해부학적 구조를 잘못 이해하여 위양성 진단을 할 수 있음에 주의해야 한다.

1. 좌심방의 잔기둥 형성(trabeculation)을 작은 혈전으로 오진하는 경우
2. 좌심방이와 좌상부폐정맥 사이의 능선(ridge)을 혈전으로 오진하는 경우

자발 에코 조영(spontaneous echo contrast)

심장 내부 공간에 연기처럼 소용돌이치는 양상의 초음파 음영이 보이는 것을 자발 에코 조영이라고 한다(**그림 5.7**). 이것은 저박출 상태에서 종종 관찰된다. 승모판 질환이 있는 환자에서 최대 1/3까지 좌심방에서 주로 관찰되며, 특히 MS 환자의 50%까지도 보일 수 있다. 이 현상은 혈류가 느려져 적혈구가 응집하고(rouleaux formation) 이로 인해 초음파를 더 잘 반사하게 되어 발생한다. 이러한 경우 혈전색전증 위험이 증가하고, 자발에코 조영이 있는 경우의 20-30%에서 좌심방의 혈전이 생긴다.

혈전색전증 위험을 증가시키는 다른 좌심방의 구조적 이상으로는 심방중격결손(atrial

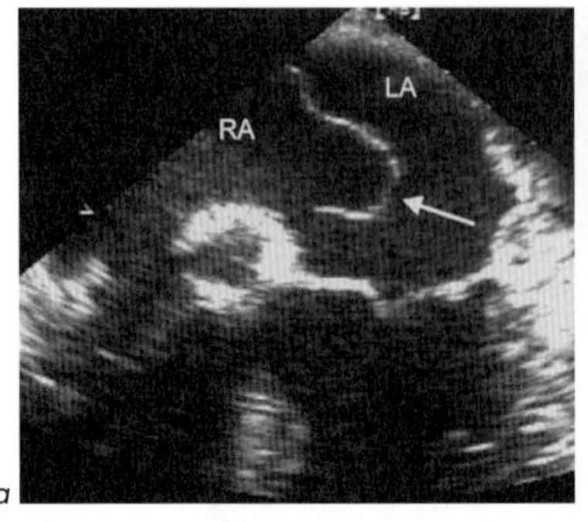

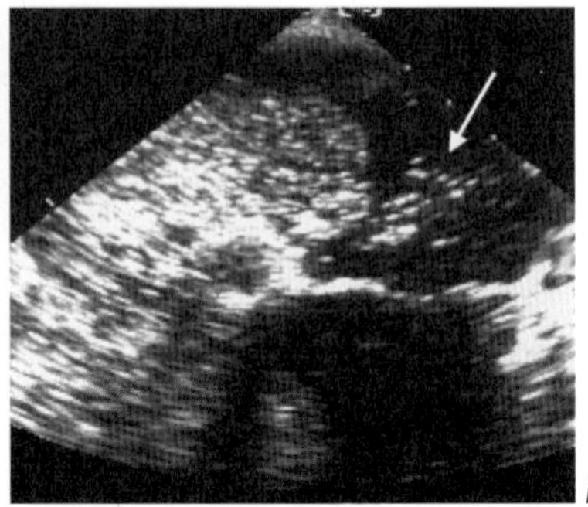

■ 그림 5.8 TEE로 관찰한 심방중격류. (a) aneurysm이 좌심방쪽으로 부풀어 있다(화살표). aneurysm의 아래쪽으로 결손 부위가 보이며, 난원공 개존증(PFO)가 의심된다. (b) 기포를 이용한 조영(contrast) 검사 - 기포가 우심방에서 우심실로 이동하는 것이 보이며, 이는 PFO를 시사한다.

septal defect, ASD), 난원공 개존증(patent foramen ovale, PFO), 심방중격류(atrial septal aneurysm)가 있다.

심방중격류(atrial septal aneurysm)

이것은 난원와(fossa ovalis)가 부풀어 오르는 것을 지칭하며, 부검 사례 중 약 1%에서 발견된다(그림 5.8). 심초음파를 통해 이를 진단할 수 있는데, 중격에서 1.5cm 이상의 부분이 1.1cm 이상 한쪽 심방쪽으로 튀어나와야 한다. 전체 TTE 사례의 0.2%에서 발견되지만, 색전의 심인성 원인이 의심되는 사례에서 15%까지 보일 수 있다. 일과성 뇌 허혈 및 뇌졸중과 연관되는 이유는 심방중격류 자체가 혈전을 생성하거나 종종 PFO나 ASD를 동반하여 우-좌 단락(shunt)이 생겨 역행성 색전증(paradoxical embolization)을 일으킬 수 있기 때문이다. TEE는 이 모든 것들을 찾아내는 데 도움이 된다. TEE 검사 중에 기포를 이용한 조영검사를 시행하면 작은 ASD나 PFO를 통한 단락을 발견할 수 있다(6.4절 참고).

TEE를 이용하면 심장의 다른 부분에 있는 혈전도 찾아낼 수 있다(예: 좌심실 벽의 혈전[mural thrombus]). 이는 급성 심근경색증 환자의 부검례 중 40% 이상에서 발견된다. 이는 주로 전벽부 경색이 있고 첨부의 운동이상(dyskinesis)이나 좌심실류가 있을 때 발생한다. 혈전은 저박출상태에서도 생길 수 있는데, 특히 심장 내강이 커져 있거나 이물질(예: 심장박동조율기의 전극[pacing leads], 중심정맥관, 인공판막)이 심장 안에 있고, 항응고가 적절하게 이루어지지 않거나 기능 이상이 있는 경우 잘 생긴다.

2. 대동맥의 검사(6.5절 참고)

TTE에서는 일부 성인 환자에서만 상행대동맥, 대동맥궁, 근위부 하행대동맥의 좋은 영상을 얻을 수 있다. TEE를 이용하면 대동맥근과 근위부의 상행대동맥부터 원위부 대동맥궁과 하행대동맥을 잘 관찰할 수 있다. 식도와 상행대동맥 사이에 기도가 위치하고 있

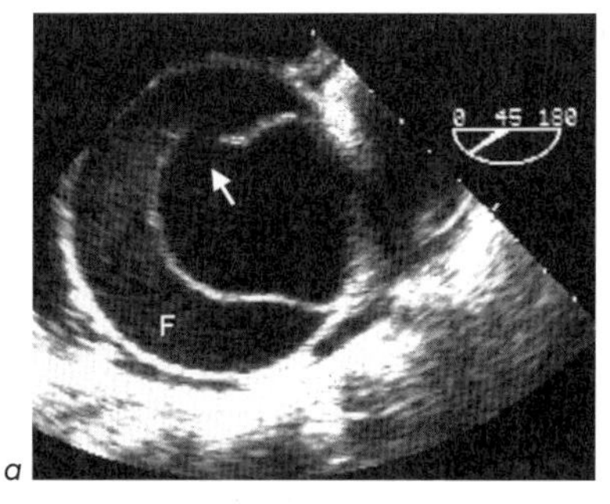

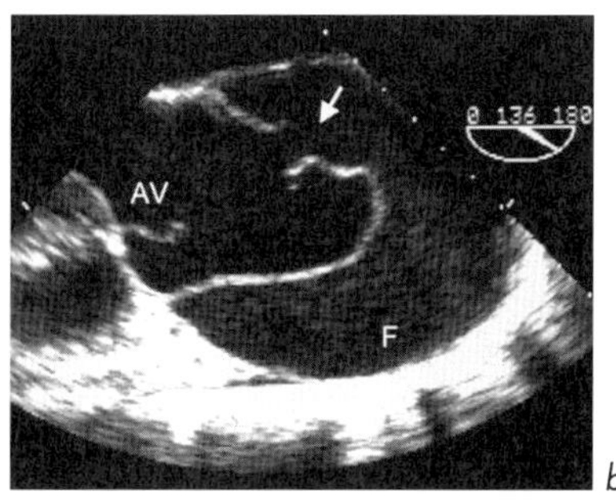

■ 그림 5.9 TEE로 관찰한 대동맥근와 상행 대동맥의 박리성 동맥류. (a) 단축 단면도 (b) 상행 대동맥의 장축단면도 - 대동맥 박리의 내막판(intimal flap)과 입구(entry point, 화살표)가 보인다. 또한 자발에코조영이 가성 내강(false lumen)에서 관찰된다(F).

어 상행대동맥의 상부와 근위부 대동맥궁의 영상은 얻기가 어렵다.

대동맥 직경과 확장

TEE로 정확한 대동맥 직경을 측정할 수 있으며 대동맥류에서 보이는 확장도 관찰할 수 있다(그림 6.25).

대동맥 죽종(atheroma)

TEE를 통해 움직이거나 고정된 죽상경화반(atheromatous plaque)을 찾아내고 감별할 수 있다. 유경성 반(pedunculated plaque)은 선형 반(linear plaque)보다 색전증의 위험이 높으며 움직이는 죽상경화반도 색전증 위험이 높다. 상행대동맥의 죽상경화반은 색전성 뇌졸중이 있었던 환자의 최소 1%에서 TEE로 관찰할 수 있다.

대동맥 박리

TEE는 응급 수술을 요하는 상행대동맥의 대동맥 박리를 진단하는데 있어 최상의 방법이다(그림 5.9, 6.26, 7.2). TEE는 혈관조영술이나 CT보다 진단에 있어 민감도와 특이도가 높아 98%에 이른다. 하행 흉부대동맥의 박리 역시 확인할 수 있다.

3. 심내막염

심내막염이 의심되거나 확실한 경우 확인을 위해 TEE를 반드시 시행해야 한다. TEE는 공간해상력이 뛰어나 약 1-2 mm의 작은 증식물도 확인이 가능하며 위치와 모양에 대한 정보도 얻을 수 있다(그림 6.4, 6.8). TEE로 모든 판막을 검사할 수 있지만, 승모판과 대동맥판을 살펴볼 때 특히 유용하다(우측 심장의 증식물은 크기가 커서 TTE로도 잘 보이는 경우가 종종 있다). 대동맥판의 아급성 세균성 심내막염(subacute bacterial endocarditis,

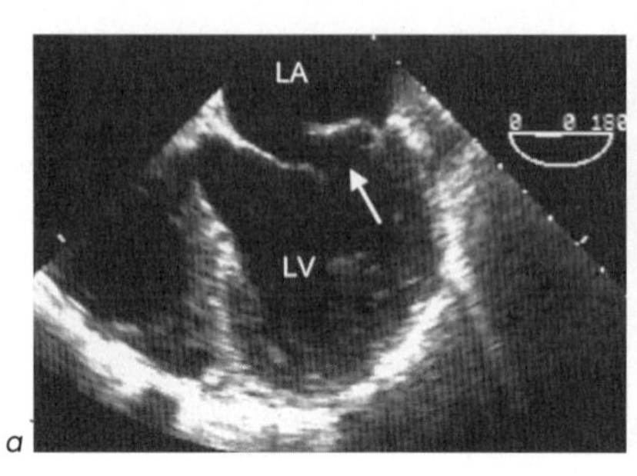

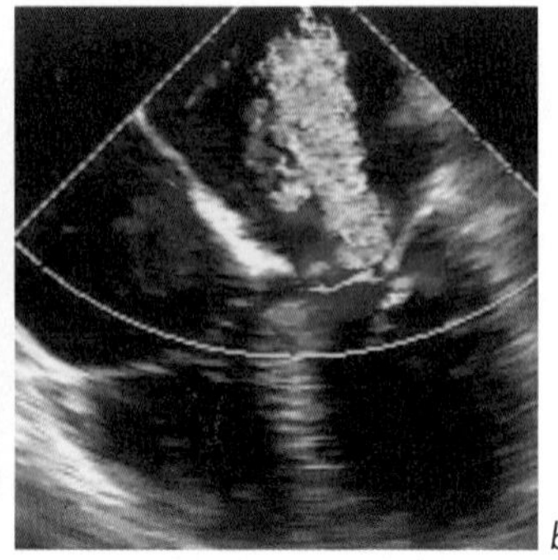

■ 그림 5.10 TEE 영상에서 (a) 승모판 후엽의 심한 탈출(prolapse)과 (b)중증 MR이 관찰된다.

SBE)의 경우 TEE를 통해 대동맥근 농양(aortic root abscess, TEE에서는 85% 이상, TTE에서는 30% 미만에서 보임)과 누공 또는 발살바동(sinus of Valsalva)의 동맥류를 확인할 수 있다. 심내막염에 있어서 TEE를 시행하는 경우는 다음과 같다.

- TTE로 진단이 불확실한 경우
- 증식물의 크기, 위치, 모양 평가
- 대동맥근 농양 같은 합병증의 유무 확인
- 인공판막의 감염이 의심되는 경우(**그림 6.8**)

TEE는 심내막염이 의심되는 경우 대부분 고려해야 하는 검사이다.

4. 자연 판막(native valve)의 검사

승모판

TTE는 좋은 검사이기는 하나 특정 상황에서는 진단이 힘들 수 있다. 특히 석회화가 진행되었거나 승모판륜 석회화가 동반된 경우 후엽이 잘 보이지 않는다. 승모판 성형술(repair) 같은 치료를 고려하고 있는 경우 TEE를 통해 중요한 정보를 얻을 수 있다(**그림 5.6, 5.10, 5.11**).

MR의 경우 TTE를 통한 중증도의 정량화는 쉽지 않다. TEE 검사를 통해 도플러와 색 혈류를 평가해서 좌심방 내의 MR 정도를 더 정밀하게 파악할 수 있다. 폐정맥 혈류의 패턴을 평가하는 것도 중증도 파악에 도움이 된다(역행성 혈류는 중증 MR과 연관이 있다). 판막의 형태를 보고 판막 치환술을 할 것인지 성형술을 할 것인지를 결정할 수도 있다. 또한 판막 내부에 어느 구획에서 역류가 일어나는지도 알아낼 수 있다.

수술 중에 TEE를 시행하면 판막 성형술이 적절히 이루어졌는지 평가할 수 있다.

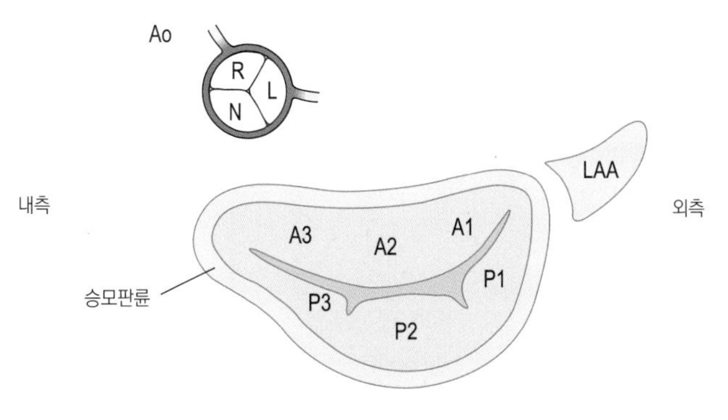

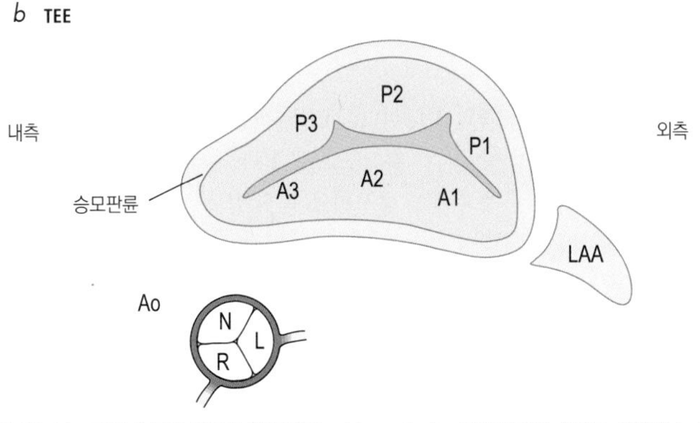

■ 그림 5.11 (a) TTE의 흉골연 단면과 (b) TEE의 mid-gastric view에서 바라본 승모판. 전엽(A1, A2, A3)과 후엽(P1, P2, P3)에 각각 3개의 소엽(scallop)이 있고, 좌심방이(LAA), 대동맥 근위부(Ao)도 보인다.
N: non-coronary sinus, R: right coronary sinus, L: left coronary sinus.

TEE는 MS의 치료방법(경피적 풍선 판막성형술[balloon valvuloplasty] 또는 승모판 절개술[mitral valvotomy], 치환술 같은 외과적 수술)을 결정하는 데 있어서도 매우 유용하다.

풍선 판막성형술은 다음과 같은 경우에는 적합하지 않다.

- 전엽이 고정되어 있고, 두꺼워져 있거나 석회화된 경우
- 건삭이 두껍거나 석회화된 경우
- 엽의 끝이 심하게 석회화된 경우
- 경도를 넘어선 MR이 동반된 경우
- 혈전이 있는 경우(예: 좌심방이 내에)

대동맥판

TEE는 첨판(cusp)의 수와 형태뿐 아니라 대동맥근, 대동맥동, 그리고 좌심실 유출로를 정확히 평가할 수 있다. 대동맥판에 대한 형태적인 평가를 통해 AR의 원인을 알 수 있고, 색 혈류 지도로 중증도를 파악할 수 있다.

TEE는 TAVI(또는 TAVR)같은 새로운 형태의 대동맥판 중재술을 준비하고 시행할 때에도 도움을 준다(6.5 장).

삼첨판, 폐동맥판과 우측 심장

삼첨판은 TEE에서 잘 나타나지 않는다. 영상을 얻을 수는 있지만 TTE만으로 충분한 경우가 많다. 폐동맥판, 우심실 유출로(right ventricular outflow tract, RVOT), 근위부 폐동맥은 TEE에서 잘 보인다. TEE로 좌심방과 연결된 4개의 폐정맥을 관찰할 수 있고, 부분/전체 폐정맥 환류 이상(partial/total anomalous pulmonary venous drainage) 여부를 알 수 있다.

5. 인공판막의 평가(6.3절 참고)

TEE의 가장 중요한 적응증 중의 하나이다. TEE는 탐촉자와 판막이 가깝고, 조직에 의한 방해가 적어 공간 해상도를 향상시킬 수 있으므로 TTE에 비해 매우 유용하다.

탐촉자와 판막 간의 위치관계 때문에 승모판을 특히 잘 볼 수 있다. 판막주위(paravalvular) MR은 모든 인공 승모판의 2.5%까지 보이며 TEE를 통해 잘 관찰할 수 있다(**그림 6.7**). TEE는 수술 중, 수술 후에 판막주위 MR의 여부와 중증도를 평가하는 데 사용할 수 있다. TEE는 경도, 중등도, 중증으로 판막주위 MR을 구별할 수 있다(중증의 판막주위 역류는 점진적으로 상태가 악화되어 재수술이 필요한 경우도 있다). 감염으로 인해 인공 판막에 증식물이 보일 수도 있다(**그림 6.8**). 승모판의 인공 삽입물로 인해 좌심실 유출로에 음영이 생기면 AR을 발견하는 데 제한이 된다.

대동맥판의 인공 삽입물이 있는 경우에 TEE로 관찰하면 조직판막의 변성, 인공 삽입물에 의한 폐색, 판막의 역류, 농양 또는 종괴성 병변(증식물, 혈전)을 TTE보다 잘 볼 수 있다. 그러나 TEE에도 몇 가지 한계가 있다. 영상면이 제한되어 있고, 기계 판막에 의한 음향 음영(acoustic shadow) 때문에 특정 부위의 병변을 놓칠 수 있다. 대동맥판의 인공 삽입물 때문에 판막 고리(annulus)의 일부는 관찰이 어려워 근부 농양을 놓칠 수도 있다.

6. 선천성 질환(6.4절 참고)

TEE는 특히 소아 환자와 복잡한 선천성 심질환에서 중요한 역할을 한다. 다음과 같은 경우에 진단과 중증도 및 혈역학적 평가에 도움이 된다.

- 심내 단락(intracardiac shunt) – 난원공 개존증(patent foramen ovale, PFO, 그림 6.14), ASD(**그림 5.12, 6.12, 6.13**), VSD(**그림 6.9, 6.10**)
- 심외 단락(extracardiac shunt) – 동맥관 개존증(patent ductus arteriosus, PDA)

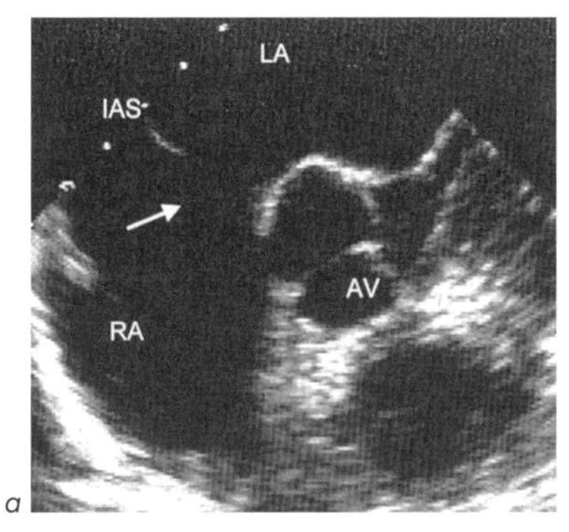

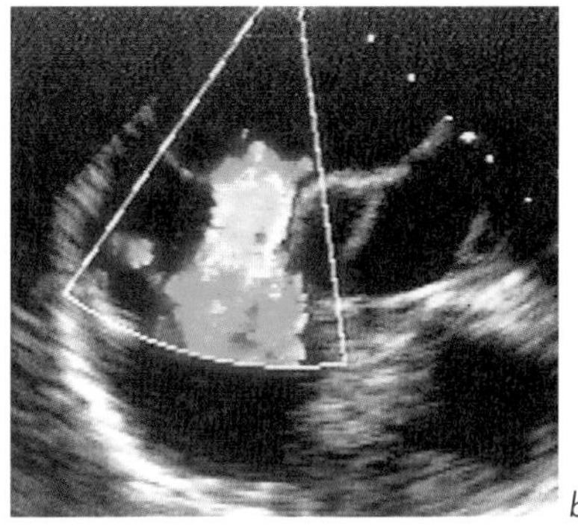

■ 그림 5.12 이차공(ostium secundum) ASD. (a) TEE 검사에서 16 mm 크기로 측정되는 심방중격의 결손(화살표)이 보인다. (b) 좌심방에서 우심방으로 흐르는 혈류를 보여주는 색 혈류 지도(color flow mapping)이다.

- 선천적 판막이상
- 대동맥 축착(aortic coarctation)
- 전신 또는 폐정맥 환류 이상
- 교정(corrective) 또는 완화(palliative) 시술 이후의 추적관찰

7. 심장과 심장주위의 종괴(6.1절 참고)

TTE에서 종괴가 적절히 관찰되지 않거나 다음과 같은 곳에 위치한 경우 TEE가 훨씬 유용하게 사용될 수 있다.

- 좌심방과 좌심방이(**그림 5.7, 6.3**)
- 하행 흉부대동맥
- 심낭
- 폐동맥
- 심장의 우측 주변
- 상대정맥, 하대정맥
- 종격동의 전방

5.2. 부하 심초음파

부하 경흉부 심초음파는 허혈성 심질환을 진단하는데 도움이 된다. 휴식시에는 없고 부하시에는 생기는 국소 벽운동과 두께변화의 이상을 통해 허혈의 위치를 찾고 그 범위를

정량화할 수 있다(그림 5.13, 5.14). 이러한 기법은 특정 상황에서 운동부하 심전도 검사나 방사성동위원소(radionuclide) 심근 관류 스캔의 대체재가 될 수 있다. 부하의 방법으로는 다음과 같은 것이 있다.

- 신체적인 운동(트레드밀 또는 자전거)
- 약물(dobutamine 같은 혈관확장성 강심제를 지속적으로 주입하거나, dipyridamole 또는 adenosine 같은 혈관 확장제를 통해 혈액이 좁아진 동맥으로 공급되는 부위에서 다른 부위로 우회하게 된다)
- 일시적 심박조율(심박수를 늘리기 위해 사용하지만 침습적임)

부하 심초음파의 민감도는 약 80%, 특이도는 약 90%이다. 운동부하 심전도의 민감도와 특이도가 약 70%와 80%인 것과 비교하면 상대적으로 유리한 검사법이다.

비후성 심근병증에서 에탄올 주입에 의한 중격 절제술 또는 수술적인 근절제술을 고려할 때, 부하 심초음파를 통해 좌심실 유출로 폐색의 정도를 파악할 수 있다. 휴식시에 좌심실 유출로의 압력차가 30 mmHg인 경우에 부하를 줄 경우 100 mmHg이상으로 상승하기도 하는데, 이런 경우 중격 절제술이 필요하다.

부하 심초음파의 적응증

허혈성 심질환(그림 5.13, 5.14)

1. 진단이 확실하지 않거나 운동부하 심전도 결과가 모호할 때
2. 트레드밀에서 운동할 수 없는 경우
3. 휴식시 심전도 이상이 있어 운동부하로 인한 변화를 판정하기 어려울 때(예: 좌각차단, 좌심실비대와 동반된 긴장(strain) 양상, digoxin을 투여받는 중인 환자)
4. 급성 심근경색증 이후
5. 허혈의 위치 파악
6. 심근의 생존능(viability) 평가 – 동면 심근(hibernation) 또는 기절 심근(stunning)
7. 관상동맥 중재술(±stent 삽입) 또는 관상동맥 우회 수술 같은 재관류술 이후 평가
8. 부하 심초음파는 다음과 같은 경우에서 가능한 허혈성 심질환의 평가에 있어 유용하다.
   - 흉통과 심혈관 위험인자가 있는 여성
   - 심장이식 이후
   - 신장이식 전
   - 혈관 수술 전

좌심실 유출로 폐색(LV outflow tract obstruction, LVOTO)

1. 비후성 심근병증(HCM) - 중격 절제술(ablation)이나 수술적 절제(resection)을 고려하고 있는 경우에 부하시 좌심실 유출로의 압력차를 평가하기 위해
2. 상부중격돌출(upper septal bulge) - 섬유화와 비대로 인해 노인에서 주로 보이며 좌심실 유출로 폐색을 일으킬 수 있음

부하로 인한 심장의 혈류역학의 변화 평가

1. 판막 면적과 압력차(예: 석회화가 있는 AS에서 대동맥판 면적)
2. 판막 역류의 중증도(예: MR)
3. 폐동맥 수축기 압력(예: MS 또는 MR에서)
4. 대동맥 축착이 있는 부위의 압력차
5. 비후성 심근병증에서 좌심실유출로 폐색의 평가

부하 심초음파의 제한점

- 충분한 운동량(workload)에 도달하지 못할 수 있음
- 심내막 경계(endocardial border)가 잘 안보일 수 있음 – 조영 심초음파를 이용하면 도움이 된다
- 검사 자체의 합병증

부하 심초음파의 합병증

이 검사는 조심스럽게 시행하면 안전하다. 주요 합병증의 발생률은 0.5% 미만이다.

- 주요 합병증 – 지속성 심실빈맥(VT), 지속성 상심실성 빈맥(SVT), 심근경색증, 저혈압
- 경미한 합병증 - 홍조, 어지러움, 호흡곤란, 이소성 박동(ectopic beat), 비지속성 SVT, atropine에 의한 항콜린성 부작용

흉골연 장축 단면

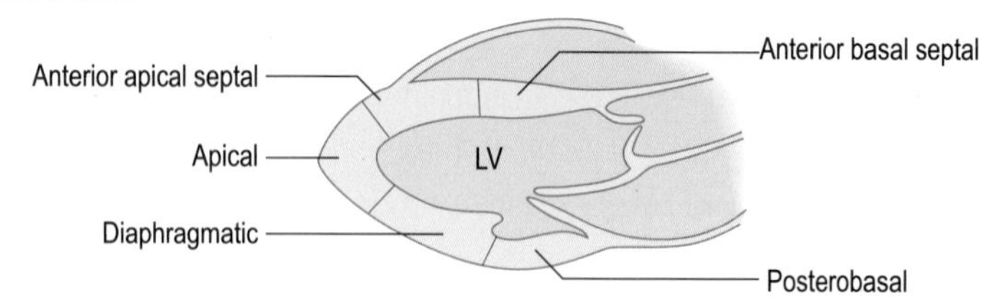

심첨부 4방도

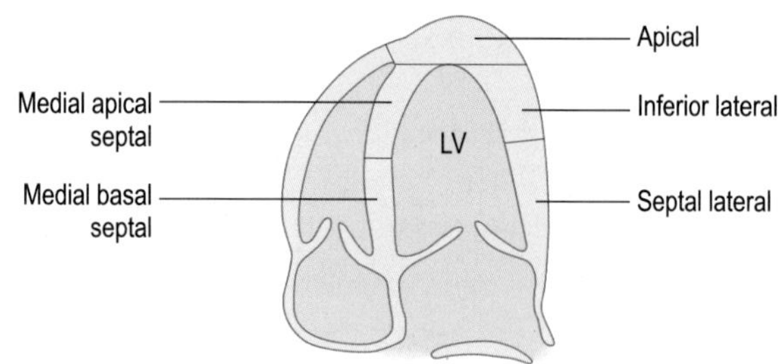

흉골연 단축 단면 – 승모판 높이

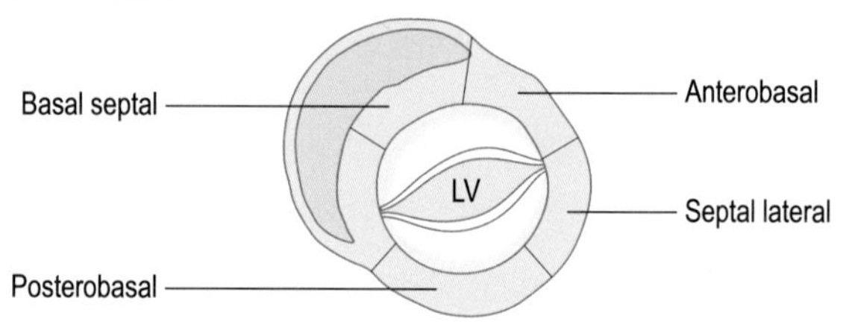

흉골연 단축 단면 – 유두근 높이

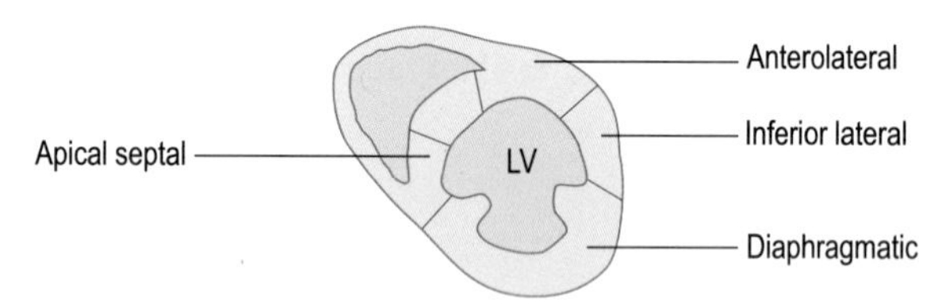

■ 그림 5.13 좌심실의 16 분절 모델. 심첨부의 tip은 움직이지 않으므로 이 모델을 통해 벽 운동을 평가할 수 있다. Adapted from Schiller NB, Shah PM, Crawford M, et al. Recommendations for quantitation of the left ventricle by two-dimensional echocardiography. American Society of Echocardiography Committee on Standards, Subcommittee on Quantitation of Two-Dimensional Echocardiograms. J Am Soc Echocardiogr. 1989;2:358-367.

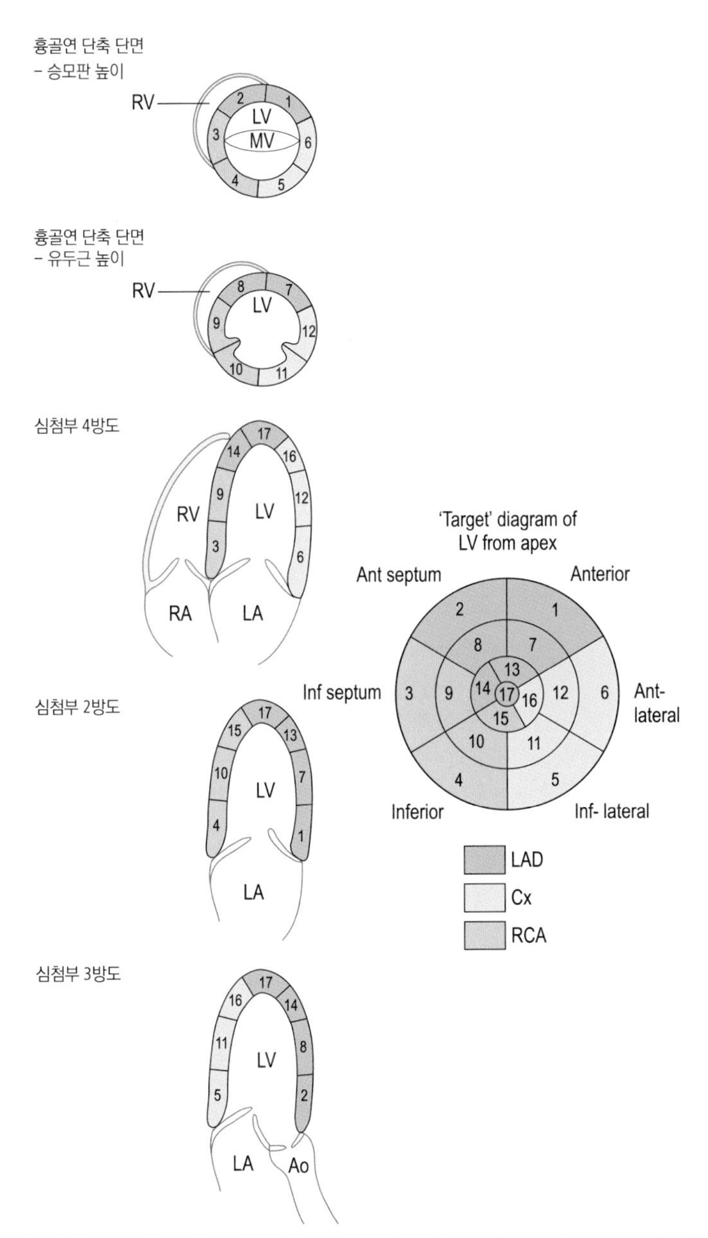

■ 그림 5.14 좌심실의 17분절 모델. Contrast와 harmonic echo를 통해 영상이 개선되면서 기존 16분절에 apical cap(제 17분절)이 추가되었다. 이 모델은 심근관류검사나 다른 영상 검사(예: 심장 CT 또는 MRI)와 비교하는 데 주로 사용된다.

Arterial territories are shown: LAD, left anterior descending; Cx, circumflex; RCA, right coronary artery. Adapted from Cerueira MD, Weissman NJ, Dilsizian V, et al. Standardized myocardial segmentation and nomenclature for tomographic imaging of the heart. A statement for healthcare professionals from the Cardiac Imaging Committee of the Council on Clinical Cardiology of the American Heart Association. Circulation. 2002;105:539-542.

5.3 조영 심초음파

조영제는 혈관으로 주사되면 혈액이나 심근의 에코음영을 증가시킨다. 이로 인해 심방과 심실은 혼탁해 보이고, 심근의 에코음영이 증가한다. 초음파의 '조영'은 미세기포에 의해 생성된다. 낮은 초음파 출력(power output)에서는 미세기포가 기체-액체의 경계면에서 초음파를 흩어내 탐촉자로 반사된 신호를 얻어낼 수 있다. 또한 초음파는 미세기포의 압축과 팽창, 즉 진동을 유발한다. 미세기포의 공진 주파수(resonant frequency)는 기포의 직경과 연관성이 있다. 하모닉 영상(harmonic imaging)을 이용하면 비선형(non-linear)의 공명신호(resonant signal)를 얻을 수 있다. 높은 출력에서는 초음파가 미세기포를 파괴한다. 그러므로 조영 심초음파검사를 하는 동안에는 기기의 출력을 잘 조정해야 한다.

초음파 조영제

초음파 조영제에는 2가지 종류가 있다.

1. 우측 심장을 보여주는 제제
2. 좌측 심장과 심근을 보여주는 제제

만약 미세기포의 크기가 폐 모세혈관 직경보다 크면, 심장 내에 우-좌 연결이 없을 경우 미세기포는 모세혈관에 걸려서 좌측 심장으로 들어올 수 없다. 좌측 심장과 심근을 보기 위한 조영제는 폐 모세혈관을 통과할 수 있는 1~5 ㎛ 크기의 미세기포를 이용한다. 이 크기의 미세기포는 1.5~7 MHz의 주파수에서 공명하여 실제 임상에서 이용하는 탐촉자의 주파수와 일치한다.

우측 심장 조영

우측 심장 검사를 위해 가장 널리 사용되는 조영제는 발포 식염수(agitated saline)이다. 간단한 방법으로 5 mL의 멸균 생리식염수와 약간의 공기(약 0.1 ml)또는 환자의 혈액을 3방향 코크(3-way stop-cock taps)로 연결된 2개의 주사기 사이에서 빠르게 왕복하여 만들 수 있다. 이렇게 만들어진 기포는 직경이 커서 폐 모세혈관망을 통과할 수 없다. 생리식염수가 불투명해지면 심초음파검사를 하면서 말초정맥에 빠르게 주사한다. 주입경로에 눈에 보일 정도의 공기가 없도록 주의한다. 이미 알고 있는 심한 우좌단락 환자에서는 체순환계(systemic circulation)로의 역행성 색전증(paradoxical embolization)이 생길 위험이 있으므로 발포 식염수를 사용해서는 안 된다.

좌측 심장과 심근 조영

좌측 심장과 심근의 조영제로는 공기나 저 용해도 플루오르화탄소(low-solubility fluorocarbon) 기체로 이루어진 미세기포를 변성 알부민이나 단당류로 감싸 안정화시켜 사용한다. 어떤 제품은 정맥주사 전에 섞어야 하고, 어떤 제품들은 희석시켜서 지속 정주한다.

미세기포는 약하기 때문에 조심스럽게 다뤄서 주사하는 기술이 필요하다. 사용된 조영제의 종류에 따라 주사하는 양, 주사 속도를 다르게 하여, 과도한 미세기포 농도로 인한 감쇠(attenuation)을 줄여 충분히 불투명화(opacification) 되도록 한다.

조영 심초음파의 활용

조영 심초음파의 실제 활용 영역은 크게 다음과 같다.

1. 심내 단락의 발견
2. 좌심실의 조영
3. 심근 관류 평가
4. 도플러 신호 강화

1. 심내 단락의 발견.

우측 심장 조영을 통해 심내 우좌 단락을 발견할 수 있다. 난원공 개존증이 있는 경우 단락은 발살바 수기를 통해 우심방의 압력이 좌심방보다 일시적으로 높아졌을 때만 보인다(그림 6.14). ASD처럼 좌우 단락이 우세한 경우라도, 우측 심장 조영을 했을 때 양쪽 심방의 압력이 같아지면 소량의 우좌 단락이 보이는 경우가 종종 있다. 우측 심장 조영을 하면 좌측에 위치한 상대정맥을 찾아내거나 복잡한 선천성 심질환에서 전신의 정맥 혈류 흐름을 알아낼 수도 있다.

2. 좌심실의 조영

휴식시나 부하 심초음파의 영상이 좋지 못한 경우, 조영제를 사용하면 국소 벽운동 이상이나 전반적인 좌심실 수축 기능을 잘 관찰할 수 있다. 조영제를 사용하면 심내막의 경계가 잘 구분된다(예: 심실 재동기화 치료의 경과를 평가할 때 좌심실의 비동기화[dyssynchrony] 여부 관찰). 대부분의 기관에서 부하 검사를 하다가 심내막 경계가 잘 안보이는 경우 일반적으로 조영제를 사용한다.

3. 심근 관류 평가

조영 심초음파를 이용한 심근 관류 평가는 쉽지 않다. 좌심실 1회 박출량의 약 6% 정도만이 관상동맥를 통해 심근으로 향하므로, 상대적으로 심근까지 도달하는 미세기포의 수는 작기 때문이다. 또한 초음파나 물리적인 요소에 의해 미세기포가 파괴되기 때문에 조영 심초음파를 더욱 어렵게 한다. 급성 심근경색증 환자에서나 우회수술 또는 부하 심초음파 중에 조영검사를 시행하면 심근의 관류, 생존 가능성과 기능을 평가할 수 있다. 조영제는 특정 상황에서 관상동맥으로 직접 주사될 수도 있다(그림 5.15). 조영제를 통한 심근 관류 평가는 아직 일반적인 검사방법은 아니다.

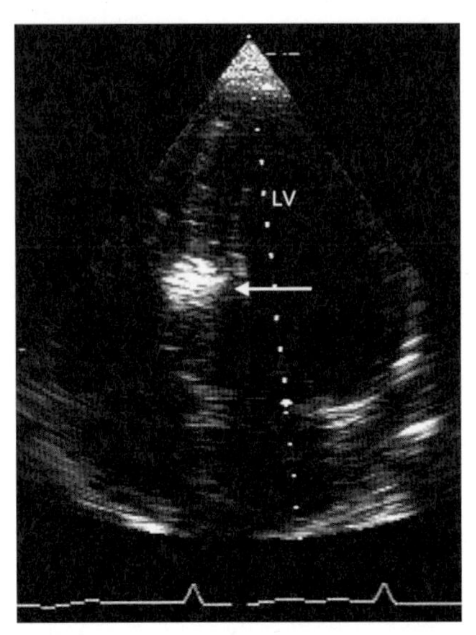

■ 그림 5.15 비후성 심근병증 환자에서 조영 심초음파. 심도자술 중에 좌전하행 관상동맥의 첫번째 중격분지(septal branch)로 조영제를 주사하여 심첨 4방도에서 중격이 조영되었다(화살표). 이것은 에탄올을 주입하여 중격 절제술(septal reduction)을 시행할 때 경색될 심근의 영역을 나타낸다.

4. 도플러 신호 강화

조영제는 도플러 신호를 강화시키는 용도로 사용할 수 있다(예: 폐동맥 수축기 압력을 예측하기 위해 TR 제트를 관찰). 조영제에 의한 도플러 신호의 변화는 기기에 따라 다르기 때문에 일반적으로 사용되는 방법은 아니다.

조영 심초음파의 제한점

- 색도플러와 TEE의 민감도가 충분히 높기 때문에, 굳이 큰 심내 단락을 찾기 위해 우측 심장 조영 검사를 할 일은 많지 않다. 우측 심장 조영검사를 하는 주요 적응증은 난원공 개존증의 발견이다. 작은 VSD의 경우는 우좌 단락의 양이 매우 적기 때문에 발견하지 못할 수도 있다.
- 좌측 심장 조영은 좌심실을 적절히 조영하기 위해 필요한 점적 속도와 주사 용량을 정하기 위해 상당한 경험이 필요하다. 만약 미세기포가 너무 많으면 심첨부가 과도하게 조영되어서 나머지 좌심실 부분에 음영이 생기거나 신호의 감쇠가 발생한다. 너무 적은 양의 조영제가 들어가거나 저 관류 상태에서는 소용돌이치는 모습(swirling appearance)이 보일 수도 있다. 기포가 파괴되는 경우에도 좌심실이 적절히 조영되지 못해 소용돌이치는 형태가 보일 수 있다.
- 심초음파검사 중 조영제 주사를 추가하면 검사 비용, 시간, 위험도가 증가한다.

- 일반적인 심초음파나 부하 심초음파 중에 조영제를 사용하는 것은 시간과 인력이 추가로 소모되므로 많은 검사실에서 비현실적인 수단일 수 있다.
- 조영제 부작용이 생길 수 있다(오심, 구토, 두통, 홍조, 어지러움). 과민반응이나 아나필락시스 같은 심각한 부작용은 드물다.

5.4 3D 심초음파

심초음파 기술이 많이 발전됨에 따라 3D 심초음파 영상을 얻는 것이 가능해졌다. 이것은 여러 곳에서 접근하여 신호를 얻어 초음파 영상으로 보여주는 것이다. 얇은 하나의 단면의 초음파를 이용하는 2D 심초음파와 달리 3D 심초음파는 조밀하게 모인 압전결정(piezoelectric crystal)이 여러 개의 주사선(scan line)을 만들어 초음파를 피라미드 모양으로 형성한다. 3D 심초음파는 복잡하거나 일반적인 2D 영상으로 보여줄 수 없던 해부학적 구조를 볼 수 있도록 해준다. 영상을 얻은 뒤에는 심장의 구조물들을 회전시키거나 다양한 위치에서 바라볼 수 있다는 큰 장점이 있다.

3D 심초음파는 새로운 개념이 아니고, 산과(obstetrics) 같은 심장 이외의 영역에서는 15년 이전부터 임상적으로 적용하고 있는 원리이다. 심장의 영상이 임상적으로 유용한 정보가 되려면 심장의 움직임을 따라잡을 수 있는 높은 시간 해상력이 필요하다. 새로운 트리거링 기술과 높은 frame rate가 가능해지면서 실시간 3D 심초음파도 가능해졌다. 미래에는 대부분의 심초음파가 완전히 3D으로 검사가 가능해질 수도 있겠으나, 적절한 3D 접근법에 대해서는 아직 연구가 진행중이다.

실시간 3D 심초음파 기술은 TTE와 TEE 검사 모두에서 가능하다. 일부 기관에서는 심장 수술과 비수술적 심장중재술(예: TAVI, 6.5 절 참고) 시작 전과 중간에 시행하고 있다.

기술적인 문제가 해결됨에 따라, 실시간 3D 심초음파는 환자를 치료하고 수술 전 계획을 수립하는 데 큰 영향을 주고 있다. 또한 외과의, 내과의, 환자 간의 소통에 있어 좋은 정보제공 수단이 되고 있다. 3D 심초음파는 승모판 성형술이나 경피적 승모판 풍선확장술 시행 전이나 시행 도중에 판막 이상을 평가하는데 특히 도움이 된다. 3D 심초음파는 점차 그 영역을 넓혀가고 있는데 다음과 같은 경우에 활용할 수 있다.

- 진단적으로 시행하여 비싸고 침습적인 검사나 시술의 필요성을 줄임
- 심장을 영상화하여 수술 계획을 수립하고 수술 중 필요한 정보를 제공
- 심장의 혈역학에 대한 정보 제공(예: 좌심실 기능)
- 심장판막 기능의 실시간 평가
- 복잡한 선천성 심장 기형에 대한 검사
- 교육 및 연구

3D 심초음파 정보를 보여주는 기본적인 방법은 다음과 같다.

- 실시간 3D 영상
- 동시적인 2D 영상들
- 경계의 재구성

가장 직관적인 3D 영상은 회전이 가능하고, 다양한 각도에서 실시간으로 바라볼 수 있어야 한다(표 5.1). 현재 가능한 영상화 형태는 2D 화면에 3D 영상을 보여줄 수밖에 없는 한계가 있다. 이러한 제한점은 3D 화면 시스템이 보급되면 해결될 것으로 보인다. 3D 심초음파는 여러 단면의 2D 영상을 얻기 위해서도 쓰일 수 있다. 2D 심초음파와 마찬가지로 3D 심초음파에서 심장의 경계를 추적하여 정량화에 이용할 수 있다. 이를 통해 정확한 좌심실 용적을 측정할 수 있고, 보다 자세한 벽운동 정보와 심근의 두께, 그리고 좌심실의 형태를 평가할 수 있다. 경계를 추적하는 것은 시간이 많이 소요되는 작업으로, 추후 자동화된 경계 탐지 프로그램이 향상되면서 분석시간도 줄어들 것이고 임상적으로 널리 사용될 것이다.

표 5.1 실시간 3D 심초음파를 이용하여 복잡한 심장의 해부학적 구조를 시각화하여 다음과 같은 역할을 할 수 있다.

국소/전반적인 기능의 평가(예: 좌심실 기능)

- 판막의 기능 평가(예: 승모판, 인공판막)
- 복잡한 해부학적 구조의 시각화(예: 선천성 심질환)
- 3D 공간에서의 카테터 시각화(예: TAVI나 EPS 시술 중)
- 좌심실과 우심실의 단축 영상을 심첨부에서 기저부까지 보다 잘 시각화

3D 심초음파의 기술/모드

- Live 3D: 하나의 얇은 피라미드형 용적, 약 50–60° x 30° – 높은 frame rate와 구조의 실시간 영상
- Live 3D zoom: 사용자가 지정한 volume of interest, 약 30° x 30° (예: 승모판 평가)
- Live 3D full volume: ECG gating이 필요하며 여러 개의 피라미드형 용적을 결합하여 하나의 큰 3D 용적으로 만듬(예: 좌심실의 크기와 기능 평가)
- Live 3D color: live 3D zoom과 full volume mode에서 가능. 작은 제트도 보여줄 수 있다(예: MR, 인공판막주위 누출)
- Live 3D stress: 부하 심초음파검사 중에 활용(예; 심실 허혈로 인한 좌심실 국소 벽운동 장애 평가)
- X-plane: 실제 3D가 아니라 두 개의 2D 영상을 나란히 보여줌. 2개의 수직인 단면에서 실시간으로 영상을 보여줌. frame rate에서 장점이 있다(예: 해부학적 구조와 병변을 분석).

3D 심초음파의 임상적인 활용

1. 심 내강(chamber)의 정량화

- 심실의 용적과 기능을 정량화. 심장주기 전반에 걸쳐 용적, 좌심실 질량, 심실의 직경을 측정한다. 전반적, 국소적인 벽운동도 분석한다. 3D 심초음파는 2D 영상보다 심실의 용적 측정에 있어 우수하다. 이 기법은 3D 심초음파 정보를 직접 심내막 경계를 추적하여 수집한다. 추적에 많은 시간이 소모되기 때문에 반자동화 기술과 감지 알고리즘이 개발되고 있다. 실시간 용적 감지가 개발되면 3D 심초음파를 이용한 용적 평가가 보다 용이해질 것이다.
- 경색의 크기 추정
- 뒤틀린 심실의 평가
- 판막 역류가 있는 환자에서 수술 시기를 결정하기 위해 연속적인 좌심실 용적 평가(예: AR, MR)
- 우심실의 기능 평가. 2D 심초음파로는 비대칭적 피라미드 모양을 비롯한 우심실의 해부학적 구조 때문에 기하학적 가정을 단순화하기가 어려워 평가가 제한적이다.
- ASD, VSD같은 선천성 심질환에서 심실의 기능 평가
- 심실 재동기화 치료가 필요한 심부전 환자의 평가
- 좌심방 용적의 측정

2. 판막질환

- 실시간 3D 심초음파는 재구성을 통한 3D 검사법이 가지고 있는 많은 제한점들을 극복할 수 있게 해준다. 특히 판막질환에서 진단적 평가와 수술적 판막 성형술 도중에 실시간 가이드를 하는 등 중요한 역할을 한다.
- 3D 심초음파는 심장 판막의 비평면 구조와 판막성 심질환에서 복잡한 해부학적 변화를 고려할 때 판막의 기능을 평가하는 데 최적화 되어 있다.
- 승모판은 판막엽, 판막하부 구조, 그리고 심근벽 간의 상호관계가 복잡하기 때문에 3D 심초음파가 도움이 된다. 3D 심초음파는 승모판의 구조와 승모판 탈출, 심내막염과 선천성 승모판 이상에 대한 정보를 제공한다. 승모판엽, 판막륜, 좌심실 사이의 정상적인 관계가 허물어진 허혈성 또는 기능성 MR에 있어서 중요한 기능적, 해부학적 정보를 얻을 수 있다. 이 기법은 승모판의 수술적인 교정에 있어서 가이드를 제공하는 데 유용하다. 실시간 3D 영상은 다양한 영상을 여러 수준에서 볼 수 있도록 회전시키거나 일부만 잘라낼(crop) 수 있다. 예를 들어 승모판을 좌심방에서 바라보는 영상을 얻을 수도 있다(그림 5.16). 이것은 승모판 성형술 도중에 흉부외과의사에게 도움이 된다. 실시간 3D 심초음파는 MR의 정량화와 제트의 재구성에 있어 유용하다. MS의 평가에도 이용할 수 있으며(그림 5.17), 승모판 면적을 계산할 수도 있다. 3D 심초음파는 경피적 승모판 성형술을 보조하는 데에도 쓰인다.

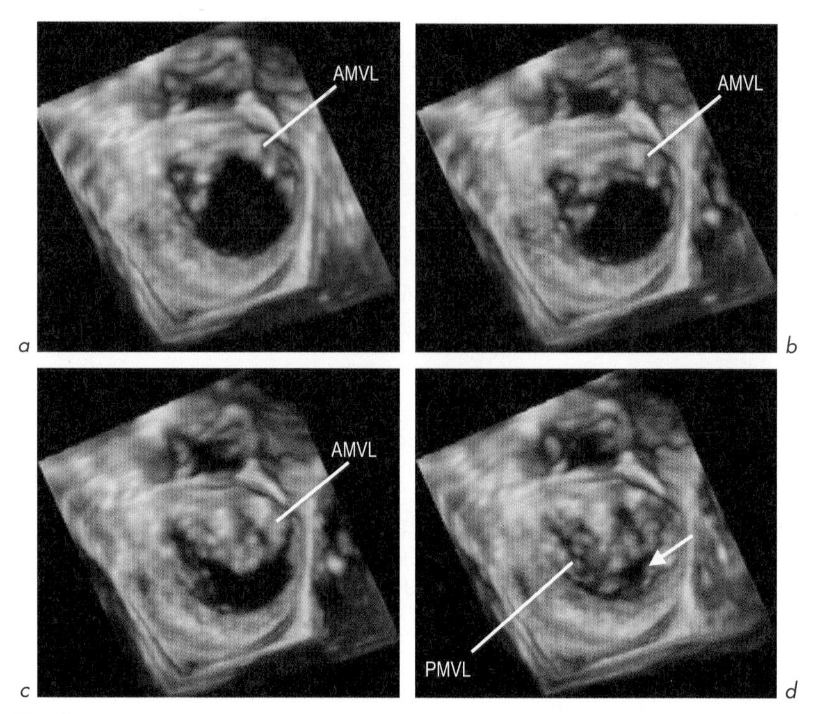

■ **그림 5.16** MR이 있는 환자에서 MV의 해부학 구조를 보여주는 3D 심초음파. (a)-(c) 다양한 심장주기에 승모판이 개폐되는 것을 통해 승모판 전엽(AMVL)의 운동을 볼 수 있다. (d) 승모판 후엽(PMVL)의 P2 분절 움직임이 제한되어 교합 장애(coaptation defect)가 생겼다(화살표). LA에서 MV를 관찰한 영상이다.

- 대동맥판. 3D 심초음파는 대동맥판의 해부학적 구조를 평가하고 대동맥근의 형태, 그리고 판막의 면적을 계산하는데 이용된다. 그리고 AR을 정량화 하고 대동맥의 혈류 패턴을 보여줄 수도 있다. 대동맥판의 증식물도 위치를 파악할 수 있다. 선천적인 유출로의 폐색을 진단하고, 대동맥판의 풍선확장술 시행 이후에 유출로의 변화도 확인할 수 있다. 대동맥판을 경위 영상(transgastric view)으로 관찰하면 대동맥에서 내려다보는 이미지를 얻을 수 있다.
- 삼첨판과 폐동맥판. 3D 심초음파를 통해 삼첨판과 폐동맥판의 퇴행성, 류마티스성 병변을 확인할 수 있고, 재구성을 통해 선천적인 삼첨판 이상(예: 방실관 결손[atrioventricular canal defect])이나 폐동맥판 협착을 평가할 수 있다.
- 심내막염에서 증식물의 크기 평가

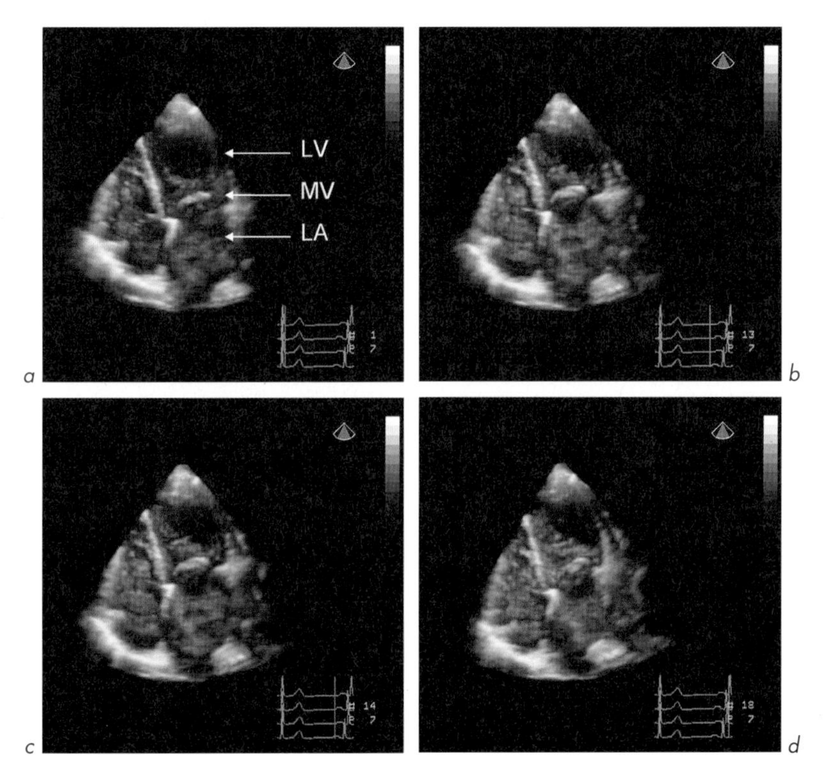

■ 그림 5.17 MS 환자의 3D 심초음파 영상

3. 선천성 심장질환

- ASD. 결손의 크기, 모양, 위치, 그리고 주변 조직과의 관계와 남아있는 주변 조직의 크기를 알 수 있다. 이차공(secundum) ASD에서 대동맥 뒤쪽의 테두리(retro-aortic rim, ASD 결손을 기준으로 anterosuperior rim을 뜻함 - 역자)의 크기는 경피적 기구 폐쇄술의 가능성을 판단하는 데 있어 중요하고, 3D 심초음파는 성공적인 폐쇄가 되었는지 확인하는 데 도움이 된다.
- VSD. 중격 전체를 보여주어 결손의 크기와 모양을 확인하고 색 혈류 기법을 이용해 제트도 확인할 수 있다.
- 선천성 심질환 환자에서 심실의 크기와 기능 평가
- 대동맥판 하부 막(subaortic membrane)의 원주 범위(circumferential extent)를 시각화
- 선천성 판막 기형(예: 승모판) 검사

4. 수술 중 검사

- 승모판 탈출증의 교정. 해부학적 구조를 파악하고, 수술적 교정을 보조하며, 마지막으로 적절히 교정되었는지 확인하는 데 사용한다.
- 선천성 심질환의 수술
- 비후성 심근병증에서 중격 근절제술시에 중격의 두께, 좌심실 유출로 폐색과 승모판 수축기 전방운동의 정도, 그리고 수술 후 결과의 평가에 사용한다.
- 도관을 방사선 노출 없이 3D 공간에 위치시키는 것을 도움(예: EPS 도중)

5. 대동맥 질환

- 대동맥 박리 환자에서 병변의 형태 파악

6. 조영 심초음파

- 좌심실 용적과 기능을 정량화하는데 도움
- 심근 관류의 평가. 좌심실 전체에 대한 정보를 기록하고 관류가 저하된 심근의 전 범위를 정량화할 수 있다. 그러나, 특히 triggered imaging에서 미세기포가 파괴되는 문제는 해결해야 할 요소이다.

7. 좌심실 표면의 실시간 tagging과 tracking

심근의 운동을 정량화하고 국소적인 형태의 변화와 strain을 평가하는데 도움이 된다. 이 검사법은 심장 MRI의 정량화 능력과 견줄 만하다. 뛰어난 시간 해상력을 확보하기 용이한 점은 초음파검사만의 장점이다. 미래에 3D 심초음파의 뛰어난 시간 해상력과 MRI나 CT의 우수한 공간 해상력이 결합된다면('fusion imaging'), 더 좋은 영상을 통해 해부학적, 생리학적 정보를 얻을 수 있을 것이다.

8. 심장 해부학, 생리학의 교육 및 연구

3D 심초음파의 한계

3D 심초음파의 가능성은 무궁무진하며, 기술적으로도 실제 임상에서 더 널리 사용되고 있다 되었다. 그러나 몇 가지 제한점은 있다.

- 3D 심초음파는 좋은 2D 영상을 보이는 경우에만 잘 관찰할 수 있다. 그래서 숙련된 검사자가 있어야 고가의 기구나 오랜 사후 처리 시간의 소비 없이, 정보를 얻어낼 수 있다.
- 3D 심초음파에 대한 지식과 숙련도가 있는 검사자가 필요하다.
- 3D 심초음파 영상은 2D 영상의 질이 좋아야 움직임과 허상(artifact)이 없는 3D 자료를 얻을 수 있다.
- 3D 심초음파는 평평한 2D 스크린에 가상으로 보여주는 영상이라는 한계가 있다.

- 일부 3D 심초음파 기술은 수동으로 심내막을 추적하거나 오프라인에서 분석해야 하므로 시간이 많이 소요될 수 있다.
- 일부 3D 심초음파 기술은 비용이 고가이다.
- 탐촉자가 크고, 무거워서 향후 소형화가 추가적으로 필요하다.

이런 한계점들은 새로운 기술들이 개발되면 점차적으로 극복될 것이다. 디지털 영상처리기술이 빠르게 발전하고 있어서 3D 심초음파 역시 계속적으로 발달하고 있다. 3D 기술과 기존의 초음파 시스템이 더 검사자에게 편리하도록 변화되면 3D 영상을 얻는데 필요한 시간과 노력을 줄일 수 있을 것으로 기대한다. 실시간 컬러 초음파, 조영 심초음파, 조직 도플러 영상, 심장내 초음파와 함께 실시간 3D 심초음파의 발전으로 향후 유용한 정보를 제공할 것이다.

현재 개발 중인 3D 심초음파 기술들

아래에 나열된 여러 기술들을 발판으로 3D 심초음파의 사용 빈도가 늘어나서 일상적인 사용이 가능해질 것이다.

1. 기술적인 발전(예: 탐촉자 내의 크리스탈 밀도를 높여 해상도를 향상)과 활용 가능한 임상 영역의 확장
2. 표준화된 3D 검사 프로토콜, 용어, 디스플레이
3. 자동화된 내막 감지와 정량화 기술
4. 하나의 심장주기로 full volume 영상을 얻는 기술
5. 실시간 3D 영상의 발전(경흉부 및 경식도 심초음파)
6. 3D 경흉부 탐촉자의 크기를 2D 탐촉자와 비슷하게 줄여서 2D와 3D 기능이 하나의 탐촉자로 가능하게 하는 것

이러한 심초음파 기술들은 분명히 임상적으로 사용될 것이고, 본 책에 언급된 기존의 심초음파 기술들도 매우 중요하고, 임상적으로 계속 활용될 것이다.

5.5 특수 상황의 심초음파

심초음파는 여러가지 특별한 상황에서 큰 도움이 될 수 있다.

- 수술 전
- 수술 중
- 중환자실(intensive care unit, ICU), 관상동맥질환 집중치료실(coronary care unit, CCU), 심도자실
- 응급실
- 응급 심초음파
- 휴대용 심초음파

● 심장내 초음파/혈관내 초음파(intravascular ultrasound, IVUS)

수술 전 심초음파

심초음파는 심장 또는 비심장 수술이 계획된 환자의 수술전 평가에 도움이 된다. 미국심장학회(American College of Cardiology/American Heart Association)와 유럽심장학회(European Society of Cardiology)가 국제적으로 발표한 가이드라인에는 수술전 심초음파 평가와 관련된 내용들이 실려 있다. 비심장 수술, 특히 정형외과 수술 또는 혈관 수술 같은 고위험 수술 전에 좌심실 수축기능 또는 판막의 기능을 평가하는 데 심초음파를 이용할 수 있다(표 5.2). 심근 관류는 부하 심초음파로 평가할 수 있다. 수술 전 심초음파는 심장 수술 전에 시행해야 하고(표 5.3), 정형외과 수술과 혈관 수술, 여러 주요 수술과 비뇨기계 수술 전에도 시행해야 한다.

표 5.2 비심장 수술의 심장 위험도(사망, 심근경색증)

고위험(>5%)
- 응급 주요 수술, 특히 고령의 환자
- 대동맥과 기타 주요 혈관 수술
- 말초 혈관 수술
- 많은 출혈과 체액 이동이 동반되고, 오래 걸릴 것으로 예상되는 수술

중위험(1-5%)
- 경동맥의 내막절제술(endarterectomy)
- 두경부 수술
- 복강내 수술
- 흉강내 수술
- 정형외과 수술
- 비뇨기 수술

저위험(<1%)
- 내시경적 시술
- 표재성(superficial) 시술
- 백내장 수술
- 유방 수술

Eagle KA, Berger PB, Calkins H, et al. ACC/AHA guideline update for perioperative cardiovascular evaluation for noncardiac surgery - executive summary. A report of the American College of Cardiology/American Heart Association Task Force on Practice Guidelines (Committee to Update the 1996 Guidelines on Perioperative Cardiovascular Evaluation for Noncardiac Surgery). Circulation. 2002;105:1257-1267

표 5.3 수술 전후 심혈관 위험도(사망, 심근경색증, 심부전)를 높이는 임상적 예측인자

고위험
- 불안정한 관동맥 증후군 - 30일 이내 또는 급성(7일 이내)인 심근경색증, Canadian class III/IV인 불안정 또는 심한 협심증
- 비대상성(decompensated) 심부전
- 심각한 부정맥 - 고도 방실차단, 구조적 심장질환이 있으면서 증상을 동반한 심실빈맥, 심실박동수가 잘 조절되지 않는 상심실성 빈맥

중위험
- 경도의 협심증(Canadian class I/II)
- 심근경색증의 과거력
- 심부전(대상성 또는 과거력)
- 당뇨병
- 신기능 장애

저위험
- 고령
- 심전도 이상 - 좌심실 비대, 좌각차단(LBBB), ST-T 이상
- 낮은 기능적 능력(low functional capacity)
- 뇌졸중 과거력
- 조절되지 않는 고혈압

Eagle KA, Berger PB, Calkins H, et al. ACC/AHA guideline update for perioperative cardiovascular evaluation for noncardiac surgery - executive summary. A report of the American College of Cardiology/American Heart Association Task Force on Practice Guidelines (Committee to Update the 1996 Guidelines on Perioperative Cardiovascular Evaluation for Noncardiac Surgery). Circulation. 2002;105:1257-1267

심장 및 비심장 고위험 수술전 심초음파의 활용

- 좌심실 기능의 평가 – 전반적, 국소적인 벽운동 장애, 부하 심초음파를 이용한 심근허혈의 확인
- 승모판 평가 – 판막 수술의 필요성 및 MR/MS의 중증도, 승모판 성형술의 적합성, 풍선 확장술의 적합성, 승모판륜 석회화
- 대동맥판 평가 – AS의 중증도, 대동맥판 치환술의 적합성, 대동맥판륜과 좌심실 유출로의 크기 예측
- 폐동맥 고혈압, 우측 심장의 평가
- 대동맥의 죽종(atheroma)
- 흉부 대동맥류

수술 중 심초음파

수술 중 심초음파의 사용빈도는 성인과 소아 수술에서 증가하고 있다. 이는 주로 심장 수술중 TEE가 차지하나, 이외에도 고위험의 비심장 수술에서도 사용된다. 이 검사법은 수술 중에 새로운 정보를 얻는데 도움이 되며(12-38%), 치료에 영향을 주기도 한다(9-14%).

수술 중 TEE는 위험성이 있으며 수술후 연하장애의 독립적인 예측인자이다(838명의 환자를 분석한 연구에서 odds ratio >7, 그러나 7,200명의 환자를 분석한 다른 연구에서는 사망률과 무관하며 morbidity도 0.2%에 불과하였다).

수술 중 TEE의 활용(2003년 ACC/AHA 권고사항)

- 승모판 성형술. 자세한 해부학적 구조를 파악하고 성형술이 잘 되었는지 판단(남아있는 MR, SAM, 역동적 좌심실 유출로 폐색[dynamic LVOTO], 의인성 MS).
- 승모판 치환술 - 인공판막의 크기 결정, 치환이 잘 되었는지 판단, 판막주위 MR(대동맥판 치환술보다 승모판 치환술 이후 제트가 잘 생김), 건삭에 의한 판막 기능 장애
- 심실 기능 - 좌심실(전반적, 국소적)과 우심실
- 대동맥판 치환술 - 인공판막의 크기 결정, 치환이 잘 되었는지 판단, 인공판막 크기 불일치(prosthesis size mismatch), 판막주위 AR, 좌심실 유출로 폐색
- 선천성 심질환 교정(예: 대혈관 전위[transposition of the great arteries]) – 잔여 단락(4.4-12.8%) 같은 수술 후 남아있는 결손의 확인, baffle interrogation, 우심실 기능
- 심장내 공기 - 심강내, 심근, 우회술 후에 탈포(de-airing)의 적절성 평가
- 비후성 심근병증에서 수술적 심근절제술 - 잔여 좌심실 유출로 폐색, 후천성 VSD, 관상동맥 누공
- 대동맥 죽종
- 최소침습 심장 수술
- 관상동맥 우회술

중환자실/응급실/심도자실에서 활용

다음과 같은 경우에 경흉부 및 경식도 심초음파를 이용할 수 있다.

- 심낭삼출의 양, 심낭압전(cardiac tamponade) 유무 확인
- 심낭천자(pericardiocentesis) – 초음파 유도하 배액관 삽입
- 급성 심근경색증에서 좌심실 국소 벽운동 이상
- 판막 이상
- 심내막염 또는 불명열의 평가(예: 불명열이 있는 ICU 환자의 혈액배양검사에서 황색포도상구균이 검출된다면 심내막염을 배제하기 위해 TEE를 시행할 수 있음)

- 주요 외상이 있는 환자의 평가
- 승모판 풍선 확장술
- EPS, 전극도자절제술 중 도관 위치 확인

응급 심초음파

중환자의 치료에 있어 심초음파는 중요한 검사이다(표 5.4). 응급 상황에서는 심초음파의 전체 항목을 검사하는 것이 불가능하거나 필요하지 않은 경우도 있다. 초점을 맞춘(targeted or focused) 심초음파검사는 중환자의 임상적 평가를 도울 수 있고, 생명을 구할 수 있을 정보를 제공한다. 이때 임상적인 병력과 검사가 가장 중요하다. 이와 관련된 훈련 프로그램이 여러 곳에서 운용되고 있다. 예를 들어 영국의 경우 British Society of Echocardiography (BSE)와 Resuscitation Council이 Focused Echocardiography in Emergency Life Support(FEEL) 과정을 개발했다(표 5.5). 이 과정은 2013년부터 정기적으로 peri-resuscitation 기간에 초보자들이 TEE를 할 수 있도록 교육하는데 초점이 맞춰져 있다. 매년 평균 15개 교육 과정이 열리고, 200명 이상의 전문가들이 참여한다. 참가자들은 인증을 받기 위해서, 지역에 있는 교육자들의 감독하에 초점을 맞춘 검사(focused study)를 중환자들에게 시행하는 법을 지속적으로 익혀야 한다. 교육 과정의 범위는 표 5.5에 나열되어 있다. 이외에 Critical Care Echocardiography Accreditation도 있다. 영국에서는 2012년부터 BSE와 Intensive Care Society가 함께 교육에 참여한다. 인증은 다른 국내/국제적인 학회들의 감독하에 가능하다.

표 5.4 응급 상황에서 심초음파 - 기저 진단과 가능한 심초음파 소견

심정지 - 무맥성 전기활동(pulseless electrical activity, PEA)
- 심낭압전(cardiac tamponade) - 심낭삼출, 심장파열, 압전의 심초음파 소견(예: 이완기 우심방/우심실의 허탈[collapse])
- 광범위한 폐동맥 색전증 - 우심방/우심실 확장, 폐동맥 수축기압의 상승
- 긴장성 기흉 - 심장이 보이지 않음
- 아나필락시스 쇼크, 심한 저혈량증 - 과역동(hyperdynamic)의 좌심실, IVC의 허탈(collapse)

심정지 전후 - 소생된 VF/VT
- 관상동맥질환(coronary artery disease, CAD) - LVEF의 감소, 국소 벽운동 장애
- 판막성 심질환 - 중증 AS, MS
- 비후성 폐쇄성 심근병증 - 좌심실 유출로 폐색(LVOTO), SAM, ASH, LVH
- 확장성 심근병증(원발성 또는 이차성 - 4.1절 참고) - 좌심실 확장, LVEF의 감소
- 부정맥 유발성 심근병증(arrhythmogenic cardiomyopathy) - 우심실 확장, 우심실 이형성증
- 원인 불명 - 심초음파 소견이 정상(검사 중 심전도가 VF/VT가 아닐 때)

이어서

표 5.4 응급 상황에서 심초음파 - 기저 진단과 가능한 심초음파 소견

급성 호흡곤란

- 원인 불명 - 심초음파 소견이 정상(검사 중 심전도가 VF/VT가 아닐 때)
- 좌심실 수축기능 부전 - LVEF의 감소, 심한 판막질환(예: AS, MS)
- 폐동맥 색전증(PE) - 우심방/우심실의 확장, 폐동맥 수축기압의 상승
- 심낭압전 - 심낭삼출, 심장파열, 압전의 심초음파 소견(예: 이완기 우심방/우심실의 허탈)
- 폐렴 - 흉수 또는 심낭삼출
- 흉수 - 심초음파에서도 보임(그림 4.27)

급성 흉통

- 관상동맥질환 - 국소 벽운동 장애, LVEF의 감소
- 폐동맥 색전증 - 우심방/우심실의 확장, 폐동맥 수축기압의 상승
- 심낭염 - 정상 소견이거나 심낭삼출
- 대동맥 박리* - 박리판(dissection flap), 대동맥류, AR, 심낭삼출
- 좌심실 유출로 폐색 - 중증 AS, 비후성 폐쇄성 심근병증

심한 저혈압

- 심인성(cardiogenic) 쇼크 - LVEF/RVEF의 감소, 중증 AS/MS, 급성 중증 MR/AR, 심낭압전, 심근경색 이후 VSD
- 폐동맥 색전증 - 우심방/우심실의 확장, 폐동맥 수축기압의 상승
- 아나필락시스 쇼크, 심한 저혈량증 - 과역동의 좌심실, IVC의 허탈
- 심낭압전 - 심낭삼출, 심장파열, 압전의 심초음파 소견(예: 이완기 우심방/우심실의 허탈)

둔기 외상(blunt trauma)

- 심근 좌상(contusion) - LVEF의 감소, 국소 벽운동 장애, 심낭삼출
- 관상동맥 손상 - LVEF의 감소, 국소 벽운동 장애, 심낭삼출
- 심장파열 - 심낭삼출, 심낭압전
- 대동맥 박리 또는 파열* - 박리판, 대동맥류, AR, 심낭삼출
- 판막이상 - 판막엽 파열, AR/MR/TR/PR, 건삭 또는 유두근의 파열

*TEE에서 잘 보인다

표 5.5 British Society of Echocardiography(BSE)와 Resuscitation Coucil(UK)가 운영하는 FEEL(UK) course

중환자를 치료하는 의료 전문가를 위한 과정.
이전에 심초음파 또는 초음파 경력을 요구하지 않음.
부가적으로 Advanced Life Support(ALS)와 최근 ALS 알고리즘에 대한 지식을 요구함.
FEEL course는 다음과 같은 지식과 기술을 가르친다.

- 4개의 TTE standard view: 흉골연 장축(parasternal long-axis, PLAX), 흉골연 단축(parasternal short-axis, PSAX), 심첨부 4방(apical 4-chamber, A4C), 늑골하부(subcostal, SC)
- ALS에 따른 심초음파 시행 - 맥박 확인시 같이 시행하여 CPR을 하는 동안 no-flow interval을 줄인다
- 영상을 확인하여 치료 가능한 심정지(cardiac arrest)/순환허탈(circulatory collapse)의 원인을 진단한다.
    - 심근 허혈(급성 심근경색증 포함)
    - 다량의 심낭삼출
    - 심한 폐동맥 색전증
    - 심한 저혈량증
    - 긴장성 기흉
    - VF를 배제
- 소생팀과 의사소통
- Focused echo의 한계와 문제점 이해
- Peri-resuscitation 심초음파의 인증을 위한 요구사항과 원리에 대해 지속적으로 훈련
- 응급 심초음파를 이용한 임상적인 적용의 중요성을 이해

Resuscitation Council(UK) 홈페이지에서 인용(http:// www.resus.org.uk/information-on-courses/focused-echocardiography-in-emergency-life-support/)

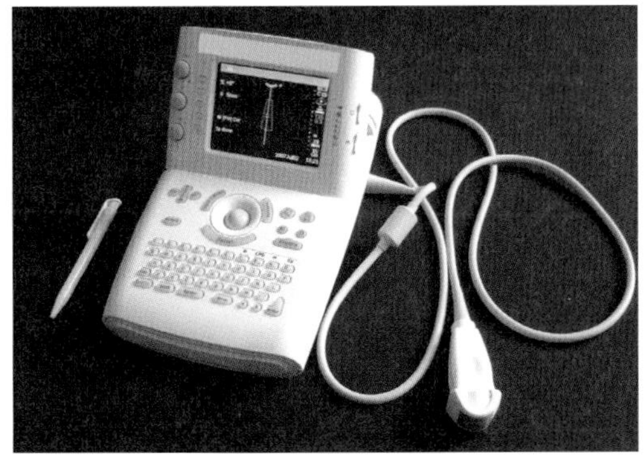

■ 그림 5.18 휴대용 심초음파 기기. 무게는 3kg 미만이다. 기기 좌측에 보이는 펜의 길이는 14cm이다.

휴대용 심초음파

이것은 작고, 가벼워서 휴대가 가능한 초음파 기기로 환자의 바로 옆에서 사용할 수 있는 것을 지칭한다(그림 5.18). 굉장히 단순하여 주머니에 넣을 수 있는 것부터 노트북이나 서류가방 크기에 다양한 기능들을 탑재한 것까지 그 종류가 다양하다. 어떤 기기는 2D 영상만 가능한 탐촉자를 장착하고 있으나, 2D, M-mode, 간헐파와 연속파 도플러, 색혈류 영상이 가능한 장비도 있다. 어떤 기기는 여러 개의 탐촉자가 있어서, TTE 같은 전문적인 기능이 가능하다. 이 기기들은 응급실, 중환자실, 심장내과 외래에서도 활용할 수 있다. 어떤 기기들은 배터리로 작동되어 병원 외부(예: 외상 사고 현장)에서도 사용할 수 있다. 각 의료기관에서 진단적 정확도를 모니터링하기 위해서 임상적인 적응증과 기기의 품질에 대한 해당 지역/국가의 세심한 평가가 필요하다.

휴대용 심초음파의 활용

- 응급실, 중환자실, 심도자실에서 빠른 환자 평가
- 외상 환자에서 심낭삼출과 압전의 심초음파 특징 배제
- 심실의 수축 기능의 평가
- 국소 벽운동 장애
- AS 또는 MR 같은 판막 기능이상의 확인
- 고혈압 환자에서 좌심실비대의 동반 여부 평가
- 심전도가 진단적이지 않은 흉통 환자에서 좌심실의 무운동성 분절이 있는 경우 급성 심근경색증을 시사할 수 있고, 심낭삼출이 있는 경우 심낭염을 시사할 수 있다.
- 저혈압 환자의 평가. 작고, 과역동성의 좌심실은 패혈성 쇼크를 시사하는 반면에 확장되고, 수축기능이 저하된 좌심실은 일차성 심장 이상을 시사한다.
- 휴대용 심초음파를 특정 상황에서 신체 검진에 추가적으로 활용할 수 있다.

휴대용 심초음파의 한계

- 심초음파로 환자를 평가하기 위해서는 적절한 교육과 경험이 필요하다.
- 영상의 질이 떨어지는 기기의 한계점과 검사자의 경험 미숙으로 인해 오진할 수 있다.
- 만약 이상 소견이 의심되면 표준 장비로 전체 심초음파검사를 시행해야 한다.

심장 내 초음파

이것은 카테터처럼 생긴 탐촉자를 대퇴정맥을 통해 우측 심장으로 넣어 검사한다. 5-10 MHz의 주파수를 사용하며 초음파가 탐촉자로부터 최대 10 cm 까지의 조직을 투과한다. 최근에는 표준 심초음파 장비에 조종 가능한 탐촉자를 장착해 단면 영상 외에 간헐파와 도플러 색 영상을 얻을 수 있다.

탐촉자의 끝은 IVC, 우심방과 우심실에 위치한다. 침습적인 시술을 모니터링하기 위해 우심방은 가장 유용한 위치이다. 우심방에서 보면 판막(대동맥판, 승모판, 삼첨판), 양심실(좌심실, 우심실), 심방 중격, 좌심방, 폐정맥을 관찰할 수 있다. IVC에 탐촉자를 두면 복부대동맥을 볼 수 있다.

심장 내 초음파의 임상적인 활용

심장 내 초음파의 임상적인 유용성이 아직 완전히 확립되지는 않았지만, 심도자실에서 침습적인 시술을 모니터링 하는 용도로 가장 많이 사용한다. 대개 이러한 상황에서 경흉부 심초음파의 영상 질이 좋지 않아서 심장 내 초음파를 사용한다. 또한 침습적인 시술 도중에 TEE를 대체할 수도 있다(TEE는 시술 시간에 따라 전신마취를 요할 수도 있다). 심장 내 초음파는 시술하는 의사에게 지속적이고 정확한 정보를 제공한다.

심장 내 초음파가 모니터링에 일차적으로 적용되는 시술은 다음과 같다.

- 결손 부위(예: ASD)의 경피적 기구 폐쇄술
- 풍선 판막 성형술(예: MS)
- EPS(예: 부정맥 치료를 위한 전극도자절제술)

기구 폐쇄술에 있어서 이 검사법은 시술 전에 결손을 평가할 수도 있고 폐정맥 같은 주변 구조물을 파악하는 데 사용할 수 있다. 시술 중에는 이 검사를 통해 폐쇄 기구(closure device)의 위치가 적절하게 되도록 돕는다. 시술 후에는 도플러와 색 혈류 지도를 통해 잔류 단락이 있는지 확인한다.

EPS 시에는 다음과 같은 용도로 사용할 수 있다.

- 심방중격 천자의 모니터링
- 좌심방과 폐정맥의 해부학적 구조를 자세히 평가
- Ablation probe가 조직과 적절히 접촉할 수 있는 위치 선정
- 절제 중에 자발에코조영(spontaneous echo contrast)이 생기는지 감시
- 심장 내 혈전, 심낭삼출 또는 폐정맥 폐색과 같은 합병증 발생 감시

심장 내 초음파의 한계

- 비용. 1회용 카테터가 비싸다.
- 침습적 시술의 위험성. 그러나 대부분의 환자는 이미 침습적 시술을 받고 있어 검사와 연관된 약간의 위험이 추가되는 것이다.
- 영상의 질. 이중/다중 평면의 영상이 가능한 탐촉자를 사용하면 영상의 질이 좋아질 것이다.

혈관 내 초음파(intravascular ultrasound, IVUS)

관상동맥중재술 도중에 관상동맥 내에 조종 가능한 카테터를 넣어서 검사한다. 이 검사법의 초음파 주파수는 30-50 MHz이다. 탐촉자는 혈관벽과 죽상경화반으로부터 2-3 cm의 깊이까지 고화질의 영상을 보여준다. 작은 초음파 시스템이 영상을 얻는 데 사용된다. 카테터는 중재시술 심장내과 의사에 의해 혈관 내에 위치하게 된다.

혈관 내 초음파는 표준 혈관조영 영상이 관상동맥 협착의 길이나 중증도, 그리고 죽상경화반의 상태에 대해 충분한 정보를 주지 못할 경우에 유용하다. 이 검사를 통해 얻은 정보는 향후 치료계획을 수립하는 데 이용된다.

6

심장 종괴, 감염, 선천성 심질환과 대동맥질환

6.1 심장 종괴(Cardiac masses)

심초음파는 심장 종괴를 감지하고 그 성상을 파악하는데 있어 매우 중요한 진단 방법이다. 심장에서 발견되는 중요한 종괴는 다음과 같다.

- 종양(원발성 또는 이차성)
- 혈전
- 감염(증식물[vegetation] 또는 농양)
- 인공판막, 심장박동조율기의 전극

1. 심장의 종양(tumor)

심초음파는 종양의 위치나 크기, 유동성, 수, 주위 조직과의 부착관계 등을 쉽게 알 수 있으며, 이러한 정보들은 외과적 수술을 고려하고 있을 때 특히 많은 도움이 된다.

이차성 종양 - 대부분의 경우

이차성 종양은 다른 장기에서 전이되거나 인접 장기에서 직접 침범하면서 발생하기 때문에 모두가 악성이라고 할 수 있다. 일반적으로 알고 있는 것보다 흔하게 발생하며, 치명적인 악성종양의 10% 정도에서 심장을 침범한다. 가장 흔한 원발부위는 폐이다(심장 이차성 종양의 30% – 심장과 가까이 있어 심낭과 심장으로 직접 침범). 그 외에도 유방암, 신장암, 간암, 흑색종(전체적인 발생률을 고려했을 때 상대적으로 심장 전이 빈도가 높다), 림프종, 백혈병 등이 심장으로 전이된다.

원발성 종양 - 드물다

양성: 점액종, 지방종, 섬유종, 횡문근종(rhabdomyoma), 유두상 탄력섬유종(papillary fibroelastoma), 혈관종, 곁신경절종(paraganglioma), 심낭종양(심막낭종과 기형종[teratoma]).

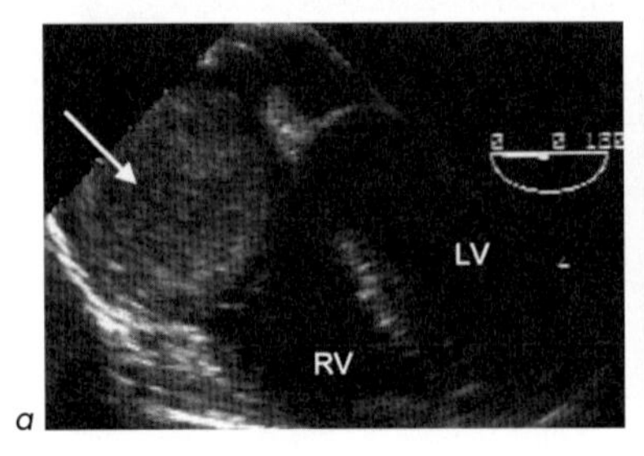

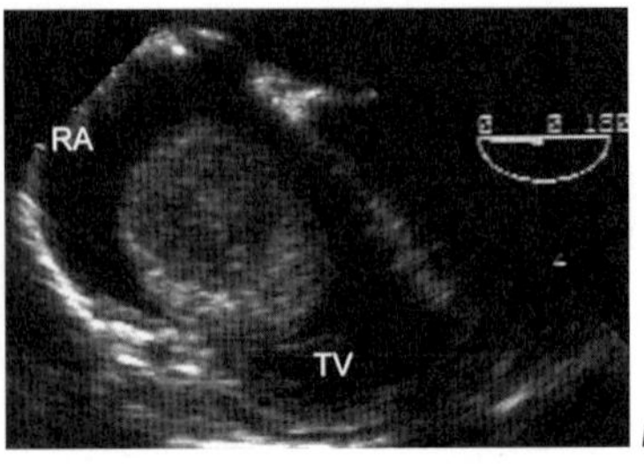

■ 그림 6.1 **경식도 심초음파(TEE) 4방도.** (a) 하대정맥에서 기원한 평활근육종(leiomyosarcoma, 화살표)이 RA로 직접 침윤 (b) 종괴가 삼첨판을 통해 탈출(prolapse)하는 소견이 관찰됨.

악성: 주로 육종 – 혈관육종(가장 흔함). 횡문근육종(rhabdomyosarcoma), 섬유육종, 지방육종.

심초음파로 양성종양과 악성종양을 구분하기 어렵다. 2D 심초음파를 통해 심장강 내 벽면에 부착되어 있거나, 심낭의 고에코(echogenic) 종괴를 확인하고, 크기와 운동성을 결정할 수 있다. 적절한 종괴의 평가를 위해서 기본적인 심초음파 영상 외에, 추가로 여러 단면에서 종괴를 확인하여야 한다. 가끔은 M-mode에서도 점액종과 같은 종양이 판막의 기능을 방해하는 것을 발견하는 경우도 있다(2.1장 참고). 종양에 의한 판막 혈류 장애, 침윤 또는 폐색 또는 심낭삼출로 인한 좌심실 기능장애 등과 같은 종양의 부가적인 영향도 초음파를 통해서 관찰할 수 있다(**그림 6.1**).

점액종(myxoma)

점액종은 드문 질환으로 심방이나 심실에서 발생한다. 아교질(gelatinous)이고, 부서지기 쉽다(조각이 분리되어 색전을 일으킬 수 있다).

- 대개 단일 종괴이나, 드물게 다발성이다.
- 모든 나이와 성별에서 발생할 수 있지만 중년 여성에서 가장 많이 발생한다.
- 주로 좌심방(우심방보다 3배 이상 흔함)에서 난원공(foramen ovale) 부근에 부착된 형태가 가장 흔하며(>80%), 우심실과 좌심실에서 발생하는 경우는 드물다.
- 줄기처럼 가늘거나 폭이 넓은 기저부를 가진다.
- 항상 심방중격 혹은 심실중격에 부착되어 있다.

조직검사에 의한 분류에선 양성이지만, 그 영향에 있어서는 그렇지 않다. 점액종은 수년에 걸쳐 서서히 자라며, 치료하지 않으면 대개 치명적이다.

점액종으로 인한 인체에 대한 영향은 다음과 같다.

- 심장에 대한 국소적인 종괴 효과(예: 갑작스럽고 치명적일 수 있는 승모판 폐쇄)
- 혈전색전증
- 종양학적 영향 – 발열(원인불명의 고열), 체중감소, 빈혈, 관절통, 레이노현상(Raynaud's phenomenon), 적혈구침강속도(ESR) 증가

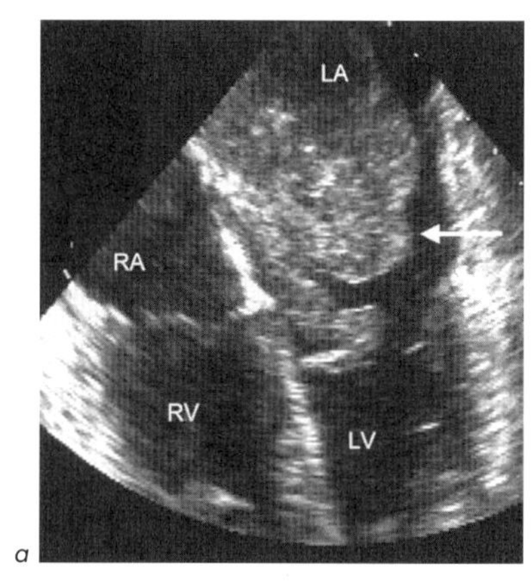

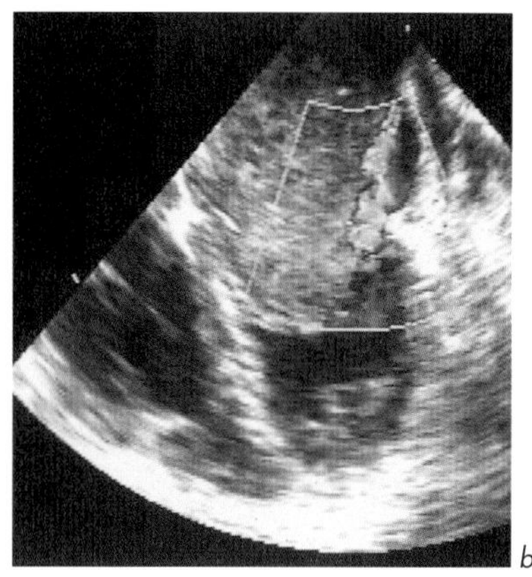

■ 그림 6.2 **경식도 심초음파(TEE) 4방도.** (a) 좌심방 점액종(myxoma. 화살표). 종양은 크고, 소엽으로 갈라져 있으며, 넓은 기저부로 심방중격에 부착되어 있다. 승모판을 통한 탈출을 볼 수 있다. (b) 큰 종괴가 있어 좌심방 내 혈류가 제한된다.

점액종의 임상양상은 보통 다음의 4가지 형태 중 하나로 나타난다(빈도순).

1. 호흡곤란
2. 전신 색전증
3. 비특이적인 전신증상
4. 돌연사(승모판 폐쇄)

점액종은 M-mode 또는 2D 심초음파를 통해 손쉽게 발견할 수 있다(그림 6.2). 점액종은 좌심방에서 종괴로 관찰될 수 있으며, 이완기에 승모판을 통과하고, 좌심실로 탈출하여 혈류를 막기도 한다. 좌심방을 채울 만큼 큰 크기일 수도 있다. 도플러를 통해 혈류역학적 영향을 확인할 수 있다.

점액종은 흑색점종(lentiginosis) 혹은 비후성 심근병증과 관련 있는 경우 아주 드물게 상염색체 우성 유전으로 발병하므로, 관련된 모든 직계 가족은 심초음파로 검진하는 것이 바람직하다(7.6절 참고).

심막낭종(pericardial cysts)

가장 흔한 일차성 심낭종양으로, 중년에 흔하고, 다른 목적으로 실시하는 흉부 X선 촬영이나 심초음파검사 중에 우연히 발견되는 경우가 많다. 심낭 어느 곳에서나 발생할 수 있으며, 좌심실 내강과 뚜렷하게 구분되고, 내부에 무에코 영역을 지닌 종괴가 심낭에 부착된 형태로 발견된다. 심막낭종은 양성 질환이다.

심장 지방 패드(pericardial fat pad)

지방 조직이 심낭(pericardiaum)과 심외막(epicardium) 사이에 있을 수 있다. 지방은 초음파에서 과립성의 얼룩덜룩한 모양으로 관찰되며, 나이가 들거나 비만하거나 당뇨병이 있는 사람들에게서 더 흔하게 발견된다.

2. 혈전

심실강, 심방강, 벽면(심장벽 혈전)에서 발생한다. 다음과 같은 상황에서 혈전 발생이 증가한다.

- 심방 및 심실의 확장
- 심근 수축력 감소
- 심장 내 혈류 폐색 및 정체

혈전 발생이 증가하는 상황들은 다음과 같다.

- 확장성 심근병증(dilated cardiomyopathy)
- 심근경색 발병후
- 좌심실류
- 승모판 협착과 같은 판막질환이 있는 경우 좌심방에 호발
- 인공판막
- 부정맥(예: 심방세동)

2D 심초음파는 심장내 혈전을 진단할 수 있는 가장 좋은 방법이며, 보통 초음파에서는 혈전이 밝게 나타난다. 그러나 심근과 동일한 초음파 음영을 지닌 혈전의 경우, 혈전과 심근을 구분해 내는 것은 어렵다. 경식도심초음파(TEE)가 혈전과 심근의 구별에 도움이 될 수 있으며, 좌심방과 좌심방이(LA appendage, LAA) 혈전의 경우 특히 도움이 된다.

다음과 같은 경우 혈전으로 오인될 수 있다.

- 국소적인 벽 두께 증가
- 종양
- 확장된 심방/심실에서 혈액 정체로 인한 치밀한 초음파 음영

혈전의 가능성을 시사하는 소견은 다음과 같다.

1. 심근 수축시 심근의 두께가 두꺼워지는 반면 혈전은 그렇지 않으므로, 심장벽 혈전과 심근의 구별이 가능하다.
2. 혈전이 붙어있는 벽의 움직임은 거의 항상 비정상적이지만 종양 같은 다른 병리현상의 경우 인근 벽의 움직임은 보통 정상이다.
3. 혈전은 보통 선명한 가장자리가 있어 벽면 허상이나 경계가 흐릿한 정체성 혈류와 구분할 수 있다.
4. 색 혈류 도플러가 혈전과 정체성 혈류를 구분하는데 도움이 된다.

혈전의 정확한 진단을 위해서 여러 방향에서 초음파 단면을 얻도록 한다. 2D 심초음파에서 혈전은 좌심방이나 좌심실에서 공 또는 잎사귀 모양 종괴이거나 잘 구조화되어 층모양으로 두꺼워진 모양으로 보일 수 있다. 좌심방에서 혈전생성과 연관되어 '자발 에코 조영

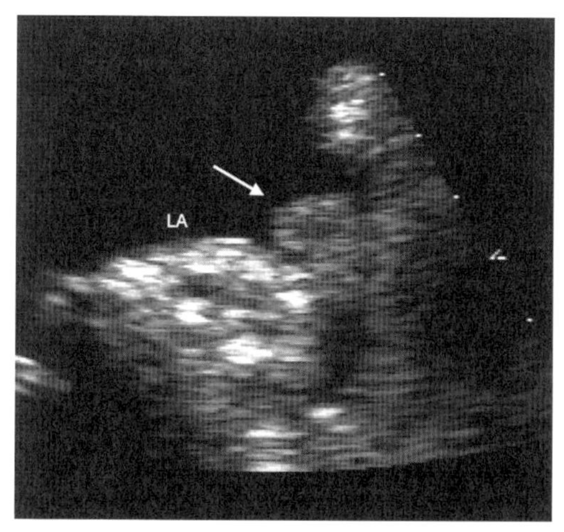

■ 그림 6.3 **경식도 심초음파(TEE). 좌심방이(LA appendage) 혈전(화살표).**

(spontaneous contrast)' 같은 혈류의 정체가 보일 수 있다. 좌심방이에 발생한 혈전을 TTE로 관찰하는 것은 한계가 있으며, TEE를 사용하여 혈전의 존재를 확인할 수 있다(그림 5.7, 6.3).

6.2 감염

심내막염(Endocarditis)

심내막염은 심장 판막을 포함하여 심장 내막이나, 심장 내부에 있는 어느 부분에라도 염증성 변화가 온 것을 말한다. 염증이나 감염된 물질이 판막에 축적되어 '증식물(vegetation)' 이라 불리는 종괴를 형성할 수 있다. 종괴는 감염성 물질, 혈전, 섬유소, 적혈구, 백혈구 세포의 혼합물로 구성 되어 있다. 증식물은 보통 판막에 부착되어 있지만 심장 내 다른 부위에도 생길 수 있다(예: 건삭, 좌심방, 비후성 심근병증에서 좌심실유출로, VSD의 우측[제트병변] 등).

증식물의 크기는 1 mm 이하에서 수 cm에 이르기까지 다양하다. TTE는 2 mm 이하의 증식물을 발견하지 못할 수 있으며, TEE를 시행하면 작은 크기의 증식물을 확인할 수 있어, 민감도가 85% 이상이다. 크기가 큰 증식물은 진균 감염이나 삼첨판의 심내막염과 관련이 있다. 운동성이 있는 초음파-반사성(echo-reflective) 종괴로 보이는 경우는 M-mode(2.1절 참고)나 2D 심초음파로 증식물을 확인할 수 있다.

심내막염은 감염 및 비감염성의 다양한 원인에 의해 발생한다.

감염성 심내막염의 원인

- 세균 – 연쇄상구균, 포도상구균, 그람음성 세균 등

- 진균 – *Aspergillus, Candidia*
- 기타 – *Chlamydia, Coxiella*

비감염성 심내막염의 원인

- 악성종양과 관련(소모성 심내막염[marantic endocarditis])
- 결합조직질환- 전신성 홍반성 루푸스(Libman-Sacks), 류마티스 관절염
- 급성 류마티스열(심근염 또는 심낭염과 관련 있음)

  초음파만으로 증식물이 감염성인지 비감염성인지 구분하는 것은 불가능하다.

감염성 심내막염(Infective endocarditis)

정상적인 자연판막, 이전에 질병이 있었던 판막(예: 류마티스 판막, 석회화된 퇴행성 판막), 인공판막에서 모두 감염이 발생할 수 있다.

심내막염은 중증의 질환으로, 잠재적으로 생명을 위협할 수 있으며, 급성(예: *Staphylococcus aureus*) 혹은 아급성(subacute bacterial endocarditis, SBE)으로 나타난다. 감염은 치과 치료나 수술을 받은 경우 세균이 혈액 속으로 유입 되거나 일상생활에서 인식하지 못한 일시적인 균혈증 후에 발생할 수 있다. 이런 이유로 인해서 심장 잡음, 선천적 심장 병변, 심장 판막 이상, 인공판막을 가진 환자의 경우 치과적 치료 및 수술 전에 예방적으로 항생제를 투여하는 것이 안전하다. 특정 감염체는 원인질환과 연관되어 있다(예: *Streptococcus bovis* 심내막염은 대장암과 관련).

심내막염의 진단은 임상적인 병력과 진찰, 염증 및 면역복합 현상을 시사하는 혈액검사 소견, 가능한 경우에는 혈액배양검사를 기초로 하여 임상적으로 이루어진다. 초음파상으로 증식물을 발견하지 못해도 임상적으로 심내막염이 의심된다면 심내막염을 배제할 수 없다. 전형적인 임상증상이 없을 수도 있는데 특히, 이전에 항생제가 투여된 경우에는 심잡음이나 열이 없을 수 있다.

심내막염을 시사하는 임상 소견

- 감염 – 발열, 권태감, 야간발한, 경직, 빈혈, 비장비대, 곤봉증(clubbing)
- 면역복합체 침착 – 현미경적 혈뇨, 혈관염성 피부 및 망막 병변
- 색전 – 멀리 떨어진 장기(뇌, 망막, 관상동맥, 비장, 신장, 대퇴오금(femoropopliteal), 장간막)에서 농양을 형성할 수 있음.
- 심장 합병증
  1. 심잡음이 새롭게 생기거나 양상이 변함
  2. 판막이 파괴되어 역류 발생
  3. 판막륜이나 중격에 농양을 형성한 경우 전도 차단 가능
  4. 대동맥근(aortic root) 농양의 경우 발살바동(sinus of Valsalva)의 동맥류를 일으키고 관상동맥 입구를 침범할 수 있음
  5. 큰 증식물에 의한 판막 폐쇄(예: 대동맥판의 진균성 심내막염)

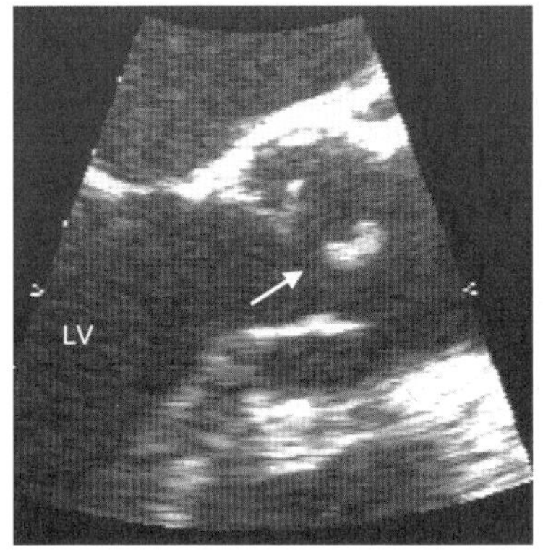

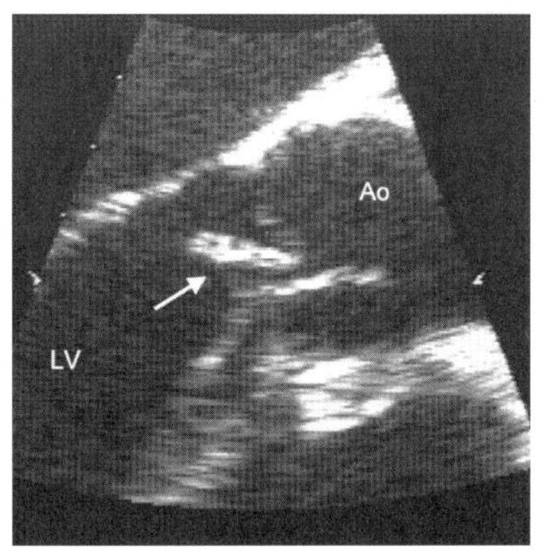

그림 6.4 **경식도 심초음파(TEE).** 큰 증식물(화살표)을 동반한 대동맥판 심내막염

6. 염증의 심근 침범, 심낭삼출, 고름심낭(pyopericardium, 심낭의 고름, 매우 심각한 상태), 판막 기능이상 등에 의한 치명적인 심부전

심내막염의 중요한 검사 소견

- 혈액배양 – 어느 정도 시간 간격을 두고 각각 다른 지점 3곳에서 최소 3쌍을 채취. 90%에서 배양 양성
- 혈구수 - 중성구 수 증가, 정색소성 정구성(normochromic normocytic) 빈혈
- ESR과 C-반응 단백질 – 염증 표지자 증가, 치료에 반응해 감소
- 면역복합체 역가 증가
- 보체 농도 감소
- 소변 현미경검사 - 현미경적 혈뇨
- 심전도 - PR 간격 연장은 대동맥근(aortic root) 및 심장 중격 농양을 시사
- 초음파- TTE 또는 TEE(**그림 6.4, 6.8**).

심내막염에 걸리기 쉬운 심장 병변

1. 흔한 경우
- 자연판막질환 – 대동맥판(이첨판, 류마티스, 석회화), 승모판(협착보다 역류에서 더 흔함, 승모판 탈출증)
- 인공판막
- 정맥약물 남용자 혹은 정맥도관 삽입술(특히 큰 정맥에)을 시행한 환자의 삼첨판
- 선천적 기형 - 대동맥 축착(aortic coarctation), 동맥관 개존증(PDA), 심실중격결손(VSD)

2. 드문 경우
- 이전에 정상이었던 판막
- 비후성 심근병증(HCM) 및 대동맥판하 협착증(subaortic stenosis)
- 심장벽 혈전
- 제트 병변
- 동정맥루

3. 아주 드문 경우(사실상 거의 없음)
- 심방중격결손(ASD)
- 폐동맥판 협착증
- 갈라진(divided) PDA

심내막염을 방지하기 위한 예방적 항생제요법

지역마다 예방법 및 항생제 요법의 권장사항의 차이가 있으므로, 지역 권고사항을 참고하고 환자에게 항생제 과민반응이 있는지 확인하여 다음의 경우 적용한다.
- 인공판막
- 이전에 심내막염 과거력
- 류마티스 열의 재발 방지
- 진단된 심장 판막 병변
- 선천적 심장 이상 – 중격 결손, 동맥관 개존증

예방적 항생제치료를 고려해야 하는 시술
1. 치과 치료
2. 비뇨생식기 시술
3. 상부호흡기 시술
4. 산과, 부인과 및 위장관 시술

심내막염에서 심초음파의 역할
- 감염성 심내막염의 진단을 도움
- 기저 심장질환을 확인
- 심내막염 합병증 조사
- 치료 효과 평가
- 수술이 필요한 경우 수술시기 결정

2 mm 이하의 증식물은 TTE로 관찰이 어렵다. 색 혈류 도플러를 사용하면 증식물에 의한 AR, MR, 후천적 심실중격결손 및 중격 농양을 확인할 수 있다. TEE는 심내막염에서 매우 유용하며 다음과 같은 경우 특히 유용하다.
- 작은 증식물

- 승모판의 병변
- 인공판막의 심내막염
- 소엽의 천공
- 대동맥근 농양
- 발살바동의 동맥류
- 좌심실유출로의 동맥류
- 좌심실유출로와 우심방 사이 누공(fistula)

치료에 대한 반응 평가 - 추적 심초음파의 역할

심내막염 치료의 평가를 위해 추적 심초음파검사를 얼마나 자주 해야 할지에 대해서는 불확실하다. 일부 병원에서는 항생제 치료를 하면서 매 주마다 심초음파검사를 실시한다. 그러나 임상적으로 치료를 변경해야 하는 경우가 아니라면 심초음파를 이렇게 일상적으로 실시하는 것은 부적절하다.

환자의 임상적인 상태가 악화되면 초음파를 시행할 수 있다. 증식물이 작아졌다면 치료에 반응하고 있다는 것을 의미할 수 있지만 또한 증식물의 운동성이 감소했거나, 증식물의 일부 또는 전부가 떨어져나가 색전이 형성된 것을 의미할 수도 있다. 증식물의 크기가 증가하거나 새로운 합병증이 출현한 경우(예: 농양 형성)는 감염이 지속되고 치료에 반응하지 않는 것으로 판단할 수 있다.

수술시기의 결정

심내막염의 항생제 치료시, 경험적으로 6주 동안 항생제를 투여한다. 해당 원인균이 확인되면, 그 감수성 결과에 따라 항생제 치료를 조절한다. 판막 역류, 농양 형성과 같은 합병증이 발생한 경우 수술이 필요할 수 있다. 감염된 물질이 떨어져나가 색전이 되면 대뇌에서 농양을 유발할 수 있으며, 이 경우 특별한 치료가 필요하다(항생제 및 수술적 배농).

심초음파로 확인할 수 있는 심내막염의 수술 적응증

심초음파검사 결과가 절대적인 것은 아니고, 임상적인 상황을 고려해야 한다.

- 치료에 반응하지 않는 AR 또는 MR
- 발살바동의 동맥류
- 대동맥근 및 중격 농양
- 큰 증식물로 인한 판막 폐쇄
- 항생제 치료의 실패 또는 항생제를 바꾸었음에도 불구하고 감염이 재발
- 진균성 심내막염(대개 판막을 교체하고 항진균제 치료를 하는 것이 가장 반응이 좋음)
- 색전 현상을 보이는 큰 증식물
- 인공판막 심내막염(대개 수술이 필요함)

감염성 심내막염의 합병증

- 다른판막 또는 구조물(예: 건삭)로 증식물이 번짐
- 판막 역류 - 판막의 파열, 탈출증, 첨판의 천공 또는 농양으로 인해 역류가 유발됨
- 농양 형성 – 판막 주변부위(특히 대동맥판)가 무에코 공간으로 보이며 발살바동 파열을 일으켜 좌우단락(보통 대동맥-우심방 단락)을 일으킬 수 있다. 대동맥판에 발생한 심내막염에 의해 심실중격에 농양이 발생하면 심장의 전도 장애를 유발할 수 있다.

인공판막 심내막염

조직판막이나 기계판막 모두에서 발생할 수 있다. 보철물로 인해 인공음영(반향 및 차폐효과)이 발생하므로 초음파 관찰을 어렵게 한다. 초음파로 증식물, 판막 역류와 같은 감염 합병증, 농양을 확인할 수 있는데, TEE를 시행하는 것이 도움이 된다. 인공판막에 발생한 심내막염은 매우 심각한 질환이며, 대개 추가적인 판막 수술이 필요하다. 이 부분에 대해서는 다음 장에서 다룬다(6.3장 참고).

6.3 인공판막(Artificial[prosthetic] Valves)

인공판막은 1960년대부터 질환이 있는 자연판막을 대체하여 사용하고 있다. 아직은 인공판막으로 교체하는 수술이 일반적이긴 하지만, 최근에는 인공판막으로 교체하기보다 가능하면 자연판막을 성형(특히 승모판)하는 수술이 자주 시행되고 있다.

인공판막은 네 개의 자연판막 중 어떤 것이라도 교체하여 자리를 잡을 수 있으며, 일부 환자는 하나 이상의 인공판막을 가지고 있기도 한다. 인공판막의 재료는 다음과 같다.

- 인간 혹은 동물의 판막에서 채취한 생물학적 조직
- 판막 외 생물학적 조직 물질(예: 심낭)
- 불활성 비생물학적 물질(플라스틱, 금속, 탄소, 섬유)

생물학적 조직 및 불활성 물질의 조합품이 사용되기도 한다(**그림 6.5**).

1. 기계판막(mechanical valves) – 혈전증을 예방하기 위해 와파린(warfarin)과 같은 약물을 이용한 항응고치료가 필요하다
   - 볼 및 케이지(ball and cage) – 예: Starr-Edwards
   - 경사 디스크(tilting disc) – 첨판이 하나(예: Björk–Shiley) 또는 두 개(예: St. Jude).
2. 조직(생물학적) 판막(tissue[biological] valves)
   - 이종이식(heterograft) – 동물의 조직

     Porcine – 돼지의 조직, 혈전 관련 부작용이 덜 하지만, 기계판막보다는 내구성이 떨어진다(보통 10~15년 후에는 협착이나 역류가 생김). 금속으로 만들어진 판막연결고리(sewing ring)에 생물학적 조직으로 만든 3개의 첨판을 3개의 금속 스텐트로 고정한다(예: Carpentier-Edwards).

   Bovine – 소의 조직. 흔히 사용되지는 않는다.(예: Ionescu-Shiley 판막[소의 심낭으로 만

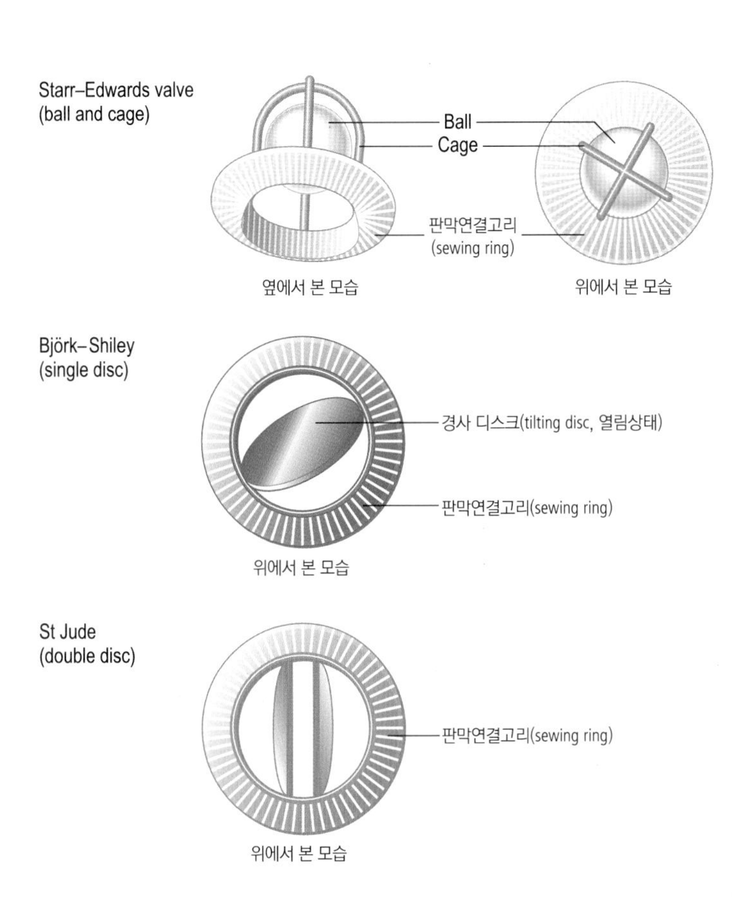

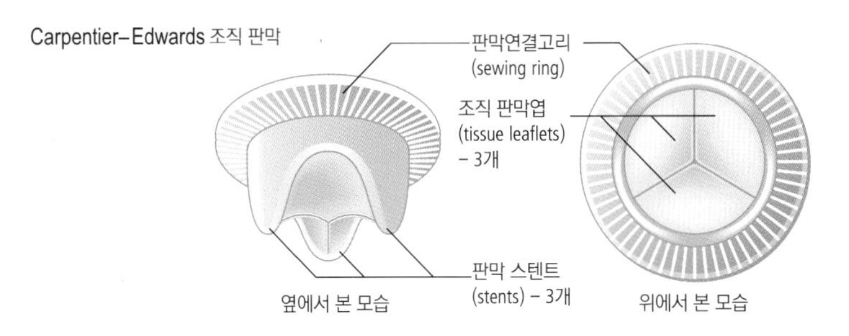

■ 그림 6.5 **인공 심장판막**

들어진 판막엽 및 티타늄 프레임])

- 동종이식(homograft) – 인간 조직

  초기에는 수명이 3년으로 제한되었지만, 보존 기술(예: 냉동 보존)이 발전하면서 사용 기간이 늘어남

인공판막의 심초음파적 검사

초음파를 통해 다음을 검사한다.

1. 해부학적 구조 - 판막의 석회화 및 퇴화 여부를 검사하고 판막 위치가 정확한지, 흔들림은 없는지 확인
2. 기능
   - 협착 - 모든 인공판막은 자연판막과 비교해서 어느 정도의 협착이 있다. 판막의 기능장애가 발생하면 협착 정도가 증가한다.
   - 역류 - 인공판막의 감염 또는 바늘땀이 헐거워지거나 퇴화되면서 흔들리는 경우 판막구(valve orifice)나 판막주변부(paravalvular)를 통한 역류가 발생할 수 있다.
3. 감염 - 판막, 판막주변부 농양
4. 혈전증

다음과 같은 이유로 인공판막의 심초음파 평가는 쉽지 않다.

- 인공판막은 다양하고 특수한 구조를 가진다.
- 인공판막은 강한 초음파 반사성을 띤다(특히 기계판막). 인공판막으로 인해 매우 밝은 초음파 반사(반향[reverberation]이라 부른다)와 같은 인공음영이 발생한다. 또한 초음파 그림자(acoustic shadow)를 만들어 깊은 구조물을 가려 잘 보이지 않게 한다.

판막교체 수술 후 몇 주 뒤에 심초음파를 시행하여 추적 검사의 기준지표로 사용한다. 수술 후 일정한 간격을 두고 추적 검사를 실시하기도 한다(7.6절 참고). 판막의 종류 및 크기를 초음파 요청 양식에 기재해야 한다. 앞에서 설명했듯이, TEE는 인공판막을 검사하는 데 TTE를 보조한다.

M-mode에서 특징적인 모습을 볼 수 있다.

- Starr-Edwards 판막에서는 판막부착고리와 케이지를 나타내는 2개의 조밀하고 거의 평행한 초음파선을 볼 수 있다. 볼(ball)의 앞쪽 표면에서만 초음파 반사가 일어나며, 조밀한 선으로 보인다. 판막이 열렸을 때 볼로부터의 반사파가 케이지 반사파선(cage line)까지 멀어지는 움직임을 보이지만 절대로 케이지 반사파선을 넘어가지는 않는다. 판막이 닫혔을 때는 볼로부터의 반사파가 케이지 반사파선과 판막부착고리 사이 중간 위치에서 거의 평행하게 기록된다. 볼 뒤표면에서 반사된 초음파 반사파는 판막아래에서 반향(reverberation)으로 나타난다.
- St. Jude 판막에서는 판막이 열렸을 때 판막부착고리와 평행한 디스크(disc) 선을 볼 수 있다. 판막이 닫혔을 때는 초음파 라인이 기록되지 않는다(디스크가 판막부착고리 내에 존재).
- 조직판막에서 판막부착고리는 연속적인 초음파 선으로 나타난다. 첨판은 자연판막과 비슷한 박스 모양의 판막 움직임을 보여준다. 3개의 스텐트 중 2개를 보여주는 초음파 선이 관찰된다.

2D 심초음파를 통해 중요한 해부학적 정보를 얻을 수 있다. 판막 수술에 대한 자세한

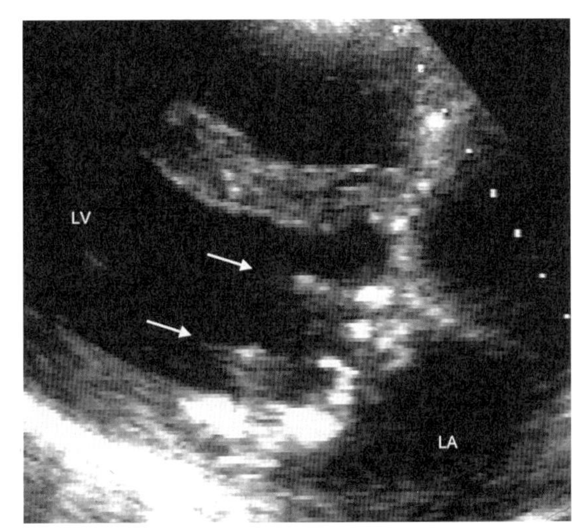

■ 그림 6.6 **조직(생물학적) 인공 승모판. 좌흉골연 장축 단면.** 좌심실에 정상적인 모양의 2개의 스텐트(화살표)가 관찰된다.

표 6.1 정상적으로 작동하는 기계 및 조직 인공판막의 혈류속도(m/s) 범위

판막종류	승모판	대동맥판
Ball and cage Starr – Edwards	1.4 – 2.2	2.6 – 3.0
Single disc Björk – Shiley	1.3 – 1.8	1.9 – 2.9
Double disc St Jude	1.2 – 1.8	2.3 – 2.8
Porcine biological Carpentier – Edwards	1.5 – 2.0	1.9 – 2.8

정보를 얻지 못한 경우, 심초음파검사를 이용하여 판막의 종류를 확인할 수 있다(대동맥판보다는 승모판의 평가가 더 쉽다)(**그림 6.6**).

- 볼 및 케이지 – 케이지의 특징적인 반고리형 영상과 케이지 내부를 위아래로 움직이는 볼을 확인.
- 경사 디스크 – 하나 혹은 두 개인 디스크가 열리고 닫히는 것을 관찰.
- 조직판막- 좌심실(승모판) 또는 대동맥(대동맥판)에서 금속 스텐트 관찰

도플러 초음파는 인공판막 기능을 평가하는 데 매우 유용하다.

혈류 폐쇄

인공판막 구성물질의 비친화적 특성 때문에, 판막을 통과하는 혈류의 속도는 정상적인 자연판막과 다른 범위를 보인다(**표 6.1**). 대부분의 경우, 인공판막으로 인해 혈류에 약간

의 폐쇄가 유발된다. 다음의 방법을 통해 혈류 폐쇄를 평가한다.

1. 최고 속도. 인공물의 부피로 인해 상대적으로 판막구 면적이 좁아지므로 정상적인 판막에 비해 최고 속도가 빠르다. 판막에 따른 정상 속도 범위의 예는 표 6.1에 기술되어 있다. 일반적으로 승모판에서 최고 속도가 >2 m/s이면 기계판막 및 조직판막 모두에서 기능이상이 있다고 할 수 있다. 대동맥 인공판막의 혈류속도는 정상적으로 <3 m/s이다
2. 압력차이(pressure gradient, ΔP). 단순화된 Bernoulli 방정식을 통해 계산한다($\Delta P = 4V^2$).
3. 판막구 면적– 연속 방정식을 사용하여 구한다(3장 참고).

초음파를 시행하는 기관에 따라 정상범위가 다르다. 절대적인 값을 적용하기보다 개별적인 경우마다 수술 후 측정한 기본값에서 속도의 변화를 측정하는 것이 더 중요하다.

역류

인공판막에서 역류는 판막구멍을 경유하거나(transvalvular) 또는 판막부착고리(sewing ring) 주변(paraprosthetic)에서 누출되어 발생한다. 경도 판막경유 MR은 정상 기능인 판막에서도 볼 수 있으며, 기계판막에서 더 흔하다. 이는 판막의 닫힘 또는 인공물 내 다른 부분과의 사이에 존재하는 틈새 때문이다. 차폐효과 때문에 이를 탐지하기는 힘들다. 그러나 중등도 또는 중증의 MR은 비정상적이다.

역류제트 평가에는 연속파 도플러가 간헐파 도플러보다 더 유용하게 사용되며, 색 혈류 영상을 통해 선행 및 후행 흐름을 확인한다. 전향성 와류는 모자이크 색상으로 보여진다. 전향적 혈류는 조직승모판에서는 보통 한 개의 제트로 발견되며, 대부분의 기계승모판에서는 2개의 제트로 나타난다(예: Starr-Edwards에서는 2개 제트 크기가 거의 같고, Björk–Shiley에서는 한 개가 다른 제트에 비해 작음).

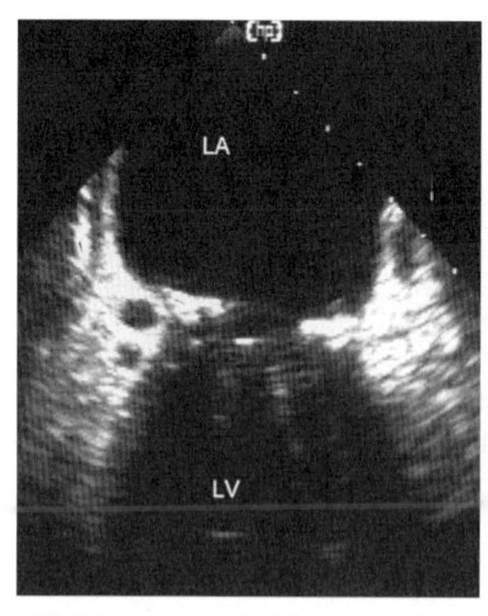

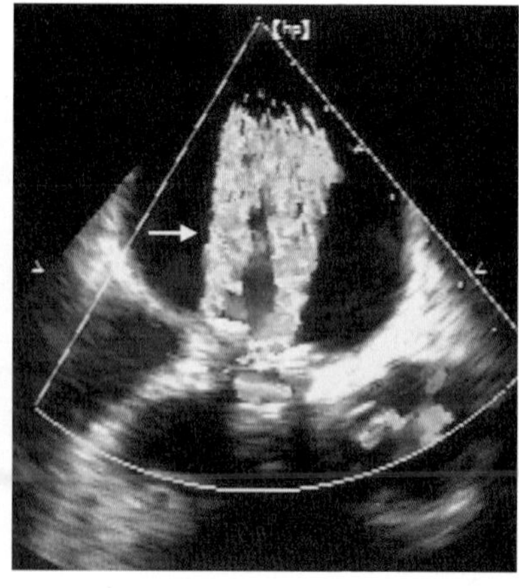

■ 그림 6.7 **Starr-Edwards 인공 승모판의 역류.** 경식도 심초음파 색 혈류 영상에서 2개의 역류 제트가 관찰됨. 판막경유(transvalvular) 역류 제트와 인공판막 주변부(paraprosthetic) 역류 제트(화살표).

후향적 혈류, 즉 역류(그림 6.7)는 판막의 종류에 따라 크기가 다른 여러 개의 제트가 있을 수 있다(예: Björk–Shiley는 2개의 제트, Starr-Edward에서는 여러 개의 제트). 색 혈류 영상을 통해 판막경유 역류와 판막주변 역류를 서로 구분할 수 있으며, 새로운 역류 현상에 대해서도 확인할 수 있다.

인공판막의 기능이상

심박출량이 낮거나 방실차단같은 부정맥이 있거나 수술이 잘못된 경우(예: 너무 크거나 작은 인공판막 삽입)를 인공판막의 기능이 이상하다고 오진할 수 있다. 기능이상의 원인은 다음과 같다.

- 기계판막 및 조직판막 : 심내막염, 분리(판막이 헐거워지거나 떨어져나가는 것), 역류
- 주로 기계판막 : 혈전, 변형(모양 또는 크기의 변화)
- 주로 조직판막: 퇴화-협착 또는 역류

판막 기능이상의 심초음파 특징

검사 결과는 가능한 경우 수술 후 측정한 기준치와 비교해야 한다.

1. 인공물의 해부학적 이상(M-mode와 2D를 통한 검사)
   - 판막의 일부 소실(예: 조직판막의 첨판 파열)
   - 헐거운 봉합
   - 비정상적인 움직임– 인공물 특정 부분의 움직임이 둔화되거나 과장됨
   - 연관된 소견– 석회화, 혈전, 증식물, 농양, 심방/심실 크기 확대(특히 좌심실, 좌심방).
2. 인공물의 혈류역학적 이상(도플러와 색 혈류 영상을 통한 검사)
   - 혈류속도의 증가 또는 판막구 면적 감소는 폐쇄를 시사함
   - 역류– 기존 역류 제트가 심해지거나 새로운 제트가 발생

인공판막 심내막염

인공판막 심내막염은 아주 심각한 상황으로, 일정기간 정주 항생제 치료 후, 판막의 교체가 필요하다. 이를 방지하기 위해서 모든 치과적 치료 및 수술 전 예방적으로 항생제를 사용하는 것이 필수적이다. 심내막염은 기계판막과 조직판막 모두에서 발생할 수 있으며, 인공판막을 가지고 있는 사람에서 연간 3~5%의 비율로 발생하고 있다.

인공판막 심내막염을 시사하는 소견은 다음과 같다

- 증식물(판막에서 심장주기에 따라 움직이는 유동성 종괴로 관찰되나, 종종 발견하기 어렵다)
- 판막엽에 있는 증식물로 인해 판막이 불완전하게 닫힘

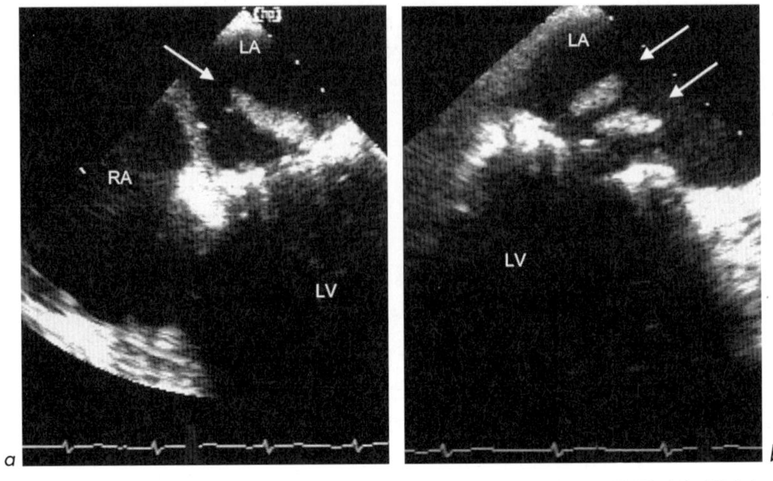

■ 그림 6.8 (a)와(b). Starr-Edward 인공 승모판의 심방쪽 면에서 큰 증식물(vegetation)(화살표)이 관찰된다.

- 판막부착고리 주변의 낮은 초음파 반사 영역으로 보이는 농양
- 분리(dehiscence)가 일어났다면 봉합사가 자유롭게 움직이는 것을 볼 수 있음.

M-mode에서 증식물은 인공판막을 나타내는 M-mode 초음파선 위에 겹쳐진 여러 개의 두꺼운 초음파 선으로 보인다. 그러나 반향과 차폐 때문에 M-mode와 2D 심초음파 두 검사 모두에서 증식물을 관찰하는 것이 어려울 수 있으며, 2~3 mm 이하의 작은 증식물은 놓치기도 한다. 경우에 따라 증식물과 석회화되거나 두꺼워진 판엽을 구분하기 힘들 수 있다.

도플러와 색 혈류 영상을 통해 심내막염과 관련된 혈류역학적 상태를 평가할 수 있다. 증식물이 판막 닫힘에 영향을 주어 판막경유 역류가 발생하거나 봉합선에 농양이 형성되면서 판막주변 역류가 발생할 수 있고, 증식물에 의해 판막구가 폐쇄되는 경우 판막을 통과하는 전향적 혈류가 증가하는 소견을 관찰할 수 있다. 앞에서 언급했듯이, TEE는 이런 상황에서 매우 유용하다(**그림 6.8**).

혈전

혈전은 기계판막에서 주로 발생하며, 많은 경우에 판막의 기능부전을 유발한다. 항응고 조절이 불량하거나 심방/심실이 확장된 경우 발생할 수 있다.

모든 기계판막에서 항응고치료는 필수적이다(목표 INR 3.5~5.0). 인공판막에서 혈전증이 발생할 확률은 판막의 위치에 따라 결정된다(압력차와 관련됨)

삼첨판 > 승모판 > 폐동맥판 > 대동맥판

가끔 환자들이 판막에서 째깍거리는 소리가 들리지 않는다고 말하는 경우가 있다. 이

것은 혈전의 징후일 수 있다. 다음과 같이 초음파를 통해 혈전을 확인할 수 있다.

- 판막에 있는 유동성 종괴를 관찰. 증식물이나 석회화된 결절과 구분하기 힘들 수 있다.
- 판막에서 움직이는 부품의 움직임이 둔화되거나 상실됨(예: ball, disc, cusp)
- 관련된 심방/심실의 확장

증식물의 소견과 비슷하게 M-mode에서 여러 개의 초음파선을 확인할 수 있으며, 판막의 열림 또는 닫힘이 둔화된 것을 관찰할 수 있다. 도플러와 색 혈류 영상을 통해서 판막 열림 장애(혈류속도 증가)나 닫힘 장애(새로운 판막경유 역류 제트가 생기거나 기존 역류가 심해짐)를 확인할 수 있다.

분리(Dehiscence)

분리는 하나 이상의 봉합 부분이 헐거워지거나 파열되어 봉합사가 주변 조직에 판막고리를 고정하지 못하는 것이다. 그 결과 판막주변 역류나 비정상적인 판막 움직임이 발생한다(판막이 흔들리거나 봉합사가 자유롭게 움직이는 것을 관찰할 수 있음).

역류

판막경유(transvalvular). 경도의 판막경유 역류는 판막의 정상적인 기능의 일부로 간주된다. 증식물, 혈전, 변형, 퇴화 등에 의해 인공판막의 불완전한 닫힘을 유발하면서 역류량이 증가한다. 색 혈류 영상이나 연속파 도플러를 통해 확인할 수 있다.

판막주변(paravalvular). 판막주변 역류는 비정상적인 징후이다. 심내막염(농양), 분리 등의 원인에 의해 발생한다. 색 혈류 영상을 통해 판막 부착고리 바깥쪽으로 지나는 역류 제트를 볼 수 있다.

변형(Variance)

새로운 기계판막이 개발되면서 최근에는 발생이 감소했다. 인공판막 변형은 볼이나 디스크 몸체의 침식이나 균열 또는 판막에 물질이 침착(예: 인공판막의 볼이나 금속 표면에 섬유 조직이나 지질이 침착)하여 기계판막의 모양과 크기가 변하는 것이다. 볼이나 디스크의 크기가 커지거나 작아지면서 폐쇄나 불완전한 닫힘을 유발한다. 초음파를 통해 볼, 디스크의 움직임 둔화, 혈류속도의 증가 또는 판막경유 역류를 확인할 수 있다.

퇴화(Degeneration)

대부분의 조직판막에서 수년 이내에 발생한다. 판막의 기대수명이 다하면서 판막은 석회화되어 협착되거나, 판막엽이 파열되면서 역류가 발생하게 된다. 초음파를 통해 석회화, 비정상적인 판막엽의 움직임, 역류를 확인할 수 있다.

6.4 선천적 이상(Congenal abnormalities)

심초음파는 선천성 심질환의 진단을 위해 필수적인 검사로 과거 선천성 심질환 진단을 위해 사용되었던 심도자 검사의 필요성을 줄였다. 심초음파를 통해 심장의 구조를 확인할 수 있고, 혈류역학적인 평가도 가능하다. 예를 들면, 단락(shunt)의 위치 및 크기를 평가하고, 심방과 심실의 해부학적인 구조 및 연결상태를 확인하며, 폐동맥압과 같은 압력을 측정할 수 있다.

1. 단락(SHUNTS)

'심장단락'은 심방중격결손(ASD)이나 심실중격결손(VSD), 동맥관 개존증(PDA) 등과 같은 분리되어야 할 다른 심방실간 또는 혈관과의 비정상적인 혈액의 교통을 의미한다. 혈액은 압력이 높은 곳에서 낮은 곳으로 흐르며, 주로 좌측 심장에서 우측 심장(예: VSD의 경우 좌심실에서 우심실 방향)으로 흐른다. 그 결과, 혈류가 증가하고 우측심장의 압력이 증가한다. 치료를 받지 않으면, 우측심장이 확장되고 심부전이 발생한다. 일부에서는 폐혈관에 비가역적 변화가 발생하여 혈관 내부의 저항이 증가한다. 이렇게 되면 폐동맥고혈압(pulmonary hypertension)과 함께 우측심장의 압력이 증가하게 되고(Eisenmenger reaction – 단락이 있는 상태에서 폐동맥고혈압이 동반되는 경우), 우측심장의 압력이 좌측심장의 압력을 초과하게 되어 혈류의 흐름이 우측에서 좌측으로 흐르는 '단락 역전(shunt reversal)'이 발생한다. 단락 역전이 발생하면 우측심장의 혈액이 폐순환을 거치지 못해 산소와 결합하지 못한 상태로 바로 전신 순환으로 들어가기 때문에 청색증을 유발하게 된다.

단락의 크기가 클수록 더 많은 혈액이 비정상적인 통로를 지나게 되므로, 혈역학적으로 의미 있는 정도의 좌우단락이 있는 경우 결함을 차단해야 한다. 단, 이미 Eisenmenger reaction이 발생하였다면 단락을 차단하는 경우 치명적인 우심부전이 발생할 수 있기 때문에 단락을 안전하게 차단하기에는 너무 늦었다고 볼 수 있다.

심실중격결손(Ventricular septal defect, VSD), 심방중격결손(Atrial septal defect, ASD), 난원공개존증(Patent foramen ovale, PFO) (그림 6.9, 6.10, 6.11)

2D 심초음파로 심실 혹은 심방 중격에서 결함을 확인할 수 있다. 색 혈류 지도로 결함을 가로질러 흐르는 혈류 방향을 확인할 수 있으며, 연속파 도플러를 이용해 결함 지역을 흐르는 제트의 속도(압력차)를 측정할 수 있다. 이는 좌심실과 우심실 사이에 빠른 혈류가 발생하는(좌우심실 사이에 높은 압력차이가 있음을 의미함) VSD를 평가할 때 특히 유용하게 사용되며 이를 제한적인(restrictive) VSD라 한다. 이런 경우 대개 단락의 크기가 크지 않다. VSD는 위쪽의 막성 중격이나 아래쪽의 근육성 중격에서 발생할 수 있다.

심방중격(interatrial septum, IAS)은 보통 얇고, 특정 단면(특히 A4C)에서 정상적인 중

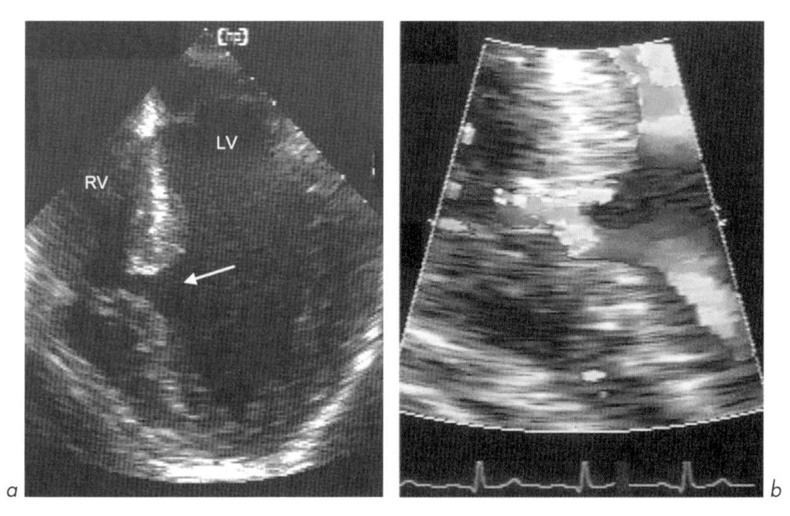

■ 그림 6.9 (a) 근육성(muscular) VSD(화살표). (b) 색 혈류 영상에서 좌심실에서 우심실로 흐르는 혈류가 관찰된다.

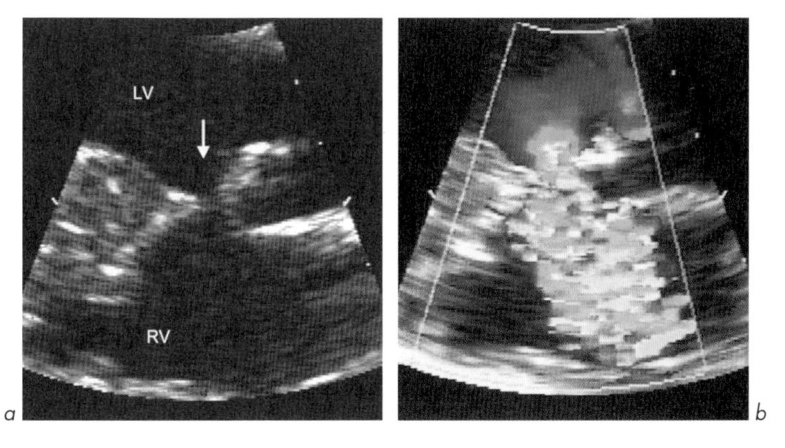

■ 그림 6.10 (a) 막성(membranous) VSD(화살표). (b) 색 혈류 영상에서 좌심실에서 우심실로 흐르는 혈류가 관찰된다.

격에 결함이 있는 것처럼 보일 수 있어 ASD로 오진할 수 있다. 이는 'echo drop-out'으로 알려진 효과 때문으로 이는 IAS에서 반사된 초음파 신호가 너무 약해서 발생하는 현상이다. A4C에서 IAS는 그 테두리를 따라 초음파빔이 닿게 되고, 탐촉자로부터 먼 곳에 위치한다. 다른 단면(예: 늑골하부창)을 통해 IAS을 관찰하면, IAS가 정상인지 확인할 수 있다.

TEE에서는 IAS가 잘 보이므로 ASD(**그림 5.12, 6.12, 6.13**) 및 PFO를 진단할 수 있다. ASD의 크기, 수, 유형(위치)을 확인하며, 수술보다 경피적 도관 유도 장치를 통한 폐색술(percutaneous catheter-guided device closure)에 적합한 경우인지 확인할 수 있다.

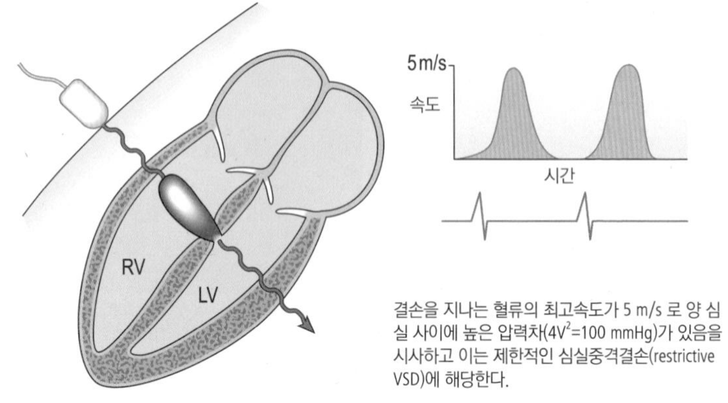

■ 그림 6.11 연속파 도플러로 VSD를 통해 좌심실에서 우심실로 흐르는 빠른 혈류를 확인할 수 있다.

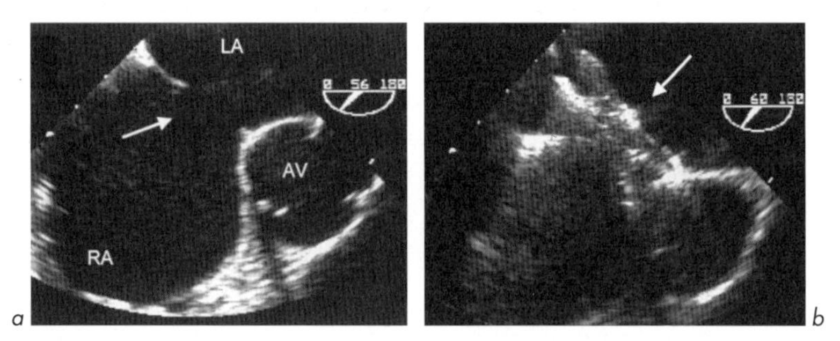

■ 그림 6.12 **경식도 심초음파(TEE).** (a) 이차공(secundum) ASD(화살표). (b) Amplatzer 기구(화살표)로 경피적 봉합 시술 시행 후 영상. 우심방에 기구로 인한 초음파 음영이 관찰된다.

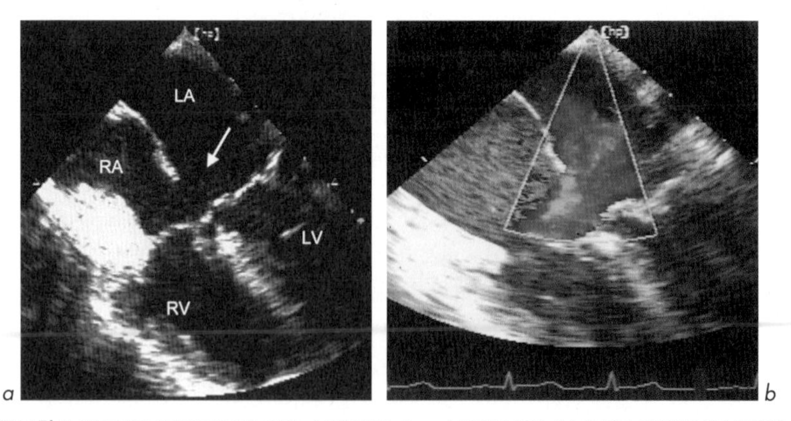

■ 그림 6.13 **경식도 심초음파(TEE) 4방도.** (a) 일차공(primum) ASD(화살표). (b) 색 혈류 영상에서 결손부위 혈류가 관찰된다.

다음의 상황에서 ASD의 경피적 폐색술이 적합하다.

- 다발성이 아님.
- 승모판이나 삼첨판에 너무 근접하지 않음.
- 결손의 크기가 <30 mm

일차공(ostium primum) ASD를 진단하는 데 TTE와 TEE 모두 우수하지만, 직경이 10 mm 이하인 이차공(secundum) ASD를 진단하는 데는 TEE가 TTE보다 우수하다. TTE로 이차공 ASD를 검사할 경우, 결손의 크기가 5 mm 미만인 경우의 20%만이 정확하게 진단되고 결손의 크기가 5~10 mm일 때는 80% 정도만 찾아낼 수 있다.

대부분의 임상적, 혈류역학적으로 유의한 ASD는 TTE로 진단한다. 그러나, 좌-우 단락이 있을 것으로 의심되지만 조영 초음파를 시도했음에도 TTE로 단락이 확인되지 않거나, 심도자술에서 중격천자를 시행한 경우와 같이 조그만 결함이라도 중요한 경우에는 TEE의 사용을 고려해야 한다. 관련 기형(예: 부분 폐정맥환류이상, partial anomalous pulmonary venous drainage)을 확인하는데도 TEE가 우수하다.

PFO는 부검례의 30%까지 발견되며, 조영제를 사용한 TTE와 TEE 시행시 유병률은 10~35% 정도이다. 색 혈류 영상 검사를 사용한 TEE로는 조영 심초음파에서 발견된 PFO의 1/3만을 확인할 수 있다. 그러므로, 단락이 의심되는 경우, 조영 심초음파를 반드시 실시해야 한다.

기구를 이용한 PFO 폐쇄는 다음의 경우 고려될 수 있다.

- 우좌단락에 의한 역행성 색전증(paradoxical embolism)이 원인으로 추정되는 뇌졸중
- 편두통. PFO를 막는 것이 편두통에 효과적인 치료법인지 결정하기 위한 연구는 아직 진행중이다.

미세기포/조영제를 이용한 심초음파(그림 6.14)

조영 심초음파는 IAS를 가로지르는 흐름이 있는지 확인하는 데 유용하다(5.3절 참고). 조영제는 상업적으로 개발된 조영제를 사용하거나 소량의 환자 혈액과 공기 방울이 포함된 식염수를 주사기를 사용하여 빠른 속도로 혼합하면 미세기포를 발생시켜 사용할 수 있다. 조영제를 말초정맥를 통해 주사하게 되면, 먼저 우심방 조영이 증가하게 되고 다음 우심실 조영이 증가한다. 흔히 흉강내 압력을 높이기 위해 피검자에게 발살바 수기(Valsalva maneuver)를 할 것을 요청하기도 한다. 발살바 수기를 시행하면, ASD나 PFO가 있는 경우 우심방에서 좌심방으로 흐르는 단락을, VSD가 있는 경우 우심실에서 좌심실로 흐르는 단락을 조영 현상을 통해 확인할 수 있다. 색 혈류 지도를 통해 어떤 흐름도 탐지하지 못한 경우에도, 미세기포 조영 심초음파가 양성일 수 있다.

미세기포/조영 심초음파의 적응증은 다음과 같다.

- PFO, ASD, VSD가 의심되는 경우
- 원인불명의 우심방, 우심실 확장
- 원인불명의 폐동맥 고혈압

PFO와 같은 심장내 단락을 평가하기 위한 조영 심초음파에선, 우심방에 미세기포가

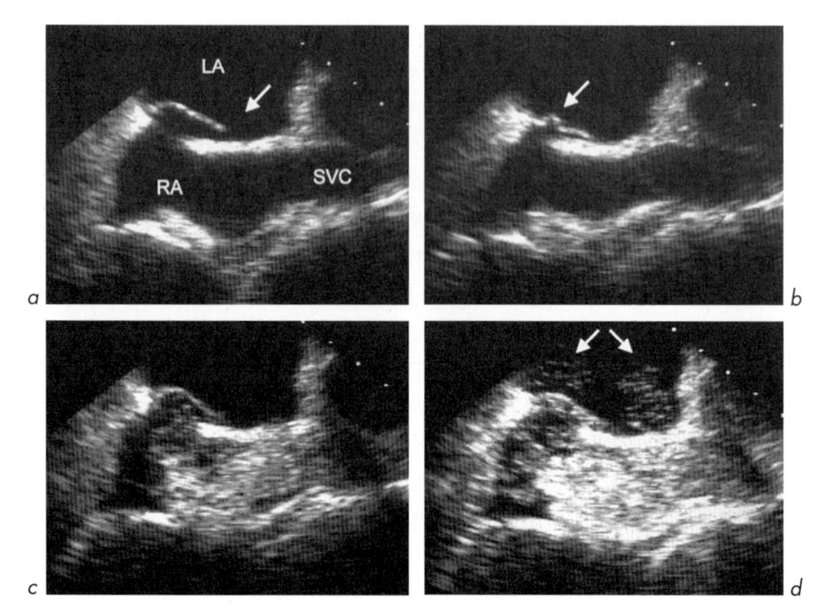

■ 그림 6.14 **난원공개존증(PFO)과 미세기포 조영 경식도 심초음파(TEE)** (a) PFO(화살표), (b) 심방중격이 'buckling' (화살표) 형태로 휘어지는 모습, (c) 미세기포가 우심방에서 조영됨, (d) 미세기포가 PFO를 통해 좌심방으로 흘러 들어가는 모습이 관찰됨(화살표)

나타난 후 3~6번의 심장주기 이내에 좌심방에서 미세기포가 발견될 경우 심장내 단락이 있는 것으로 간주한다. 이상적으로는, 미세기포가 PFO를 통해 IAS을 통과하는 것을 관찰할 수 있다. 좌심방내 미세기포의 수와 모양 그리고 좌심방의 불투명도에 따라 단락의 등급 분류 체계가 제안되었다(기포 없음, 경도, 중등도, 중증 단락으로 구분).

3~6번의 심장주기 후에 좌심방에서 미세기포가 발견될 경우 동정맥 기형(arteriovenous malformation)과 같은 폐내 단락이 있는 것을 나타낸다. 미세기포가 IAS를 통과하지 않고 폐정맥을 통해서 좌심방으로 들어오는 것을 관찰한다면 폐내 단락을 확진할 수 있다. PFO를 확인하기 위해 시행한 미세기포 조영검사에 대해서 위양성을 나타내는 다른 원인들로는 정맥동결손(sinus venosus septal defect) 또는 확인이 안 된 ASD가 있는 경우나 발살바 수기를 시행하면서 일시적으로 폐정맥의 혈류가 정체되어 자발조영이 일어나 'pseudocontrast' 현상이 발생하는 경우가 있다.

미세기포 조영검사가 위음성을 나타내는 원인들

- 우심방을 충분히 불투명하게 만들지 못한 경우
- 부적절한 발살바 수기
- 좌심실 이완기능장애 등의 원인으로 좌심방의 압력이 높아 우심방압이 좌심방압을 넘지 못한 경우.
- 초음파 영상 품질이 좋지 않은 경우. 제2 하모닉 영상(second-harmonic imaging)을 사용하면 미세기포의 식별 및 탐지능이 향상됨.

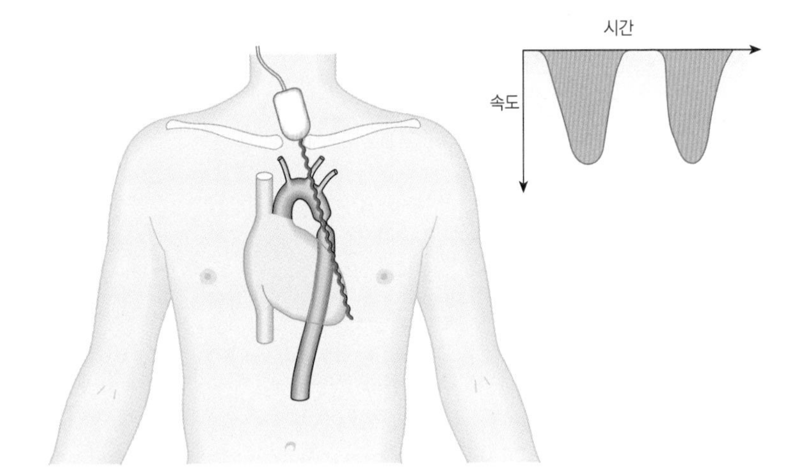

■ 그림 6.15 탐촉자를 흉골 상부 패임(suprasternal notch)에 두고 연속파 도플러로 축착(coactation) 부위를 가로지르는 혈류속도를 측정한다.

- 유스타키오판(Eustachian valve)이 하대정맥(IVC)에서 IAS로 정맥혈을 흐르도록 유도하여 상대정맥(SVC)에서 들어오는 미세기포가 IAS를 통과하는 것을 방해하는 경우.

동맥관개존증(Patent ductus arteriosus, PDA)

PDA는 출생 후에도 동맥관이 열려있는 상태로 유지되는 것이다. 동맥관을 통해 대동맥과 폐동맥이 연결된다. 수축기와 이완기에 걸쳐 들리는 연속적인 잡음이 발생한다(기계성[machinery] 잡음). 심초음파를 통해 단락의 존재 여부를 확인하고 혈역학적 중증도를 평가한다.

아이젠멩거 반응(Eisenmenger reaction)

심장 내부 또는 외부에 있는 단락이 폐동맥 고혈압을 동반한 경우 발생한다. 아이젠멩거 반응에서 심초음파는 매우 중요한 비침습적인 검사 방법으로, 원인질환(예: VSD)을 진단하고, TR의 최고 속도를 이용하여 폐동맥 수축기압을 추정하며, 합병증을 평가할 수 있다(예: TR의 중증도 평가, 우심실 크기 및 기능 평가).

2. 대동맥 축착(Coarctation of aorta, CoA)

초음파를 통해 대동맥의 축착(좁아짐)을 발견할 수 있으며, 탐촉자를 흉골상부패임(suprasternal notch)에 두고 연속파 도플러로 축착 부분을 가로지르는 최고 속도와 압력차도 측정할 수 있다(**그림 1.11, 6.15**).

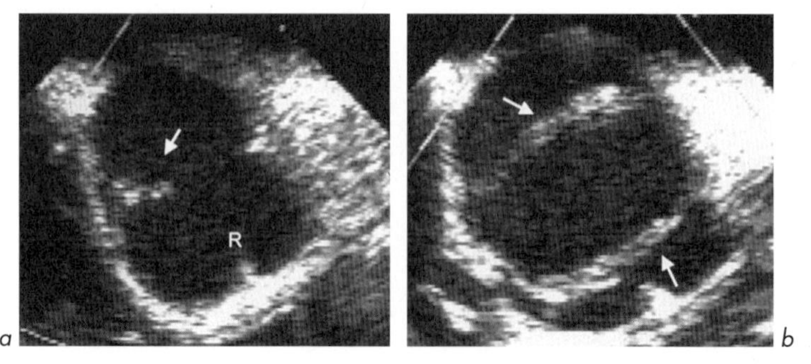

■ 그림 6.16 **이첨(bicuspid) 대동맥판. 경식도 심초음파(TEE) 단축 단면.** (a) 닫혀진 판막에서 편심성 닫힘선(화살표)과 2개의 첨판이 선천적으로 융합된 부분인 중심 솔기(median raphe-R)가 관찰됨. (b) 열린 판막에서 2개의 첨판이 관찰됨(화살표).

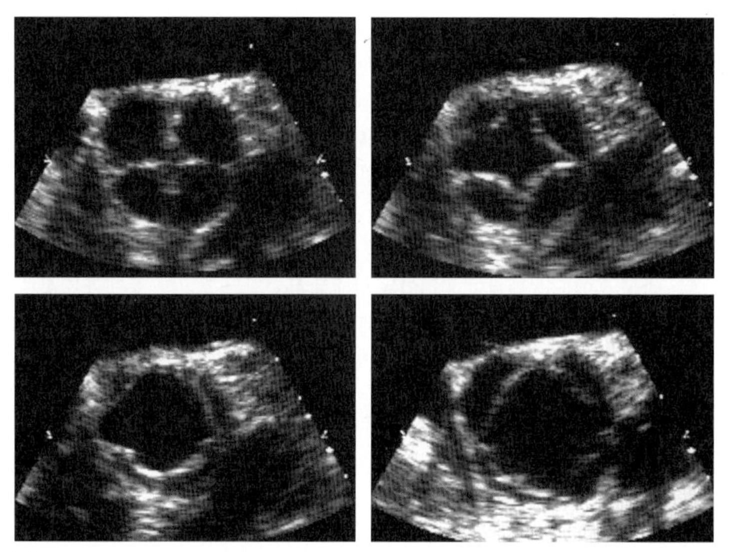

■ 그림 6.17 **사첨(quadricuspid) 대동맥판.** 닫힌 상태와 다양한 형태의 열린 상태가 관찰됨. 중증 AR로 인해 수술 후에 해부학적 구조가 확진됨. 이런 선천성 기형은 매우 드묾.

3. 선천적인 판막 이상

이첨 대동맥판(그림 6.16)

가장 흔한 선천적 심장기형이다(인구의 1~2%). M-mode 심초음파에서 편심성 닫힘선(eccentric closure line)을 확인하거나, 2D 심초음파, 특히 대동맥판 높이의 PSAX에서 특징적인 이첨판 모양을 확인할 수 있다. 이첨 대동맥판은 단독으로 또는 다른 선천성 기형(예: CoA)과 동반하여 발생하며, AS를 유발할 수 있다. 매우 드물지만 사첨 대동맥판(4-leaflet valve) 같은 대동맥판의 이상이 발견될 수 있다**(그림 6.17)**.

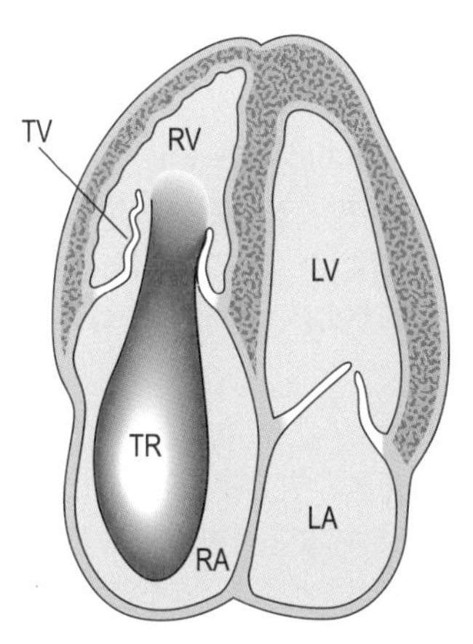

■ 그림 6.18 **엡스타인 기형(Ebstein's anomaly).** 삼첨판이 심첨부쪽으로 치우침(displacement). 대개 삼첨판 형성 이상(기형)이 동반되어 삼첨판 협착이나 역류를 유발할 수 있음.

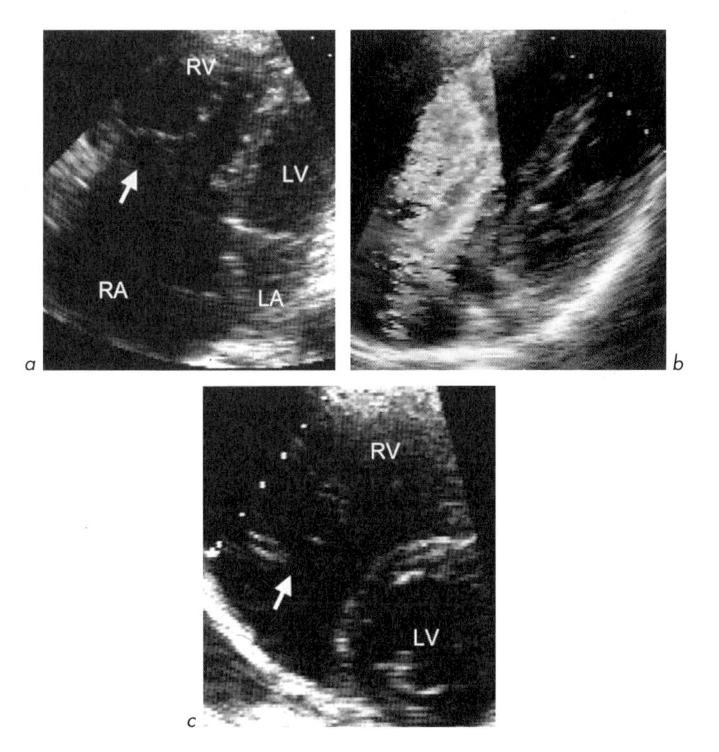

■ 그림 6.19 **엡스타인 기형(Ebstein's anomaly).** (a) 심첨부 4방도에서 삼첨판 기형(화살표)이 관찰됨. (b) 색 혈류 영상에서 중증의 TR이 관찰됨. (C) 좌측 흉골연 단축 단면에서 우심실 확장과 삼첨판 기형(화살표)이 관찰됨.

엡스타인 기형(Ebstein's anomaly) (그림 6.18, 6.19)

엡스타인 기형은 드물지만 중요하다. 특징적으로 삼첨판 형성이상(기형)이 일어나면서, 삼첨판이 우심실의 심첨부로 전치(displacement)되는 현상을 보이며, 결과적으로 우심실 윗부분의 '심방화(atrialization)'된다. 삼첨판엽과 건삭의 기형은 삼첨판 폐쇄(성장부전)를 포함하며, TS 또는 TR을 유발할 수 있다. 2D 심초음파와 도플러 초음파를 통해 기형을 확인하고 기형에 의해 유발된 변화를 확인할 수 있다.

폐동맥 협착(Pulmonary stenosis)

폐동맥 협착은 선천적인 기형으로 발생할 수 있으며, 협착 정도가 심하더라도 성인이 될 때까지 증상을 유발하지 않을 수 있다(특히 우심실 기능이 원활하고, 중증의 TR이 없으며, 동율동이 유지되는 경우). 폐동맥 협착은 폐동맥판(valvular)이 좁아지거나, 폐동맥이나 우심실 유출로(RV outflow tract)가 좁아지면서 발생한다. 연속파 도플러와 2D 심초음파를 통해 협착의 중증도, 우심실의 크기와 기능, 관련 선천적 병변 및 TR 여부와 중증도를 평가할 수 있다.

4. 선천적인 심방기형

삼방심(Cor triatriatum, three-atrium heart)은 좌심방(매우 드물게 우심방) 내에 비정상적인 추가 막(격벽)이 존재하여 심방을 분할하여 두 개로 나누는 것처럼 보이는 기형으로, 총 세 개의 심방이 있는 것처럼 관찰된다. 격벽에 구멍이 존재하여 혈액이 교통할 수도 있고 완전히 막혀 혈액의 교통이 없을 수도 있다. 전체 선천성 심장질환의 0.1%를 차지하지만, 50% 정도에서 다른 선천성 심장질환을 동반한다(예: 팔로 4징[tetralogy of Fallot], 이중출구 우심실[double outlet RV], CoA, VSD). 출생시 또는 유아기에 심부전이 나타날 수 있으며, 진단될 경우 외과 수술을 통해 비정상적인 막을 제거할 수 있다. 드물게는 성인이 될 때까지 별다른 자각증상 없이 지내다가 우연히 발견될 수도 있다(**그림 6.20**).

5. 복합 선천적 이상

이와 관련된 내용은 이 책의 범위를 벗어나는 것이나, 그 중 한가지 질환은 알아둘 필요가 있다: 팔로 4징(tetralogy of Fallot)(**그림 6.21, 6.22**) – 특징은 다음과 같다.

1. 심실중격결손 - 일반적으로 막성(perimembranous)
2. 대동맥 기승(Over-riding aorta) - 대동맥이 오른쪽으로 옮겨지고, IVS와 연속성이 없어짐
3. 우심실유출로 폐쇄(RV outflow tract obstruction, RVOTO) - 다양한 위치에서 존재, 종종 결합한 형태로 존재 - 누두부(판막하부, infundibular[subvalvular]) 위치에서 70~80%, 판막 위치에서 20~40%, 판막상부(supravalvular)에서는 흔하지 않음.

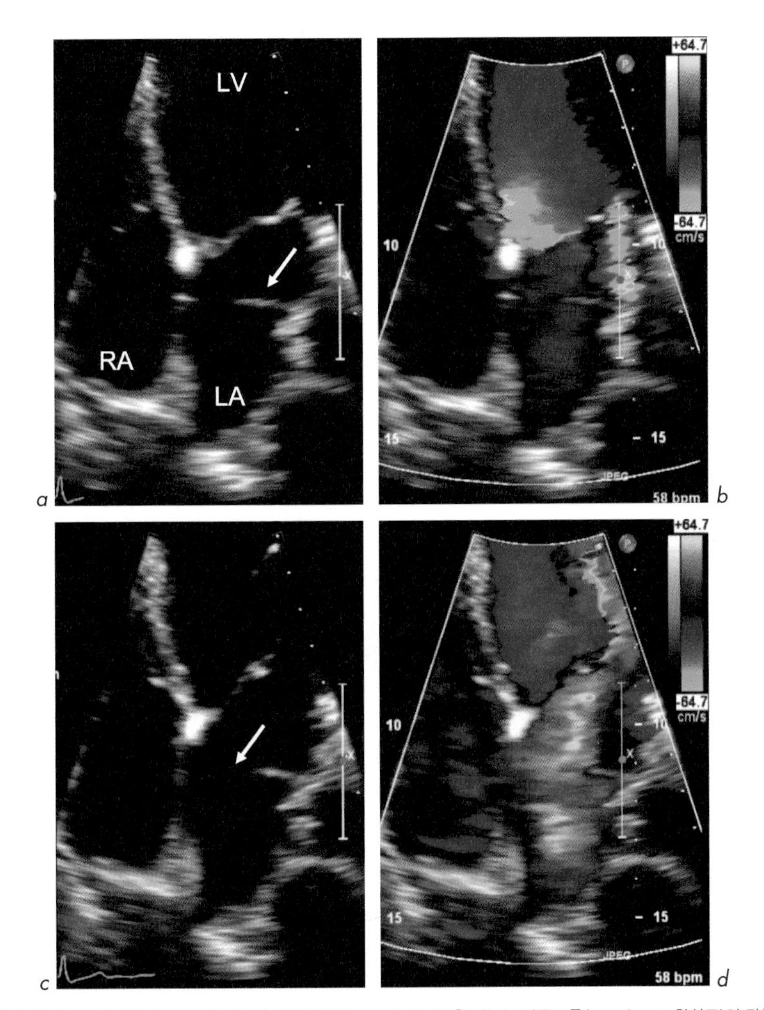

■ 그림 6.20 **삼방심(Cor triatiatrium). 심첨부 4방도.** (a) 좌심방을 나누는 막구조물(membrane,화살표)이 관찰됨. (b) 승모판이 닫힌 상태의 색 혈류 영상. (c) 막구조물 내에 결함(구멍,화살표)이 존재. (d) 승모판이 열린 상태의 색 혈류 영상. 막의 결손 부위를 통과한 혈류가 승모판을 통해 좌심방에서 좌심실로 흐름(주의 - 심방중격결손(ASD)은 없다. 심방중격에서 관찰되는 색 음영은 'echo drop-out' 효과에 의한 것이다).

4. 우심실비대

심초음파를 이용하여 최근에는 보통 유아기에 팔로 4징을 진단할 수 있다. 심초음파는 수술을 시행한 후 추적관찰에도 도움이 된다. 수술 후 추적관찰에는 VSD 폐쇄의 적절성 평가, 잔류 RVOTO 확인, PR의 중증도 평가, 우심실의 두께 및 기능을 검사하는 것이 포함된다.

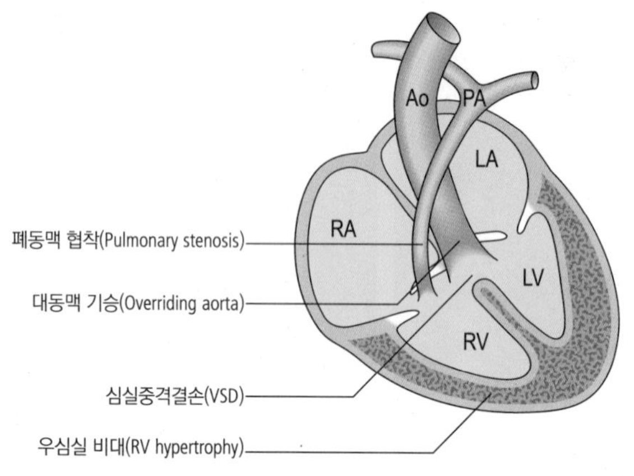

■ 그림 6.21 **팔로 4징(Tetralogy of Fallot)**

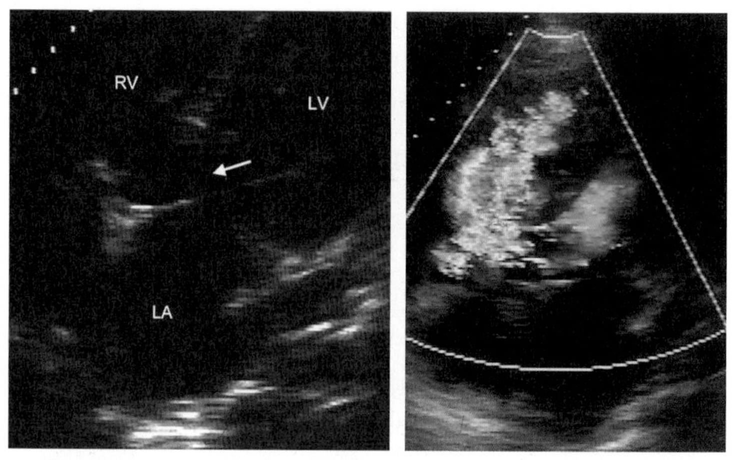

■ 그림 6.22 **팔로 4징(Tetralogy of Fallot).** 심첨부 4방도의 색 혈류 영상에서 VSD(화살표)를 통한 혈류 흐름이 관찰됨.

6. 심박출량 및 단락의 크기를 추정하기 위한 심초음파검사

초음파를 통해 단락의 크기를 추정할 수 있다. 그 방법은 단순하지만, 약간의 설명이 필요하다.

3장에서 연속방정식을 사용하여 좌심실의 심박출량을 평가하는 방법을 소개하였다. 이 방법으로 대동맥 또는 전신혈류량(Qs)을 측정할 수 있으며, 유사한 방법으로 폐혈류량(Qp)을 측정할 수 있다. ASD나 VSD에 있는 단락의 크기는 전신혈류량에 대한 폐혈류량의 비를 통해 추정할 수 있다. 이를 Qp/Qs로 표시한다.

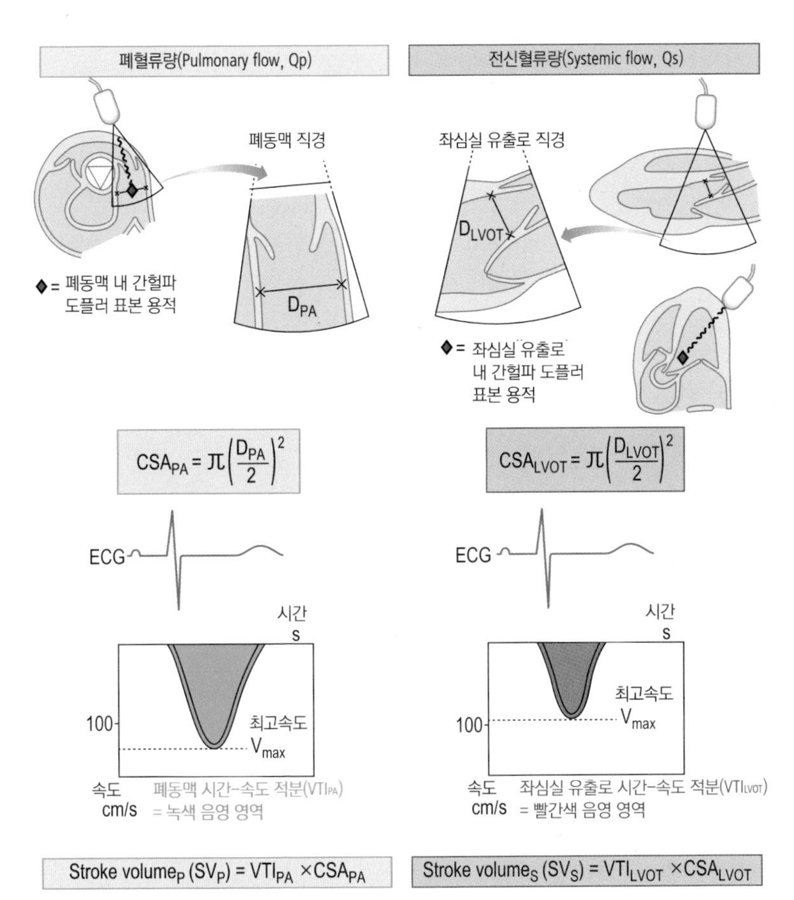

주의:

1. 시간-속도 적분(VTI)을 구할 때 최고 속도(V_{max})가 〈2 m/s 일 경우만 간헐파 도플러 사용이 가능하다. 최고속도(V_{max})가 〉2 m/s 인 경우 연속파 도플러 사용한다.
2. 시간-속도 적분(VTI)를 cm 단위로 기록하기 위해서 속도를 반드시 cm/s 단위로 측정한다. 1회 박출량(stroke volume)은 cm^3(ml) 단위로 나타나고 일회 박출량(stroke volume)에 심박동(heart rate)를 곱하면 심박출량(cardiac output, ml/min)을 구할 수 있다.
3. 단락의 크기는 폐혈류량/전신혈류량(Q_P/Q_S)으로 측정한다. 좌, 우 심장의 박동수가 동일하므로 Q_P/Q_S는 폐혈류의 일회 박출량(stroke volume$_P$, SV_P)과 전신혈류량의 일회 박출량(stroke volume$_S$, SV_S)의 비와 같다.

■ 그림 6.23 심초음파는 전신혈류량과 폐혈류량을 측정하여 단락의 크기를 평가할 수 있다.

대략적으로, 단락의 비(Qp/Qs)가 >2.0 이면, 단락은 혈역학적으로 유의하다.

그림 6.23은 사용된 방법을 보여준다.

단락의 크기(Q_P/Q_S) 계산:

- ASD 또는 VSD로 인한 단락의 계산에서, 좌측 심장과 우측 심장의 심장 박동수가 동일하기 때문에, 폐혈류량(Q_P)과 전신혈류량(Q_S)의 비(Q_P/Q_S)가 폐동맥판을 가로질러 폐로 흐르는 혈류의 일회박출량(SV_P)과 대동맥판을 가로질러 전신으로 흐르는 혈류의

일회 박출량(SVs)의 비(SV_P/SV_S)와 같다.

$$Q_P/Q_S = SV_P/SV_S$$

- 대동맥판을 지나는 전신혈류량(SV_S)은 좌심실유출로(LVOT)를 지나는 혈액량과 같으며 다음과 같이 계산할 수 있다.

$$SV_S = CSA_{LVOT} \times VTI_{LVOT}$$

CSA_{LVOT}는 LVOT의 단면적(CSA)이고, VTI_{LVOT}는 LVOT의 속도-시간 적분(VTI)이다.

- 폐동맥혈류량(SV_P)는 다음과 같이 계산한다.

$$SV_P = CSA_{PA} \times VTI_{PA}$$

CSA_{PA}는 폐동맥(PA)의 단면적이고, VTI_{PA}는 폐동맥의 속도-시간 적분이다.

- 폐혈류량(Qp)과 전신혈류량(Qs)의 비(Qp/Qs):

$$Q_P/Q_S = SV_P/SV_S = \frac{VTI_{PA} \times D^2_{PA}}{VTI_{LVOT} \times D^2_{LVOT}}$$

- 폐동맥의 속도-시간 적분(VTI_{PA})은 대동맥판 높이의 PSAX에서 측정한 폐동맥 수축기혈류의 도플러 신호를 통해 측정한다.
- 폐동맥의 직경(D_{PA})은 같은 위치에서 측정한다
- LVOT의 속도-시간 적분(VTI_{LVOT})은 A5C나 A3C에서 간헐파 도플러를 이용하여 측정한다.
- LVOT의 직경(D_{LVOT})은 같은 단면도나 PLAX에서 측정한다.

6.5 대동맥

대동맥은 신체에서 가장 큰 동맥이며**(그림 6.24)** 좌심실로부터 산소가 공급된 혈액을 운반한다. 대동맥은 다음과 같이 나뉘어져 있다

- 대동맥근(대동맥륜[AV annulus], 판막엽[leaflet], 발살바동[sinus of Valsalva], 동관접합부[sinotubular junction]) **(그림 2.13)**
- 상행(ascending) 대동맥
- 대동맥궁(arch)
- 하행(descending) 대동맥

다른 동맥과 마찬가지로 혈관벽은 내막, 중막 및 외막의 3개의 층으로 구성되어 있다 **(그림 6.24)**.

대동맥근와 상행 대동맥 측정의 중요성

초음파로 대동맥을 검사할 수 있다. 성인에서는 경흉부 심초음파(TTE)의 흉골연 장축 단면도 및 심첨 5방도에서 대동맥의 처음 몇 센티미터가 얇고 밝은 관모양으로 관찰된다

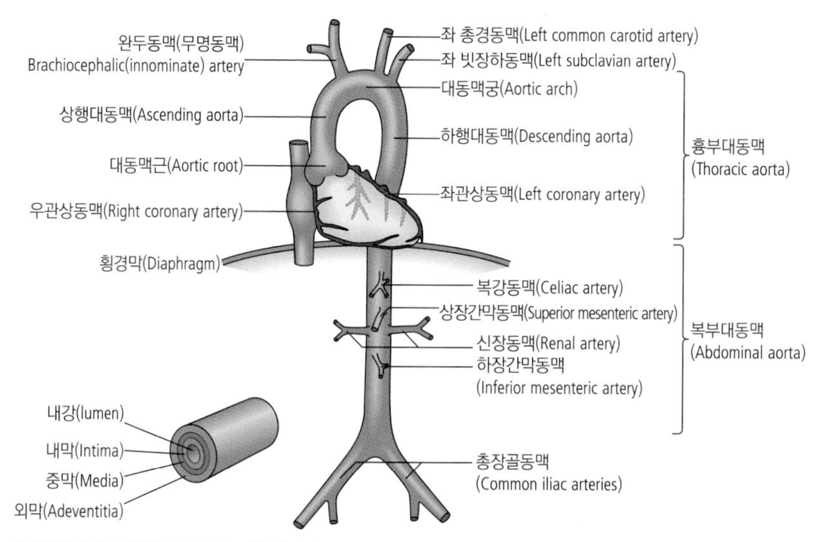

그림 6.24 **대동맥과 주가지. 대동맥 벽의 구조**

표 6.2 **초음파로 측정한 대동맥근(aortic root)와 상행대동맥(ascending aorta) 직경의 정상 범위(단위 cm)**

	여자	남자
대동맥륜(Aortic annulus)	2.1 – 2.5	2.3 – 2.9
발살바동(Sinuses of Valsalva)	2.7 – 3.3	3.1 – 3.7
동관접합부(Sinotubular junction)	2.3 – 2.9	2.6 – 3.2
상행대동맥(Ascending aorta)	2.3 – 3.1	2.6 – 3.4

(그림 1.3, 1.4, 1.13, 1.16, 1.18, 2.19). M-mode 나 2D 심초음파를 통해 대동맥근와 상행 대동맥의 4 개의 지점(대동맥륜, 발살바동, 동관접합부, 상행 대동맥[그림 2.13])에서 이완기말(end-diastole)에 직경을 측정한다(단, 대동맥륜은 수축기 중기[mid-systole]에 측정한다). 최대 직경을 **표 6.2**에 기술하였다.

대동맥판 수술 전에 대동맥근 및 대동맥판의 형태에 대한 상세한 지식과 정량화가 필요하다. 그것은 또한 최근에 증가하고 있는 경피적 대동맥판 치환술(transcatheter AV implantation/replacement[TAVI/TAVR - 다음에 서술])에서도 중요하다.

TTE의 흉골상부 단면도에서 대동맥궁과 그 주요 분지를, 그리고 우측 흉골연 단면도에서 상행 대동맥을 관찰할 수 있다. 성인에서는 TTE를 통한 대동맥 관찰이 어려울 수 있으며, TEE(5장 참고)는 상행 대동맥, 대동맥궁, 하행 대동맥에 대한 뛰어난 영상을 얻을 수 있다.

대동맥에 생길 수 있는 질환은 대동맥 축착(6.4절 참고)과 같은 선천성 기형과 죽상경화증, 대동맥류 및 대동맥 박리(5.1절 참고)와 같은 후천성 질환이 있다. 대동맥의 죽상경

흉부대동맥(Thoracic aorta)

1. 대동맥 벽이 약해짐

- 동맥경화
- 노화(65세 이상에서 더 흔함)
- 흡연
- 결합조직 및 탄력섬유질환 – Marfan's Ehlers–Danlos, 탄력섬유성 위황색종(peudoxanthoma elasticum)
- 염증(동맥염)–강직성척추염, 거대세포동맥염, 타카야수 동맥염
- 감염–매독, 결핵, 살모넬라
- 외상후 감속손상(deceleration injury), 의인성(e.g.심도자 시술 후)
- 가족력(상염색체 우성)

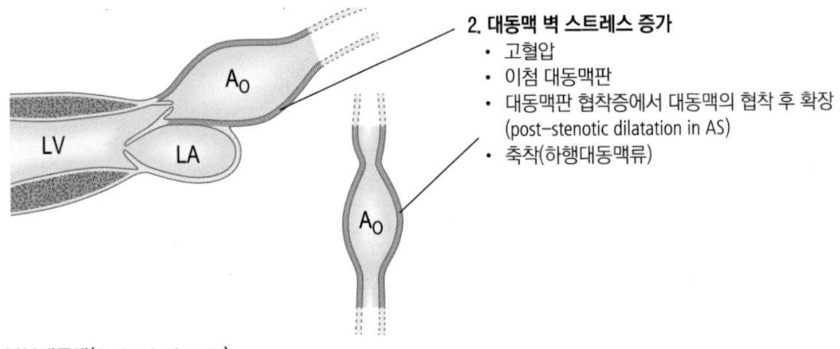

2. 대동맥 벽 스트레스 증가

- 고혈압
- 이첨 대동맥판
- 대동맥판 협착증에서 대동맥의 협착 후 확장 (post–stenotic dilatation in AS)
- 축착(하행대동맥류)

복부대동맥(Abdominal aorta)

- 흡연(>90%)
- 동맥경화
- 고혈압
- 노화
- 유전적 인자 – 특히 남성(대동맥류가 있는 환자의 남자 형제에서 4~6배 정도 위험도 증가)
- 결합조직 및 탄력섬유질환 – 낭성 중층 괴사(cystic media necrosis)

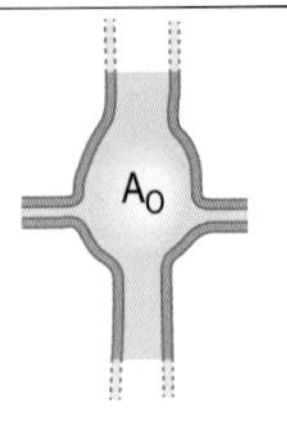

■ 그림 6.25 **대동맥류의 원인과 위험인자(대동맥 박리의 경우와 유사함)**

화증은 TTE로도 관찰할 수 있지만, TEE로 관찰하면 고화질의 영상을 얻을 수 있다.

대동맥류(Aortic aneurysm)

대동맥류는 대동맥이 국소적으로 확장되는 것을 의미하는데, 일반적으로 대동맥의 직경이 정상 상한의 50% 이상 확장된 경우를 대동맥류라고 한다. 대동맥류는 상행 대동맥, 대동맥궁 및 하행 대동맥 모두에서 발생할 수 있다. 동맥벽을 이루고 있는 세 층이 모두 늘어난 경우를 진성 동맥류라 한다. 그 모양에 따라 방추상형(fusiform, 대칭적인 모양) 혹은 낭포형(saccular, 좁은 목이 있는 비대칭 모양)으로 나누기도 한다. 대동맥류의 원인과 위험인자에 대해서는 그림 6.25에 기술하였다.

TTE로 상행 대동맥(**그림 2.19**)과 대동맥궁을 관찰할 수 있다. TEE로는 흉부대동맥의 전체를 연속적으로 관찰할 수 있어 대동맥류를 평가하는데 뛰어나다(**그림 5.9, 7.2**). 대동

맥류의 증상은 크기와 위치에 따라 다르다. 동맥류가 파열되거나(직경이 클수록 파열위험 증가), 동맥류가 주위의 인접한 장기를 눌러 이로 인한 증상(예: 식도를 눌러 연하장애 유발)을 호소할 수 있고, 다른 이상과 관련될 수 있다(예: Marfan 증후군에서 대동맥류와 대동맥판 역류 동반, 그림 7.2). 대동맥류를 수술적으로 치료할 것인지 여부는 대동맥류의 위치, 크기, 증상 및 동반하는 심혈관 및 의학적 상태에 따라 결정한다. 초음파로 복벽을 통하여 복부대동맥을 관찰하여, 복부대동맥류를 발견할 수도 있다**(그림 6.25)**.

대동맥 박리(Aortic dissection)

대동맥 박리는 생명을 위협하는 응급상황으로, 대동맥 벽의 내막이 찢어져 중간 층과 분리되어 박리편(dissection flap)을 형성하는 질환이다. 대동맥 벽의 파열된 틈으로 혈액

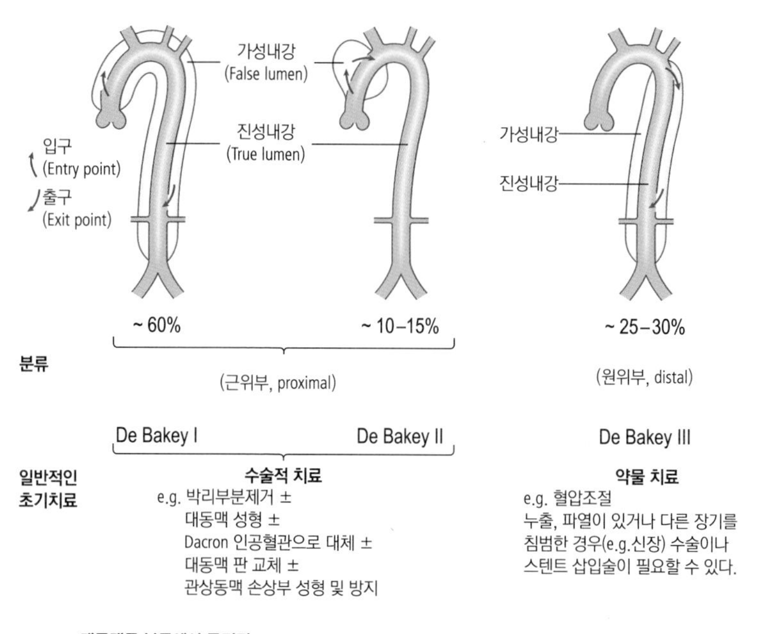

- **대동맥류 분류에서 특징점**
- **Stanford classification** – 임상적 치료 결정에 유용함
  Standard A – 상행대동맥 ± 대동맥궁 ± 하행대동맥
  Standard B – 하행대동맥에 국한(좌 빗장하동맥 원위부)
- **De Bakey classification** – 초기 찢어진 위치와 박리 범위에 따라 분류함
  I – 상행대동맥에서 찢어져, 대동맥궁이나 그 이후 까지 박리된 경우
  대게 65세 이상, 사망률이 높음
  II – 상행대동맥에 국한됨.
  III – 하행대동맥에 국한됨. 대개 고혈압과 동맥경화가 있는 고령 환자에서 호발

그림 6.26 **대동맥 박리(aortic dissection). 분류 및 치료.**

이 유입되면서 가성 내강(false lumen)을 형성하는데, 대동맥의 원위부에서 다시 대동맥 혈류로 합류할 수도 있다(입구와 출구[entry and exit points]).

대동맥 박리의 원인과 위험 인자는 대동맥류와 유사하다(**그림 6.25**). 대동맥 박리의 위치에 의해서 임상 양상이나 치료가 결정된다. 원위부 대동맥의 박리는 대개 내과적으로 치료하고, 상행 대동맥이나 대동맥궁과 같은 근위부 대동맥의 박리는 즉각적인 수술이 필요하다. 하행 대동맥 박리의 일부 경우에서는 수술하거나 대동맥에 스텐트를 삽입하여 치료할 수 있다. 대동맥 박리의 임상 증상은 대개 심각한 흉부 통증(종종 견갑골 사이의 찢어지는 듯한 통증)이 발생하며, 박리에 의해 합병증이 발생하여 증상을 호소할 수 있다(예: 대동맥 박리가 대동맥근나 대동맥판을 침범한 경우 급성 AR이 발생하여 급성 심부전을 유발할 수 있음). 그림 6.26에 대동맥 박리의 분류 및 치료를 기술하였다.

TTE는 상행 대동맥의 박리 및 AR과 같은 합병증을 진단하는데 유용하고, 2D와 3D TEE는 대동맥 박리 평가에 뛰어나다(**그림 5.9, 7.2**).

대동맥판 및 대동맥근에 대한 경피적 인공물 삽입술–경피적 대동맥판 인공물 삽입술
(TAVI, **또는** TAVR나 PAVR라고도 함)

경피적 대동맥판 인공물 삽입술(Transcatheter AV implantation or replacement[TAVI, 또는 TAVR], or percutaneous AV replacement[PAVR])은 새로운 기술로, 증상이 있는 중증 AS 환자에서 심한 동반질환으로 개흉수술을 받을 수 없는 경우에 점차 사용이 증가하고 있다.

TAVI는 협착된 자연 대동맥판을 가로질러 스텐트가 있는 인공판막을 삽입하는 시술이다(**그림 6.27**). TAVI 시술경로는 대퇴동맥을 통한 경피적 접근이 일반적이지만 심첨부

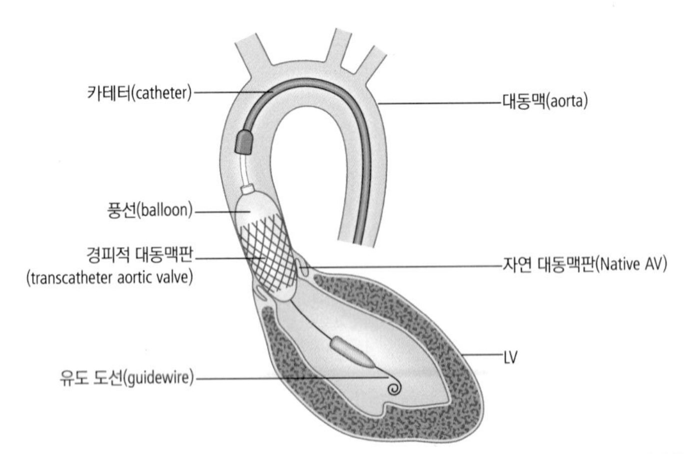

■ 그림 6.27 **경피적 대동맥판 삽입술(TAVI).** 협착된 자연 대동맥판을 가로질러 스텐트가 있는 인공판막을 삽입한다. 자연 대동맥판은 열린 상태로 고정된다. 삽입이 끝나면 풍선을 수축시켜 유도 도선과 카테터를 함께 제거한다.

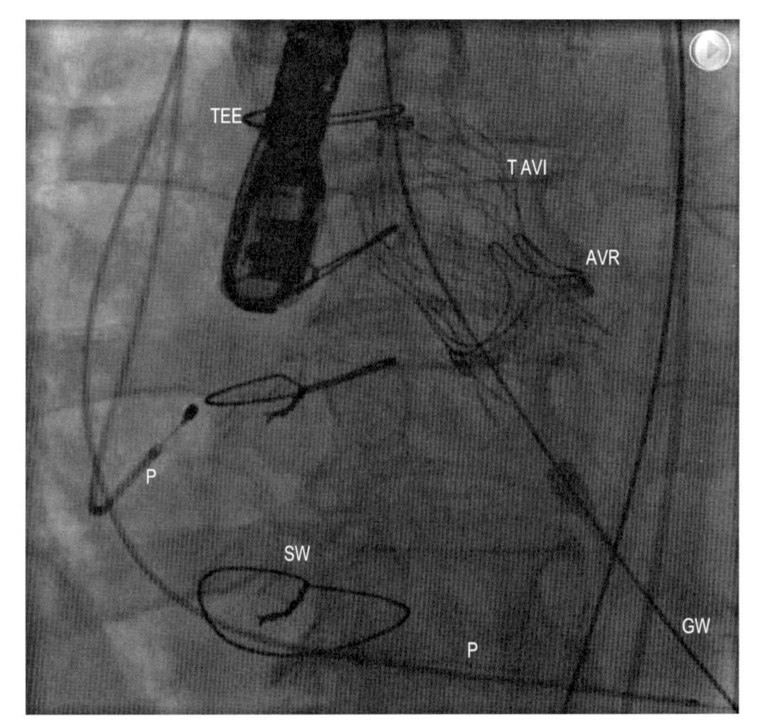

■ 그림 6.28 **협착이 진행된 인공 조직 대동맥판을 지니고 있는 환자에게서 경피적 대동맥판 삽입술(TAVI) 시술.** TAVI 시술 중 흉부 방사선 사진. 인공 대동맥판(prosthetic aortic valve, AVR), 경식도 심초음파 탐촉자(TEE probe, TOE), 조율선(pacing wire, P), 유도 도선(quidewire, GW), 흉골도선(sternal wires, SW): 이전 대동맥판 치환술 당시 시행한 흉골절개술(sternotomy) 흔적.

(transapical), 대동맥(transaortic), 대정맥(transcaval)을 통한 접근도 가능하다. 환자의 판막은 삽입된 스텐트 판막에 의해 열린 상태로 고정된다. TAVI는 협착이 진행된 조직판막에서도 시행될 수 있다**(그림 6.28)**.

TAVI 시술의 전단계에서 심초음파는 중요한 역할을 한다. 다양한 심초음파 기법이 사용된다(2D, 3D, TTE 및 TEE). 시술 전후 심초음파 사용은 다음과 같다.

- 시술전 준비 – AS의 중증도 평가, 정확한 크기의 스텐트 판막을 선택하기 위해 대동맥 판륜의 직경을 측정(TTE 또는 TEE, 2D 또는 3D), 삼첨판인지 이첨판(기술적으로 더 어려움)인지 확인. 대동맥근와 좌심실 유출로의 해부학적 구조 확인. 좌심실 기능평가. 폐동맥 수축기압 평가. 동반된 판막질환 확인(예: MR, 심장내 혈전). 관상동맥의 기시부를 확인하고 대동맥판륜과의 관계를 파악하기 위해서 CT나 심장 MRI와 같은 다른 영상 진단법을 사용하는 것이 도움이 될 수 있다.
- 시술중 모니터링 – 대부분 TEE를 사용하는데, 항상 그런 것은 아니며 전신마취가 필요하다. 특히 초기 학습과정에서 유용할 수 있다. 시술 중 초음파 모니터링은 X선 형광 투

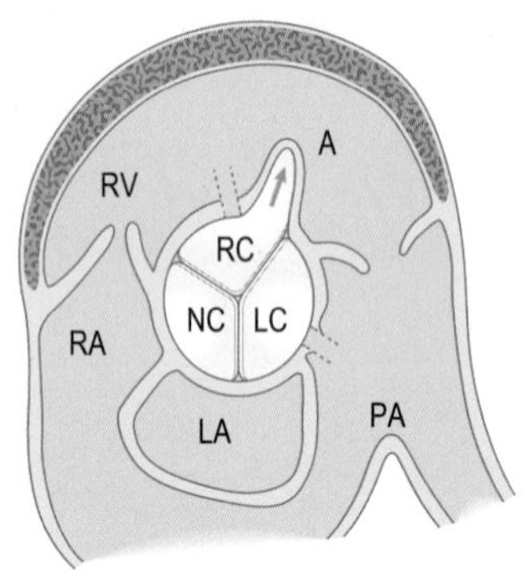

■ 그림 6.29 **발살바동 동맥류(sinus of Valsalva aneurysm).** 흉골연 단축단면 우심실 유출로(대동맥판) 높이. 동맥류(A, 화살표)가 우관상동(right coronary[RC] sinus)에서 기시하여 우심실로 돌출되어 있으며, 이곳이 가장 흔한 발생 위치이다. 좌관상동(left coronary[LC] sinus)과 비관상동(non coronary[NC] sinus)이 관찰되고 있고, 관상동맥 기시부가 점선으로 표시되었다. PA: 폐동맥

시와 함께 판막의 올바른 위치선정에 도움을 줄 수 있다**(그림 6.28)**.

- 시술 직후 합병증 발생 및 성공 여부 평가
- 시술후 추적 관찰 – AR 평가, 좌심실 기능과 폐동맥 수축기압 평가

발살바동 동맥류

발살바동(sinuses of Valsalva)은 대동맥판의 세 첨판들과 대동맥벽 사이의 팽창부를 일컬으며, 발살바동에서 관상동맥이 기시한다**(그림 2.13)**. 발살바동은 여러 가지 원인에 의해서 확장될 수 있다.

- 선천성(VSD와 연관)
- 대동맥근의 병리(예: Marfan 증후군, Ehlers-Danlos, 감염성 심내막염 또는 매독과 같은 감염)
- 의인성(iatrogenic) – 심도자술 또는 수술 후

발살바동 동맥류는 인접한 심장강으로 돌출될 수 있다(우관상동[right coronary sinus]에서 우심실로 65-85%, 비관상동[non-coronary sinus]에서 우심방으로 10-30%, 좌관상동[left coronary sinus]에서 좌심방으로 <5%)**(그림 6.29)**. 대개 무증상이지만, 파열되어 누공 및 비정상적인 단락(예: 대동맥에서 우심실로)을 형성할 수 있으며, 이 경우 수술적 치료가 필요하다.

7

특수상황

7.1 임신

임신 중 심초음파검사는 안전하다. 심박출량이 증가(임신 시 30~50% 상승함)하면서 많은 임신부들에게서 수축기 심잡음이 관찰되며, 대부분의 심잡음은 양성(예: 유방잡음[mammary souffle])이지만 일부는 양성이 아닌 경우도 있다. 임신부의 심장질환은 임신 중 처음 발견되어 진단되는 경우와, 이전에 심장질환이 있는 여성이 임신 후 심장상태가 악화되는 경우가 있으며, 모두에서 심초음파검사가 필수적이다. 일부 임신부는 두근거림을 호소하는데, 두근거림이 심초음파검사를 시행하는 명확한 적응증은 아니지만 정상 좌심실 기능, 정상 방실 크기와 정상 판막기능을 확인하는 것이 환자를 안심시키는 데 도움이 될 수 있다.

임신 시 해부학적 변화와 심초음파 변화는 다음과 같다.

- 우심방과 우심실을 포함한 방실의 경한 확장. 좌심방은 10~15%, 좌심실은 5~10% 커진다.
- 일회 심박출량(stroke volume) 증가(대동맥과 폐동맥혈류의 시간 속도 적분값[TVI]의 증가)
- 혈역학적 변화를 초래하지 않는 소량의 심낭삼출액(20%). 혈역학적 이상이 있으면 심낭삼출의 기타 원인을 고려해야 한다.
- 분만전후 심근병증(peripartum cardiomyopathy)
- 분만전후기에 혈관벽 '약화(laxity)'. 분만전후기에 대동맥과 관상동맥 자발 박리가 좀 더 흔하게 나타나긴 하지만 드물다.
- 임신 후반기에 자궁이 확장되면 복강 내압이 상승하여 흉부 구조물을 압박하게 되고 이것이 심장 후벽부의 가성 벽운동이상(pseudo-posterior wall motion abnormality)을 초래할 수도 있다. 이는 복수가 동반된 간질환 환자에서 보이는 현상과 유사하다.

물론 임신에 중요한 영향을 끼치는 여러 선천성 심장이상이 존재한다. 심장위험이 높은 임신과 관련된 지식이 축적되고 있으며, 심장위험이 높은 임신부들은 산부인과 전문의, 조산사, 심장내과 전문의, 마취과 전문의, 심장 생리학자, 간호사를 포함한 다양한 분야의 전문가들이 팀을 이루어 위험을 최소화하기 위해 함께 작업하는 전문센터에서 관리되고 있다. 심초음파검사는 종종 의사 결정과정에서 중요한 역할을 한다.

1. 고위험과 관련된 심장 병변(산모측)

- 폐고혈압(일차성 또는 Eisenmenger에 의한 이차성)
- 중증의 대동맥판 협착증
- 중증의 승모판 협착증
- Marfan 증후군
- 비후성 심근병증(특히 고도의 유출로 폐쇄)
- NYHA 4단계 호흡곤란을 유발하는 병변(즉, 휴식기 또는 최소한의 운동상태에서 발생하는 호흡곤란)
- 복잡한 심장이상(아래 내용 참고)

Eisenmenger 반응(단락을 동반한 폐고혈압)은 높은 산모 사망률(30-70%)과 태아 사망률을 나타낸다. 산모의 주요한 사망 원인은 부정맥, 청색증 증가, 낮은 심박출량, 폐동맥압의 치명적인 상승, 우심부전이다. 출산 직후 초기가 특히 위험한데, 출산 전후 정맥 환류의 갑작스런 변화와 관련이 있을 수 있다.

대동맥판 협착증 또는 승모판 협착증이 있는 경우 임신은 심박출량을 증가시키고 전신혈관 저항을 감소시킴으로써 판막 전후 압력차를 증가시킨다. 심초음파검사를 통해서 판막 입구 크기와 폐동맥압을 비침습적으로 평가할 수 있고, 출산이나 판막절개의 시기를 결정하는데 도움이 될 수 있다.

Marfan 증후군에서 가장 큰 위험은 대동맥근 확장과 대동맥 박리이다. 이것은 호르몬 변화로 인한 대동맥벽의 약화와 혈역학적 변화로 인해 발생한다.

임신기간 중 폐고혈압이 있는 경우(예: 일차성, 승모판 질환에 의한 2차성, Eisenmenger 증후군) 심초음파검사를 통하여 폐동맥 수축기압을 비침습적으로 연속적으로 평가할 수 있다.

2. 중간(중등도) 위험영역

- 대동맥 축착
- 폐고혈압을 동반하지 않는 청색증 심질환
- 인공판막 – 조기 판막 기능부전(생체 인공판막), 혈전색전증, 와파린/헤파린과 연관된 합병증(예: 기형, 태아 성장지연, 태반 출혈, 골다공증)
- 팔로 4징(Tetralogy of Fallot) – 예측하지 못한 상태에서 발병할 수 있음. 정맥환류 증가

와 전신적 혈관확장으로 심각한 저산소증을 일으킬 수 있음

- 비후성 심근병증

3. 다행스럽게도 위험도가 낮은 병변이 가장 흔하다

- 합병증을 동반하지 않는 심방중격결손(ASD)이나 심실중격결손(VSD). 역행성 색전증(paradoxical embolism)의 위험은 있다. 수술을 하지 않은 ASD나 VSD는 특히 출산 시에 문제를 일으킬 수 있는데, 출혈로 우심방의 압력이 낮아지고 좌우 단락이 증가하면서 전신순환이 점진적으로 또는 급격하게 감소할 수 있다. 이러한 환자들에게는 수액공급을 충분히 해야 한다.
- MR, AR 또는 PS는 일반적으로 임신에 잘 견딘다.

근본적인 심장 상태에 기초한 임신 중 모성 위험의 상세한 분류는 표 7.1과 7.2에 요약되어 있다.

임신 중 양성 모체 잡음(1.6절 참조)

- 폐혈류 잡음 – 왼쪽 흉골 가장자리 두번째 늑간에서 청진. 폐순환으로의 심박출량 및 혈류 유입 증가가 원인
- 정맥성 잡음
- 유방잡음(mammary souffle) - 젖 분비와 관련이 있고 수유가 끝나면 사라짐.

표 7.1 **임신시 모성 심혈관위험에 대한 개정된 WHO 분류 - 위험등급**

위험등급	건강상태로 인한 임신위험
I	• 모성 사망위험이 증가하지 않음, 그리고 • 모성 이환위험이 없거나 경미한 증가
II	• 모성 사망위험이 조금 증가, 또는 • 모성 이환위험이 중등도 증가
III	• 모성 사망위험이 심각하게 증가, 또는 • 모성 이환위험이 심각하게 증가 *전문가 상담이 필요. 임신에 대해 결정할 경우 임신, 출산 및 산욕기 동안 전문가에 의한 집중적인 산과 및 심장 모니터링 필요*
IV	• 모성 사망위험이 최고로 증가, 또는 • 모성 이환위험이 심각하게 증가 *임신 금기. 임신이 발생하면 임신중절수술을 고려해야 한다. 임신이 지속되면 3등급과 같이 주의해야 한다.*

Adapted from Thorne S, MacGregor A, Nelson-Piercy C. Risks of contraception and pregnancy in heart disease. Heart 2006;92:1520-1525 *and Regitz-Zagrosek V, Blomstrom Lundqvist C, Borghi C, et al. ESC Guidelines on the management of cardiovascular diseases during pregnancy: the Task Force on the Management of Cardiovascular Diseases during Pregnancy of the European Society of Cardiology (ESC).* Eur Heart J. 2011;32:3147-197.

표 7.2 임신시 모성 심혈관위험에 대한 개정된 WHO 분류 - 심장상태

임신위험이 WHO I인 심장상태

- 합병증이 없는, 작거나 경미한:
  - 폐동맥판 협착증
  - 승모판 일탈증
  - 동맥관 개존증
- 성공적으로 치료된 단순 병변:
  - 심방중격결손
  - 심실중격결손
  - 동맥관 개존증
  - 폐정맥환류이상
  - 단일의 심방 또는 심실 이소성 박동

임신위험이 WHO II 또는 III인 심장상태

WHO II(안정되고 합병증이 없는 경우)
- 수술 받지 않은 심방중격결손
- 수술 받지 않은 심실중격결손
- 교정된 팔로 4징
- 대부분의 부정맥

WHO II 또는 III(개별화하여 적용)
- 경미한 좌심실 손상
- 비후성 심근병증
- WHO I 또는 IV로 간주되지 않는 자연판막질환 또는 조직인공판막
- 대동맥 확장이 없는 Marfan 증후군
- 이첨 대동맥판과 관련된 대동맥질환에서 대동맥 <45 mm
- 교정된 대동맥 축착

WHO III
- 기계판막
- 전신순환을 책임지는 주심실로써의 우심실(Systemic RV)
- Fontan 순환
- 청색증 심장질환(교정되지 않은)
- 기타 복잡한 선천성 심질환
- Marfan 증후군에서 대동맥 확장이 40-45 mm
- 이첨 대동맥판과 관련된 대동맥질환에서 대동맥이 45-50 mm로 확장

임신위험이 WHO IV인 심장상태(임신 금기)

- 모든 원인의 폐동맥 고혈압
- 심한 전신성 심실기능장애(LVEF <30%, NYHA III-IV)
- 분만전후 심근병증 기왕력이 있고, 좌심실 기능의 잔여 손상이 남아 있는 경우
- 중증의 승모판 협착증
- 증상이 있는 중증의 대동맥판 협착증
- 중증의 좌심실 유출로 폐쇄를 동반한 비후성 심근병증
- >45 mm의 확장된 대동맥을 가진 Marfan 증후군
- 이첨 대동맥판과 관련된 대동맥질환에서 대동맥이 >50 mm 확장
- 원발성 중증의 대동맥 축착

Adapted from Thorne S, MacGregor A, Nelson-Piercy C. Risks of contraception and pregnancy in heart disease. Heart 2006;92:1520-1525 *and Regitz-Zagrosek V, Blomstrom Lundqvist C, Borghi C, et al. ESC Guidelines on the management of cardiovascular diseases during pregnancy: the Task Force on the Management of Cardiovascular Diseases during Pregnancy of the European Society of Cardiology (ESC).* Eur Heart J. 2011;32:3147-3197.

분만전후 심근병증

심초음파검사를 통해서 심실기능장애를 동반한 좌심실 확장소견을 확인할 수 있다. 임신 후반기부터 출산 후 수개월까지 발생할 수 있으며, 심초음파 소견은 다른 원인의 확장성 심근병증 소견과 동일하다. 임신 전에 진단되지 않았던 확장성 심근병증이 이전부터 존재하고 있었을 수도 있다. 예후는 심부전의 중증도와 심장크기가 정상으로 돌아오는 데 걸리는 기간에 달려있으며, 만약 6개월 이상 지속된다면 예후는 나쁘다. 치료는 일반적인 심부전 치료(이뇨제 및 ACE 억제제)를 시행한다. 다음 임신에서 재발할 수 있다.

태아의 안전

지금까지 언급한 위험성은 모체와 관련된 것이며, 임신기간 중 태아의 안전에 대해서도 평가해야 한다. 태아에 대한 위험은 다음과 관련된다:

1. 모체의 청색증
2. 임신기간 중 우회 수술(bypass surgery)의 필요(유산 위험도 20%)
3. 약물 요법:
    - 와파린 - 태아출혈 및 다발성 선천성 이상
    - 헤파린 - 태반뒤 출혈
    - 안지오텐신 전환효소 억제제 - 신생아의 신부전, 양수과소증, 발육지연
    - 베타차단제 - 자궁내 성장제한, 신생아 저혈당증, 서맥
4. 유전적 전파 위험도
    - Marfan 증후군, 비후성 심근병증 및 기타 단일 유전자결함 - 50%
    - 심방중격결손 또는 심실중격결손 같은 다인자 복합질환(multi-factoridal conditions) - 유전율 4-6%(일반인 유병률은 1%)

태아 심초음파

아직 태어나지 않은 태아에게 심장 이상이 있는지를 판단하기 위해 태아 심초음파(복식 혹은 질식 초음파검사)를 여러 전문센터에서 시행하고 있다. 어떤 경우에는 태아가 *자궁 내에 있는 상태*에서 수술을 하여 치료를 하기도 한다.

7.2 율동 이상

부정맥은 원발성으로 혹은 구조적 심질환과 관련되어 발생할 수 있다. 구조적 심질환은 선천성 이상 또는 심근, 판막, 심낭 또는 관상동맥의 이상을 모두 포함한다. 심초음파검사의 주된 목적은 부정맥과 연관된 심장질환을 발견하는 것이다.

심방세동 또는 조동

세동(fibrillation)은 심방이나 심실에서 전기적인 활동이 조화롭게 진행되지 못하고, 각각의 개별적인 근육섬유가 독립적으로 수축하면서 발생한다. 심방 또는 심실에서 발생할 수 있다. 심실세동(ventricular fibrillation)은 신속히 종결되지 않으면, 치명적인 상황으로 발전할 수 있다. 심방세동(atrial fibrillation)은 환자가 비교적 잘 견딜 수 있으며, 심실과 심방의 기외수축을 제외한다면, 많은 국가에서 가장 흔한 부정맥이다. 심방세동에 대한 근본 원인을 찾는 것이 중요하다.

심방세동의 흔한 원인

- 허혈성 심질환
- 류마티스성 심질환(예: 승모판 협착증)
- 고혈압
- 독소(예: 에탄올)
- 갑상선질환 – 대개 갑상선중독증
- 감염 - 심근염, 폐렴
- 심근질환(예: 확장성 심근병증)
- 폐질환
- 폐색전증
- 심낭질환(예: 심낭염)
- '고립성(lone)'- 잠재적 원인이 밝혀지지 않은 경우

모든 심방세동 환자는 심초음파검사를 받아야 한다. 심초음파검사를 통해 잠재적인 원인(예: MS)을 파악하고, 합병증(뇌졸중, 아래 내용 참고)의 위험을 확인하며 전기적 혹은 약물을 이용하여 정상적인 동율동으로 성공적으로 회복할 수 있을지를 평가한다.

심초음파검사는 임상적으로 심장질환이 의심되지 않는 심방세동 환자의 약 10%와 심장질환이 의심되는 환자의 60%에서 원인 심장질환을 찾아낼 수 있다.

심방세동은 다음과 같이 분류할 수 있다.

- 급성(acute) - 48시간 이내에 시작
- 발작성(paroxysmal) - 자발 종료(동율동으로 복귀), 대개 48시간 이내(또는 최대 7일)
- 재발성(recurrent) - 2회 이상 발생 - 저절로 종료되면 발작성, 전기 또는 약물에 의한 동율동전환이 요구되면 지속적
- 지속적(persistent) - 자체적으로 종료가 되지 않으며 7일 이상 지속
- 영구적(permanent) - 1년 이상 지속(예: 동율동 전환으로 성공적으로 치료되지 않음). 심방세동의 근본적인 원인(예: 갑상선중독증)의 치료 또는 전극도자절제술로 동율동 전환이 가능할 수도 있다.

동율동으로 회복하는 것이 다음의 경우에서는 성공률이 떨어진다:

- 승모판 질환
- 좌심방 확장
- 좌심실 기능장애
- 갑상선 질환
- 오래 지속된 심방세동

특별한 금기가 없다면 심방세동 환자의 경우, 와파린과 같은 항응고제로 치료하면 예후가 개선될 수 있다. 항응고제 치료는 류마티스성 심방세동의 경우 확실한 효과가 있으며, 잠재적인 원인이 있는 비류마티스성 심방세동인 경우에도 효과가 있을 수 있다. 고립성(lone) 심방세동인 경우에는 효과가 다소 확실하지 않다. 항응고제 치료의 이득은 나이가 많을수록 더 크다.

좌심방 확장 또는 좌심실 기능장애가 있는 경우에는 뇌졸중의 연간 발생 위험률이 증가한다(표 7.3).

심방세동을 가진 많은 사람들에게서 심박수 조절(예: 디곡신, 베타차단제 또는 칼슘차단제)과 와파린을 사용한 장기간의 항응고치료가 리듬조절(즉, 동율동 전환)을 시도하는 것보다 더 낫다는 증거가 있다. 다음과 같은 경우 동율동 전환이 고려될 수 있다:

- 확인가능한 가역적 원인(예: 최근 치료된 폐렴)이 있는 최근 발병한 심방세동인 경우
- 환자가 매우 증상이 있고 심방세동 및/또는 심박수 조절 약물에 견딜 수 없는 경우
- 심방세동이 원인으로 심부전이 발생한 경우
- 장기간 항응고제를 복용할 수 없는 경우

동율동 전환이 성공적으로 시행된 후 와파린은 3-6개월간 지속해야 한다. 동기화된(synchronized) 심방의 전기 활동이 복원된 후 심방의 기계적 활동이 돌아올 때까지의 기간(혈전색전증이 발생할 수 있는 시기)인 심방의 '기절(stunning)' 때문에 종종 지연되기 때문이다.

표 7.3 여러 가지 심장변수에 따른 연간 뇌졸중 위험

소견	연간 뇌졸중 위험 (%)
정상 심장-동율동	0.3
'Lone' 심방세동	0.5
심초음파가 정상인 심방세동	1.5
좌심방 확장(좌심방 〉2.5 cm/m^2)을 동반한 심방세동	8.8
전반적인 좌심실 기능장애를 동반한 심방세동	12.6
중등도의 좌심실 기능장애와 좌심방 확장(좌심방 〉 2.5 cm/m^2)을 동반한 심방세동	20.0

Data from Stroke Prevention in Atrial Fibrillation Study Group Investigators. Predictors of thromboembolism in atrial fibrillation: II. Echocardiographic features of patients at risk. The Stroke Prevention in Atrial Fibrillation Investigators. Ann Intern Med. 1992;116:6-12.

새로운 경구용 항응고제(NOACs. 예: dabigatran, rivaroxaban, apixaban)가 심방세동 환자(예: 비류마티스성 심방세동)에서 선택적으로 와파린의 대안으로 사용된다.

일부 심방세동 환자에서, 특히 증상이 심하거나 항부정맥제 치료를 힘들어 하는 경우 전극도자 절제술이 고려된다. 때때로 여러 번의 시술이 필요하다. 구조적으로 정상인 심장을 가진 사람들의 전극도자 절제술의 성공률은 다음과 같다:

- 재발성(발작성) 심방세동: ~70-75%(1차 절제), >90%(2차 절제)
- 지속적 심방세동 : ~60%(1차 절제), ~80%(2차 절제),

동율동 전환 전의 심초음파검사

심초음파는 성공적으로 동율동 전환이 생길 가능성이 높은 환자를 가려내거나, 혈전색전증의 합병증 위험성이 증가한 환자를 예측하는 데 도움이 될 수 있다. 이전 자료에 따르면 항응고치료를 받지 않고 동율동 전환 받은 환자 중에 5-7%에서 혈색전증이 발생했다. 혈색전증은 동율동 전환 후 시간이 경과한 뒤에 발생할 수 있다. 이에 대한 가장 가능성 있는 설명은 심방의 전기적인 활동이 복원된 후에도 심방의 기계적인 활동이 얼마 동안은 회복되지 않기 때문이다.

동율동 전환 전에 지속성 심방세동(>48시간 지속) 환자에게 경식도 심초음파검사를 시행할지 여부에 대해서는 논쟁의 여지가 있다. 동율동 전환 전/후의 항응고치료가 권고되고 있으며, 대규모 연구가 진행중이다. 급성 심방세동(<48 시간 지속)에 대해서는 정보가 적지만, 현재 자료로는 급성 심방세동 환자들의 14%에서 좌심방이 혈전이 발견되었으며, 따라서 이 환자들도 항응고치료를 받을 것을 권고하고 있다.

동율동 전환 전의 경식도 심초음파검사의 적응증

- 동율동 전환 이전에 항응고치료가 불가능하고, 긴급한 동율동 전환이 필요한 경우
- 이전에 좌심방 혈전과 연관된 것으로 추정되는 혈전색전증이 있었던 경우
- 이전에 좌심방 혈전이 있었던 경우
- 동율동 전환 결정에 영향을 미치는 동반질환을 발견한 경우(예: 좌심실 기능, 승모판 질환)
- 48시간 이내에 발생한 심방세동
- 승모판 질환 또는 비후성 심근병증이 동반된 심방세동의 경우 항응고치료를 받고 있어도 시행

심실빈맥(VT) 또는 심실세동(VF)

심실빈맥과 심실세동은 심초음파검사의 중요한 적응증이다. 근본적인 원인은 주로 관상동맥질환이며, 허혈이나 경색의 소견이 있을 수 있다. 좌심실 기원의 심실빈맥은 종종 좌심실 기능저하와 관련되어 있으며, 이로 인해 기저의 심근병증(예: DCM, HCM)이 악화되기도 한다. 우심실 기원의 심실빈맥은 부정맥 유발 심근병증과 같은 우심실 구조이상

(부정맥성 우심실 심근병증 또는 이형성증[arrhythmogenic RV cardiomyopathy or dysplasia], 4.4절 참고)을 시사한다.

실신

실신은 갑작스런 의식의 상실을 의미하며, 많은 신경학적 또는 심장 원인에 의해 발생할 수 있다. 심초음파검사로 폐색병변(예: AS, HCM) 또는 심실빈맥과 같은 부정맥과 관련이 있는 좌심실 기능장애와 같은 이상을 확인한다. 그러나 모든 실신 환자에게 일률적으로 심초음파검사를 시행하는 것에 대해서는 논쟁의 여지가 있다.

적응증은 다음과 같다.

- 심장질환이 의심되는 실신 환자
- 운동 중 실신
- 고위험 직업군에서 실신(예: 항공기 조종사)

두근거림

많은 환자들이 심실 또는 심방 이소성 박동(ectopic beats)을 경험한다. 이런 경우에 심초음파검사의 적응증은 명확하지 않다. 구조적 심장질환이 의심되는 경우(실신과 관련된 병력, 임상검사, 심전도 또는 흉부 X선 이상) 심초음파검사를 실시한다. 그렇지 않은 경우에는 이상이 발견될 확률이 매우 낮다. 정상 심초음파 소견(정상적인 좌심실, 기타 방실 및 판막)이 걱정하는 환자를 안심시킬 수 있다.

일반적으로 부정맥이 원인이 아닌 두근거림 환자에게는 심초음파검사를 시행할 필요가 없다.

7.3 뇌졸중, 일과성 뇌허혈 발작, 혈전색전증

'색전의 심장 원인이 있을까?'

심초음파검사가 요청될 때, 자주 받는 질문이다. 색전이 심장 원인인지 확인하는 것은 꽤 어려울 수 있으며, 특히 경흉부 심초음파검사만 시행할 경우에는 대답하기 어려울 수 있다. 경식도 심초음파검사를 시행하면 좀 더 많은 정보를 제공할 수 있다.

척추기저동맥 영역을 벗어나는 부분에 뇌졸중이나 일과성 뇌허혈 발작이 있는 환자에게 있어 색전의 원인을 찾기 위한 초음파검사는 확실히 중요하지만, 심초음파검사만이 유용한 검사법인 것은 아니다. 경동맥심초음파검사는 유용한 진단정보를 제공하며, 경동맥 협착이 심한 경우(>70%)에는 경동맥 내막절제술(carotid endarterectomy)의 적응증이 된다.

뇌졸중 또는 일과성 뇌허혈 발작 환자에서 심혈관계 병력, 임상검사, 심전도가 정상일 때, 경흉부 심초음파검사를 통해 심장이상을 찾을 가능성은 매우 낮다.

심초음파검사의 주요 목적은 다음과 같다:

- 혈전색전증 위험이 있는 질환의 진단(예: MS, 좌심실 확장)
- 색전증의 직접 원인이 되는 심장내 종괴 확인 - 혈전, 종양, 증식물

뇌졸중, 일과성 뇌허혈 발작, 또는 혈관 폐색에서 심초음파검사의 적응증

- 말초동맥 및 내장동맥의 갑작스런 폐색
- 뇌졸중 또는 일과성 뇌허혈 발작이 있는 젊은 환자(< 50세)
- 뇌혈관질환이나 기타 명백한 원인없이 뇌졸중이나 일과성 뇌허혈 발작이 있는 고령 환자(>50세)
- 색전 질환이 의심되는 경우
- 심장 기능이상의 임상적 증거가 있거나 (예: 비정상적인 신체 징후[심잡음, 심내막염이 의심되는 경우] 또는 비정상적인 심전도[심근경색증, 심방세동, 심실빈맥 또는 비특이적인 ST-T이상]) 를 보이는 경우

다음과 같은 경우 TEE가 필요할 수 있다(TTE가 정상 소견이거나 확정적이지 않은 경우):

- 색전증이 강력히 의심될 때(예: 심내막염)
- 젊은 환자(많은 기관에서 50세 미만을 기준으로 삼는다)

뇌졸중 또는 일과성 뇌허혈발작이 있는 환자에서 특히 심방세동이 동반된 MS가 있다면 혈전색전증의 위험이 대단히 높아지기 때문에, 금기사항이 없고 CT에서 뇌출혈이 배제된다면 항응고치료를 고려해야 한다. 심초음파검사상 분명한 혈전이 발견되지 않는다고 해도 항응고치료를 실시해야 하며(좌심방 혈전이 TTE에서 잘 보이지 않음을 기억한다), 반대로 심초음파검사에서 응급수술이 필요한 큰 좌심방 혈전을 발견할 수도 있다(박스 7.1 참고).

젊은 환자의 경우에는 TTE와 TEE를 모두 시행하여 다음과 같은 치료가능한 뇌졸중 원인을 찾아야 한다:

- 좌심방 점액종(이런 경우에 1% 정도 발생하는 것으로 추정)
- 좌심방 자발 에코 조영
- 좌심방이 혈전
- 난원공 개존증(정맥혈전이 우심방에서 좌심방 쪽으로 이동하여 역행성 색전을 일으킬 수 있음)
- 심방중격류(PFO와 종종 동반되며 혈전색전증의 위험도를 증가시킴)
- 대동맥 죽종

7.4 고혈압과 좌심실비대 (그림 7.1)

고혈압에서 심초음파검사의 주요 적응증

- 좌심실 수축기능 및 이완기능 평가
- LVH 발견 및 치료에 대한 반응 확인
- 동반하는 관상동맥질환의 발견 및 영향 확인(예: 부하 심초음파)
- 고혈압을 유발하는 원인질환 확인(예: 대동맥 축착)

고혈압은 LVH의 가장 중요한 원인이며, LVH는 심혈관질환의 사망률과 이환률에 대한 독립적인 예측인자이다. LVH는 심근경색증, 심부전 또는 돌연사 위험을 예측하고, 다혈관 관상동맥질환의 예측인자이기도 하다. 심전도 검사에서 LVH는 전압기준으로 표시된다(QRS복합체의 전압이 커짐). 다양한 기준들이 존재하지만, V1 또는 V2의 S파와 V5

> **박스 7.1 전신 색전증에서 심초음파검사 - 원인 질환 및 연관 심초음파 소견(TEE가 가장 유용함)**
> - 좌심방 혈전 - 일반적으로 좌심방이에 있음. TEE로 잘 보임
> - 좌심방 자발 에코 조영
> - 좌심실 벽 혈전 - 좌심실 혈전, 일반적으로 국소벽 무운동증(akinesia) 또는 좌심실류(LV aneurym)와 관련되어 발생
> - 심방 점액종 - 심방중격에 부착된 종괴
> - 감염성 심내막염 - 증식물
> - 역행성 색전증(paradoxical embolism) - 난원공 개존증 및/또는 심방중격류
> - 유두상 섬유탄력종(papillary fibroelastoma) - 판막 종괴
> - 대동맥 죽종 - 상행 대동맥, 대동맥궁 또는 하행 대동맥 내에서 관찰. TEE에서 가장 잘 보임
> - 인공판막 혈전 - 혈전 및/또는 판막 기능장애. TEE에서 가장 잘 보임

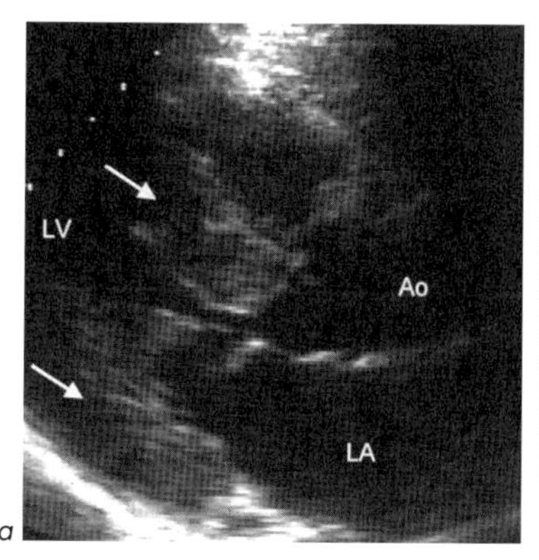

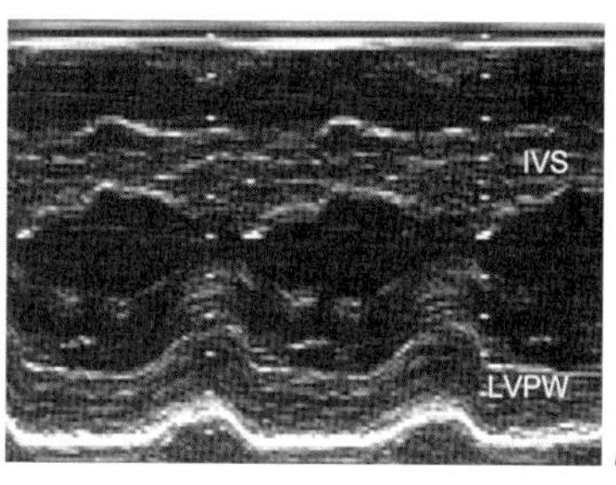

■ 그림 7.1 장기간 지속되는 고혈압에서 중증 동심성 좌심실비대. (a) 중격 및 후벽의 좌심실비대를 보여주는 흉골연 장축 단면도 (b) M-mode

또는 V6의 R파의 합이 35 mm를 넘으면 LVH 진단에 유용하다(Sokolow-Lyon기준). 일부 흉벽이 얇은 환자의 경우에는 심전도에서 전압이 높게 표시되며 좌심실 벽 두께가 정상임에도 불구하고 LVH에 합당한 전압기준을 나타낼 수 있다. LVH와 관련하여 '긴장 양상(strain pattern, 측면유도에서 ST분절 하강과 T파 역위)' 이 나타날 수도 있다.

심초음파검사로 벽 두께를 정확하게 측정할 수 있으며 좌심실비대를 진단함에 있어 심전도보다 민감도가 높다. 경계성 고혈압 환자에서 좌심실비대 유무를 확인하는 것은 치료가 필요한지를 결정하는 데 도움이 되며, 고혈압 치료 후 좌심실비대가 호전되는지 여부를 평가하는데도 심초음파를 사용할 수 있다.

좌심실 질량을 추정하는 심초음파 기술

심실 중격 또는 좌심실 후벽 두께가 '정상 범위' 이상인 경우(대개 이완시 > 12 mm) 좌심실비대가 존재하는 것으로 간주한다. 엄격하게, 좌심실비대를 진단하기 위해서는 좌심실 질량을 측정해야 한다.

좌심실 질량은 좌심실의 기하학적 모형(geometrical models)을 기반으로 여러 기법을 사용하여 심초음파검사로부터 계산할 수 있다:

- 선형 방법(linear method) – 뒤에 언급될 세제곱 공식(cubed formula)을 사용하여 M-mode(또는 2D) 심초음파를 사용한 측정
- 2D 심초음파 – 면적-길이 공식(area-length formula) 또는 잘린 타원체 공식(truncated ellipsoid formula)
- 3D 심초음파

선형 방법(linear method, cubed formula)은 좌심실을 타원체의 기하학적 구조로 가정하고 한 단면을 통해 좌심실의 질량을 측정하는 방법으로 좌심실 용적과 좌심실 질량을 계산하는 데 가장 널리 사용된다. M-mode 심초음파를 통한 측정은 검증된 첫 번째 방법으로, 간단하게 적용 가능하다. 그러나 단면을 통한 측정법은 심장이 타원의 기하학적 구조라는 엄격한 가정이 강요되며, 측정 오류가 있는 경우 세제곱되어 계산되므로 부정확성의 위험을 증폭된다.

좌심실 질량을 측정하는 세제곱 공식(cubed formula)은 Troy 등이 처음 제안하였고(*Circulation* 1972; 45: 602–11), Devereux 등에 의해 변형되었는데(*Am J Cardiol.* 1986; 57: 450–8), 선형 M-mode(또는 2D 심초음파)에서 이완기 심실중격(IVS)과 좌심실 후벽 두께를 측정하고 이완기말 좌심실내강직경(LVEDD)을 측정하며, 단위는 cm를 사용한다.

$$\text{좌심실 질량(g)} = 0.8 \times 1.04 \times [(\text{LVEDD} + \text{IVS} + \text{LVPW})^3 - \text{LVEDD}^3] + 0.6$$

좌심실 질량은 신장 또는 체표면적(BSA)에 대해 보정해야 한다('좌심실 질량지수(LV

표 7.4 좌심실 질량 지수의 정상범위

	여성	남성
좌심실 질량(g) – 선형 방법(M-mode 세제곱 공식)	67–162	88–224
체표면적을 보정한 좌심실 질량(좌심실 질량 지수, g/m^2) – 선형방법	43-95	49–115
중격 두께(cm) – 이완기	0.6–0.9	0.6–1.0
후벽 두께(cm) – 이완기	0.6–0.9	0.6–1.0
좌심실 질량 – 이면상 심초음파 방법	66–150	96–200
체표면적을 보정한 좌심실 질량(좌심실 질량 지수, g/m^2) – 2D 심초음파 방법	44–88	50–102

Bold italic values: recommended and best validated.
Based upon Lang RM, Badano LP, Mor-Avi V, et al. Recommendations for cardiac chamber quantification by echocardiography in adults: an update from the American Society of Echocardiography and the European Association of Cardiovascular Imaging. J Am Soc Echocardiogr. 2015;28:1-39.

mass index)'를 제공). 위의 선형 방법(그리고 2D 방법)을 사용하는 '정상 값'은 표 7.4에 나와 있다.

다른 '정상' 심초음파 범위와 마찬가지로 정상 수치를 결정할 때 인구 대상 집단의 특성 및 다른 인종간의 좌심실 질량의 차이를 고려해야 한다.

좌심실 질량을 추정하기 위한 선형 방법의 장점:

- 빠르고 광범위하게 사용됨
- 발표된 데이터가 풍부함
- 입증된 예후가치
- 정상적인 모양의 심실(예: 대동맥판 협착증, 고혈압)에서 상당히 정확함
- 대규모 집단 선별검사를 위해 간단함

좌심실 질량을 추정하기 위한 선형방법의 한계:

- 좌심실이 장축:단축 비가 2:1 로 일정한 장타원체 모양이며, 비대가 대칭적으로 분포한다는 가정하에 계산
- 초음파 빔이 축을 벗어나 비스듬히 잘릴 수 있음
- 선형 측정은 세제곱이기 때문에 크기 또는 두께의 작은 측정 오류조차도 정확도에 영향을 미침
- 좌심실 질량을 과대평가함
- 비대칭적인 비대, 확장된 심실 및 벽 두께의 국소변화가 있는 기타 질환의 경우에는 부정확함

2D 방법을 사용하는 경우, 면적-길이(area-length) 모델과 잘린 타원체(truncated ellipsoid) 모델 모두 검증된 공식으로 실현 가능하고 합리적으로 정확하지만 선형 방법보다 검증이 잘 되지 않는 경향이 있으며 2D 방법으로 계산된 값은 종종 선형 방법에 의한 것보다 낮다.

3D 심초음파 기법은 내경의 형태 및 비대 분포에 대한 기하학적 가정없이 직접 측정할 수 있다. 선형 또는 2D 측정보다 더 정확할 수 있다. 아직 정상치에 대한 데이터가 없다.

7.5 호흡곤란과 말초부종

호흡곤란은 많은 심장질환의 중요한 증상이다. 심부전이 있다면, 호흡곤란은 대개 폐정맥 고혈압을 나타낸다. 호흡곤란의 원인은 다양하며, 심장질환은 만성 기류 제한과 같은 호흡기 질환과 흔히 동반된다.

심초음파검사는 환자의 병력, 신체검진, 심전도, 흉부 X선과 같은 일반적으로 행하는 검사에서 심장질환이 의심되거나 심장질환을 배제하지 못할 경우 호흡곤란 환자에게 꼭 필요한 검사이다. 심초음파검사로 다음의 내용을 확인할 수 있다:

- 좌심실 수축기능 및/또는 이완기능장애
- 좌측 심장의 판막질환
- 심근병증

급성 중증 호흡곤란이 있는 환자 평가를 위한 심초음파검사법은 5.5장에서 언급하였다.

부종은 많은 심장 및 비심장 원인들에 의해 발생한다. 심장 원인들에 의해 중심 정맥압이 증가하게 되는데, 이러한 심장 원인들은 심근, 심낭 및 판막 이상을 포함한다. 이러한 경우 심초음파검사가 유용하다. 환자가 이뇨제로 치료를 받고 있는 경우가 아니라면 정상 경정맥압을 가진 말초부종의 경우에는 심초음파검사가 도움이 되지 않을 수 있으며, 다음과 같은 부종의 다른 원인을 조사해야 한다.

부종의 다른 원인을 조사해야 한다.

- 신부전
- 단백질 결핍상태(예: 신증후군[nephritic syndrome])
- 저알부민혈증(예: 간질환)
- 심부정맥혈전증(deep vein thrombosis)
- 정맥부전(venous incompetence)
- 골반 폐쇄(pelvic obstruction)
- 내분비 이상(예: 갑상선기능저하증)

7.6 선별검사와 추적관찰

누가 선별 심초음파검사를 받아야 하는가?

증상이 없는 환자를 선별검사하는 경우, 몇 가지 기준을 충족해야 한다:

- 검사는 안전하고, 정확하며, 쉽게 이용할 수 있어야 하며, 저렴해야 한다 - 심초음파검

사는 이 기준을 충족시킨다.

- 이상을 적절한 빈도로 발견할 수 있어야 한다.
- 검사결과에 따라 치료가 달라지거나, 예후 정보를 제공해야 한다.

확실한 규정이 있는 것은 아니지만 몇 가지를 제안해 보면:

선별검사의 좋은 적응증

1. 심장혈관질환이 유전되는 가족력을 가진 개인

- 비후성 심근병증 환자의 직계가족 - 5~20세에 5년마다 심초음파검사를 받아야 한다(20세까지 정상이면, 진단에서 제외된다). 대규모 선별검사 연구에서 비후성 심근병증 환자의 직계가족 5명 중 1명에서 비후성 심근병증이 발견된다.
- 콜라겐 기능이상이 의심되는 경우(예: Marfan 증후군[신체크기와 나이에 맞게 값을 수정해야 한다], Ehlers-Danlos 증후군)
- 점액종(드문 가족형 중 많은 주근깨와 비후성 심근병증이 관련됨) 또는 결절성 경화증(tuberous sclerosis) 환자의 직계가족

2. 심장이식 기증자의 경우 중환자실에서 경흉부 심초음파나 경식도 심초음파로 심장을 검사한다. 기증 의사를 밝힌 사람의 약 1/4 정도에서만 실제로 적출이 이루어진다.
3. 심장독성약물로 화학요법을 받는 암 환자의 기저검사 및 추적관찰(7.9절 참고).

선별 심초음파검사의 다소 불분명한 적응증

1. 좌심실 장애의 고위험군
    - 심근경색증 이후
    - 알코올 중독
    - 좌심실비대를 동반한 고혈압
    - 젊은 환자의 좌각차단(LBBB)
2. 심장에 영향을 주는 전신질환(7.8절 참고)

'추적관찰(follow up)' 심초음파검사

몇몇 심장질환 환자에 대해서는 아래에 제시한 간격으로 지속적으로 심초음파검사를 실시한다(악화되는 임상 신호가 발견되면 보다 자주 실시한다. 예: 이전에 잘 조절되던 판막 환자에서 새로운 증상 발생).

- 중증의 AS: 3~6개월
- 중등도 AS: 매년
- 중등도 AR: 3~6개월
- 비후성 심근병증: 매년
- 대동맥근 확장: 6~12개월
- 승모판 질환: 매년
- 인공 조직판막: 삽입 5년 후부터 매년

- 좌심실 기능장애: 증상에 따라
- 심장종양 절제 후: 5년까지 매년(재발은 드물다)

7.7 고령

나이가 들수록 예측 가능한 심초음파 변화가 있다.

- 상행 대동맥과 좌심실 유출로 사이의 각도가 점진적으로 커짐
- 근위부 심실 중격에 S자형 모양을 초래하는 국소적인 근위 중격 비후
- 대동맥 벽의 비후
- 대동맥판, 승모판 및 건삭의 국소 비후
- 승모판륜 석회화
- 심근 경직도가 증가하여 이완기능 변화 발생, 간헐파 도플러에서 E : A 비의 변화로 나타남
- 경미한 좌심방 확장
- 특히 고혈압이 잘 조절되지 않을 때 비후성 심근병증과 유사한 형태가 나타날 수 있음

7.8 일부 전신질환 및 상태에서 심초음파 이상

다음의 질환들에서 심초음파 이상 소견이 나타날 수 있다.

1. 감염

HIV감염 및 후천성면역결핍증(AIDS)

- 확장성 심근병증
- 심근염(예: *Toxoplasma, Histoplasma*, cytomegalovirus와 같은 기회감염)
- 심낭삼출 및 심낭압전(tamponade)
- 비세균성 혈전성 심내막염(Non-bacterial thrombotic endocarditis, marantic)
- 감염성 심내막염(예: *Aspergillus*)
- 카포시 육종의 전이
- 폐고혈압
- 재발성 흉부감염과 폐고혈압으로 인한 우심실 심부전
- HIV 감염과 관련된 관상동맥질환의 영향

샤가스 병

이것은 *Trypanosoma cruzi*에 의해 발생하며 중남미에서 발생한다. 이 질환은 전세계적

으로 2천만 명이 감염되었고 심부전의 가장 흔한 원인 중 하나이다.

- 급성기의 심근염
- 확장성 심근병증과 유사한 심초음파 소견
- 심첨부 심실류가 흔함

라임질환

진드기 매개 스피로헤타인 *Borrelia burgdorferi*로 인해 발생한다. Erythema chronicum migrans와 급성 전신 질환을 특징으로 한다. 이 질환은 세계 도처에서 발생한다. 치료를 받지 않으면 나중에 류마티스성, 신경학적 및 심장 합병증이 자주 발생한다. 심장 합병증으로 영구 심장박동조율기 삽입이 필요한 증상이 있는 중증의 고도 방실차단이 발생할 수 있다. 항생제(예: 테트라사이클린 또는 페니실린)를 사용한 조기 치료는 합병증을 줄일 수 있다.

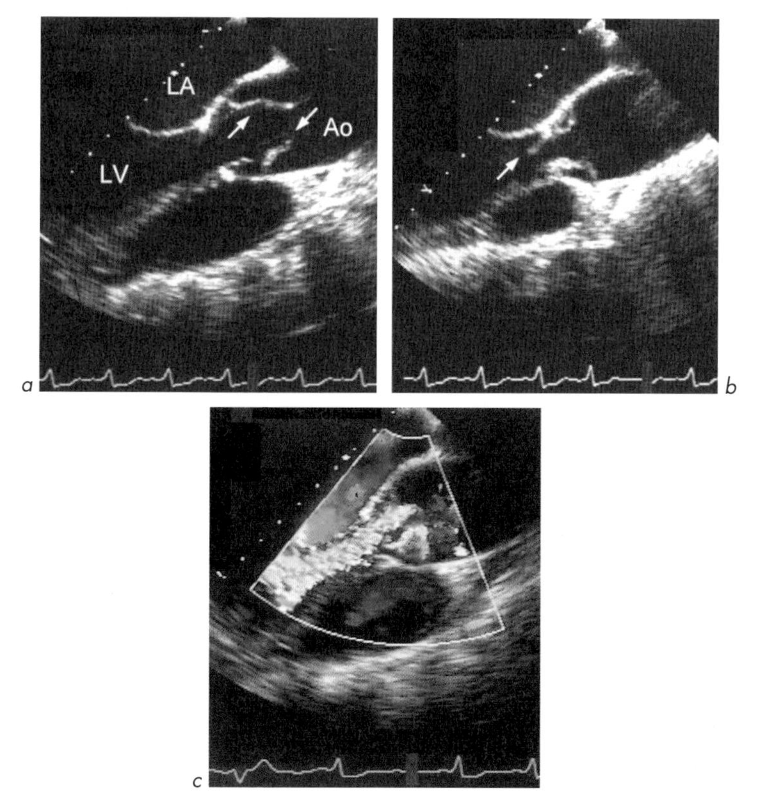

■ 그림 7.2 **Marfan 증후군. 상행 대동맥의 동맥류 박리. TEE 검사(대동맥 장축 단면도).** (a) 박리편 (화살표)이 보인다. (b) 대동맥판 첨판의 탈출(화살표)이 보인다. (c) 중증의 AR.

- 심근염, 심낭염
- 좌심실 기능장애

2. 염증, 류마티스 질환, 결합조직 질환

Marfan 증후군(그림 7.2)

상염색체 우성 유전이므로 가족을 검사해야 한다(7.6절 참고). 자연 돌연변이는 환자의 30%까지 일어날 수 있다.

- 승모판 및 삼첨판 탈출증(prolapse)
- 대동맥근 확장
- 대동맥 박리
- Sinus of Valsalva 확장
- 심내막염

전신성 홍반성 루푸스(SLE)

- 심낭염 및 삼출
- 감염성 심내막염
- 비감염성 심내막염(Libman-Sacks)

류마티스 관절염

- 심낭염, 심낭삼출액, 때로는 협착(constriction)
- 류마티스성 결절(rheumatoid nodule)의 침윤, 역류를 유발하는 판막 침범(대동맥판 > 승모판) (드물게 발생)

강직성 척수염

- 대동맥근 확장
- 대동맥판 비후
- AR
- 심근 침범

류마티스 심장질환

서구에서는 급성 류마티스열이 매우 드물지만, 개발도상국에서는 여전히 흔하다.

- 심근염
- 심내막염(판막염)
- 심낭염
- 합병증 – 수년 후 류마티스성 판막질환이 발생할 수 있음

3. 내분비질환

당뇨병

- 공존하는 관상동맥질환이나 고혈압의 영향
- 좌심실 기능장애- 경도에서 중증까지 다양, 수축기 기능장애(DCM 같은) 또는 이완기 기능장애(RCM 같은)가 있을 수 있으며, 종종 동시에 발생하기도 함.

말단비대증(acromegaly)

- LVH, 특히 중격부분
- 좌심실 확장
- 좌심실 기능장애
- 공존하는 관상동맥질환의 영향

갑상선기능저하증

- LVH
- 좌심실 또는 우심실 확장과 수축기능저하(치료로 호전)
- 심낭삼출

부갑상선기능항진증

- 고칼슘혈증과 관련된 판막 석회화 - 드물게 협착 또는 역류를 유발함

4. 침윤

아밀로이드(그림 4.9)

- 좌심실비대(반짝이는 '간유리[ground glass]'모양을 보이는 동심성 비대)
- 질병말기에는 확장이 일어나지만 그 전까지는 정상 좌심실 크기를 유지함
- RVH
- 방실 중격의 비대
- 판막의 비후
- 좌심방과 우심방 확장
- 질환이 진행되었을 경우, 좌심실 이완기능장애(매우 큰 E파와 작은 A파를 동반한 '제한적인[restrictive]' 승모판 혈류 형태를 보임)
- 질환이 진행된 경우 좌심실 수축기능장애(예후불량)
- 심낭삼출

사르코이드(Sarcoid)

- 정상 또는 증가된 두께의 밝은 심실중격, 국소적으로, 특히 중격 기저부에서 심실중격이 얇아질 수 있음(흉터에 의해)
- 유두근 침범
- 심근염
- RCM
- 비정상적인 벽운동을 동반한 좌심실 확장
- 우심실 침범
- 좌심방 확장
- MR 및/또는 TR
- 이완기능 또는 수축기능장애

혈색소 침착증(haemochromatosis)

혈색소 침착증의 경우 신체의 많은 기관에 철분이 침착된다. 특발성 혈색소 침착증(idiopathic haemochromatosis)은 상염색체 열성질환이다. 심장은 질환이 가장 진행되었을 때 침범되며 심초음파 소견은 다음과 같다:

- DCM 형태 - 수축기능 저하를 동반한 좌심실 확장
- 침윤 형태(아밀로이드와 유사) - LVH와 비정상적인 심근조직
- 좌심실 이완기능 장애

5. 만성 빈혈(혈색소병증 포함)

- LVH, 대개 편심성
- 좌심실 확장
- 좌심실 이완기능장애

6. 고혈압

- LVH - 치료하면서 실시하는 추적 심초음파검사에서 호전되기도 함
- 좌심실 장애
- 대동맥 확장
- 대동맥 박리
- 관련된 관상동맥질환의 영향

7. 신부전

- 심낭삼출(요독증)

- 좌심실 기능장애(혈액투석으로 호전될 수 있음)
- 관련된 관상동맥질환의 영향

8. 비만

- 다른 심혈관 위험과 관련되어 있으며, 심초음파 소견상 LVH를 동반한 고혈압성 변화, 관상동맥질환 및 당뇨병과 관련된 변화를 보일 수 있다.
- 병적인 비만 – 심박출량이 증가한 상태로, 극단적인 형태에서는 울혈성 심부전이 발생할 수 있다.
- 좀 더 낮은 단계의 비만에서는 좌심실 질량과 내경 크기가 약간 증가하고 수축기 및 이완기 기능이 미약한 장애를 보이지만, 신장과 체질량을 보정하면 대개 약한 상관관계만을 보인다.

9. 근위축증, 근긴장성 이영양증, Refsum 병과 Friedreich 운동실조증

이러한 유전성 신경근 이상은 심장에 영향을 줄 수 있다. 심초음파 소견은 다음과 같다:

- 심장 침범은 전형적으로 HCM 또는 DCM과 유사하다.
- 다양한 정도의 좌심실 기능장애가 있을 수 있다.
- Duchenne 근위축증과 근긴장성 이영양증 – 심근병증과 관련된 상염색체 우성질환
- Refsum 병(지질 α-산화효소의 결함에 의한 혈장 phytanic acid의 증가)은 심근병증과 관련이 있다.
- Friedreich 운동실조증(척추소뇌 퇴행[spinocerebellar degeneration], 대개 상염색체 열성) – 전형적인 심초음파 소견은 좌심실 후벽 운동장애이다.

10. 다이어트 약에 의한 판막질환

중추신경 식욕 억제제(식욕부진제, 특히 fenfluramine과 phentermine 또는 dexfenfluramine의 조합)는 드문 판막질환과 관련이 있으며, 3-15%에서 발생한다. 판막질환 가능성은 약물 사용기간과 관련이 있으며, 논쟁의 여지는 있지만 6개월 이상 약물사용이 지속될 때 판막질환이 발생할 가능성이 높다. 보편적으로 일치하는 심초음파 소견은 없으며, 약물사용을 중단하면 시간이 지남에 따라 호전될 수 있다. 심초음파 소견은 다음과 같다:

- 승모판은 병변의 영향을 받을 가능성이 가장 크다. 병이 진행된 경우에 판막과 건삭은 카르시노이드(carcinoid)와 유사한 기질로 둘러싸이며, 이것은 MR을 야기한다. 삼첨판은 보존된다.
- AR이 생길 수 있지만 대동맥판의 심초음파 소견은 대부분 정상이다.
- 폐고혈압은 드물게 발생할 수 있다.

7.9 암 환자

일부 사회에서는 암은 평생 동안 3명 중 1명(37.8%)의 여성과 5명 중 2명(43.3%)의 남성에게 영향을 미친다(미국암학회, 2014 년 자료). 치료법은 암 환자의 삶의 질과 수명을 향상시켰으며, 현재 많은 암들이 현대의 화학요법, 면역요법, 방사선요법 및 수술로 치료된다.

종양내과 전문의와 심장내과 전문의 간의 통합적 접근 방식은 암 치료에 필수적이며, 많은 센터에서 전문화된 심장-종양 클리닉을 발전시켜 왔다.

심초음파검사는 암 치료를 받는 많은 환자들의 평가, 모니터링 및 추적관찰에 필수적인 역할을 한다. 심초음파검사의 역할을 자세히 살펴보는 것은 가치가 있다.

심초음파검사는 악성종양(예: 이차성 전이성 침착물, 심낭삼출)의 존재와 영향을 평가하고 치료효과를 평가할 수 있다. 심초음파검사는 광범위하게 사용 가능하고 반복 가능하며 다양한 목적으로 사용 가능하고 방사선 노출이 없으며 신장질환 환자에게도 안전하다. 심초음파검사를 통해 좌심실과 우심실 크기, 휴식기와 스트레스 시 수축기능, 이완기능뿐만 아니라 판막, 대동맥 및 심낭의 포괄적인 평가가 가능하다.

심초음파검사는 화학요법과 방사선요법으로 치료받는 사람들에게 유용하며 단클론항체 및 키나제 억제제와 같은 새로운 약물이 도입되면서 그 중요성이 더욱 커졌다. 유방암, 폐암과 같은 많은 암들은 동시에 또는 순차적으로 여러 약물을 병합하여 치료한다. 이것은 방사선요법과 마찬가지로 심장기능에 영향을 줄 수 있다.

암치료 관련 심장 기능장애(Cancer Theraphy-Related Cardiac Dysfunction, CTRCD)

암치료제들은 CTRCD를 유발할 수 있다(박스 7.2 참고). CTRCD은 1960년대에 안트

박스 7.2 암치료 관련 심장 기능장애(CTRCD)

- CTRCD에 대한 다양한 정의들이 사용되어 왔다.
- 좌심실박출률(LVEF)이 기저치의 10% 이상 감소하면서, 절대치가 53% 미만으로 감소하는 경우 진단될 수 있다.
- LVEF 감소는 최초로 감소가 확인 된 뒤 2~3주 이내에 반복 심초음파검사를 시행하여 재차 확인해야 한다.
- LVEF 감소는 다음과 같이 더 자세히 분류할 수 있다.
  - 증상이 있는(심부전을 야기하는) 또는 무증상의
  - 가역적 또는 비가역적:
    - 가역적(LVEF가 기저수치의 5% 이내까지 호전되는 경우)
    - 부분 가역적(LVEF가 최소한 10% 이상 호전되었으나 기저수치보다 5% 이상 저하되어 있음)
    - 비가역적(LVEF가 최하인 시점의 10% 이내로 호전)
    - 평가 불가능(환자를 재평가할 수 없는 경우)

라사이클린(anthracycline)계 항암제가 도입되면서 알려졌으며, 심부전이 항암치료의 중요한 부작용으로 인식되었다. 결과적으로 의사들은 항암제 사용 용량을 제한하게 되었고, 여러가지 방법을 통해 CTRCD를 평가하게 되었다 (예: 심내막 심근 생검과 LVEF 모니터링). 심근생검은 안트라사이클린에 의해 유발된 좌심실 기능장애를 확인하는데 민감도와 특이도가 높은 검사이다. 하지만 생검이 침습적인 검사이기 때문에 항암제 축적용량이 감소하고 비침습적인 영상검사가 향상되면서 검사 빈도가 현저히 줄어들었다.

LVEF의 평가는 심장독성이 발생할 수 있는 항암 치료 전, 치료 중, 치료 후에 심장 기능의 변화를 모니터링하는 데 널리 사용된다. 좌심실 기능장애의 시기는 약제에 따라 다를 수 있다. 안트라사이클린계 항암제는 노출 직후에 손상이 발생한다. 다른 약물의 경우 투여와 심근 기능장애 사이의 기간은 더 가변적이다. 심장은 상당한 예비능력을 가지고 있다. 수축기 또는 이완기의 변화는 충분한 양의 예비능력이 소진될 때까지 눈에 띄지 않을 수 있다. 심장 손상은 심장 독성 치료를 받은 후 몇 년 동안 눈에 띄지 않을 수 있다. 이것은 특히 소아암의 성인 생존자에게 적용될 수 있다.

모든 암치료법이 같은 방식으로 심장에 영향을 주는 것은 아니다. CTRCD는 약물의 독성기전을 바탕으로 분류될 수 있다. 이것은 심초음파검사를 이용한 평가의 시기를 결정하는데 도움이 될 수 있다.

약제 독성의 유형

제1형 CTRCD

- 안트라사이클린계(예: doxorubicin)가 대표적
- 용량 의존적이고 세포사(세포자멸사)를 일으키므로 세포 수준에서는 비가역적임
- 조기 발견 및 즉각적인 치료는 좌심실 재형성(remodeling) 및 심부전으로의 진행을 예방할 수 있음

독소루비신은 reactive oxygen species의 생성을 통해서 심장기능 장애를 일으키는 것으로 알려져 있다. 심근 세포손상은 누적된다. 손상의 형태는 기존 질병, 투여 당시의 심장 예비능력, 공존 손상 및 개개인의 다양성(유전적 원인 포함)과 관련이 있다. 심근세포가 세포사멸을 거치면 재생을 통한 대체 가능성이 줄어든다. 세포 수준의 심장손상은 비가역적이지만 심장 재형성을 막는(anti-remodeling) 약물치료를 시행하거나 드물지만 기계적 치료를 병행하는 경우 심장기능은 보존되고 적절히 보충될 수 있다. 제1형 CTRCD 약제는 장기간의 심장기능 장애를 유발할 수 있으며, 이환율 및 사망률을 증가시킨다.

제2형 CTRCD

- Trastuzumab이 대표적
- 용량 의존적이지 않고, 자체적으로 세포사멸을 유도하지 않으며 종종 가역적임

trastuzumab(상표명-허셉틴 및 허클론)은 인간 표피 성장인자 수용체(Human Epidermal growth factor Receptor 2, HER2)에 결합하는 단클론항체이다. 이것은 HER2 양성 유방암의 치료에 종종 사용된다. 이 약제와 다른 여러 약제는 심장기능장애를 일으킬 수 있다. 누적된 용량 의존적 방식으로 돌이킬 수 없는 세포 손상을 직접적으로 일으키지는 않는 것으로 보인다. 약제 중단 후 종종(하지만 다양하게) 심근기능의 회복을 보일 수 있다.

최신 암치료제는 소분자 단백질 키나제 억제제(small-modecule protein kinase)가 포함된다. 이것들에 대해 일반화하기는 어려우며, 그들은 종종 다른 키나제 표적에도 영향을 끼친다. 가장 문제가 되는 약물은 혈관 내피세포 성장인자(Vascular Endotherlial Growth Factor, VEGF)와 VEGF 수용체를 표적으로 하는 약물들이다. 이들은 전형적으로 고혈압과 허혈성 사건과 관련이 있다. CTRCD 발생기전은 세포 수축 요소의 일시적인 손상이나 손상된 심실의 후부하 증가와 연관될 수 있다.

가장 중요한 것은 sunitinib과 sorafenib을 포함한 비선택적 약제들이며, 일부 약물은 의도된 표적 이외에 최대 50개의 다른 키나제를 표적으로 할 수 있다. 이러한 'off-target' 키나제들이 심장 및 혈관계에서 큰 영향을 미쳐 독성에 대한 위험이 증가한다. 심근 손상이 비특이적이고 예측할 수 없기 때문에 이러한 약제를 투여 받는 환자를 모니터링하기 위한 확실한 권고사항을 제시하는 것은 어렵다.

항암제를 투여 받는 환자에서 제1형(doxorubicin)과 제2형(trastuzumab) 약제가 종종 순차적으로 또는 동시에 투여되기 때문에 심장 평가 및 심초음파검사의 역할은 복잡하다(**표 7.5**

표 7.5 제1형과 제2형 CTRCD의 특성

	제1형 약제	제2형 약제
특징적 약제	Doxorubicin	Trastuzumab(허셉틴, 허클론)
심부전치료에 대한 임상 양상 및 반응(예: 베타차단제, ACE 억제제)	안정화될 수 있지만 근본적인 손상은 영구적이며 비가역적으로 보임. 수개월 또는 수년간의 재발은 순차적 심장스트레스와 관련될 수 있음	중단 후 2-4개월 내에(가역적) 회복 가능성이 높음(항암치료 전 또는 거의 항암치료 전의 심장 상태까지)
용량 효과	누적된, 용량과 관련됨	용량과 관련이 없음
재투여 효과	재발성 진행성 기능장애의 높은 확률. 난치성 심부전 또는 사망을 초래할 수 있음	재투여의 상대적 안전성에 대한 증거가 증가함(추가 데이터 필요)
제1형 약물 예(예: 안트라사이클린계): doxorubicin, daunorubicin, epirubicin, idarubicin, mitoxantrone. 제2형 약물 예(예; 단클론항체, 키나제억제제, 포로테아좀 억제제): trastuzumab, lapatinib, pertuzumab, sorafenib, sunitinib, bevacizumab, bortezomib.		

2014 ASE/EACVI 치침에 근거

Plana JC, Galderisi M, Barac A, et al. Expert consensus for multimodality imaging evaluation of adult patients during and after cancer therapy: a report from the American Society of Echocardiography and the European Association of Cardiovascular Imaging. J Am Soc Echocardiogr. 2014;27:911-939.

참고). 이것은 가까스로 보상된 세포의 환경을 손상시켜 간접적으로 세포사멸을 증가시킬 수 있기 때문에, 제2형 약제가 여전히 세포사멸을 일으킬 수 있다는 우려를 낳는다.

임상 및 심초음파 평가와 모니터링

암 치료 전, 치료 중, 치료 후 종양내과 전문의와 심장내과 전문의 간의 협력은 중요하다. 이상적으로는 모든 환자가 잠재적인 심장독성 약물을 투여 받기 때문에 모든 환자에 대해 치료 전 심장 평가를 실시해야 한다. 이것은 심장내과 전문의가 종양내과 전문의에게 예상되는 위험에 대해 조언하는 데 도움이 될 수 있다. 모든 환자에서 가능하지 않다면, CTRCD가 발생할 가능성이 높은 다음과 같은 환자에 대해 기본 심장 평가를 수행하는 것을 추천한다.

- 좌심실 수축기능장애를 나타내는 병력이나 임상소견(예: 허혈성 또는 비허혈성 손상의 과거력)
- 위험인자(고혈압, 당뇨병, 고지혈증, 흡연, 조기 관상동맥질환의 가족력, 연령, 성별)에 근거하여 심장사건의 위험이 높은 경우
- 심혈관질환이 진단된 경우
- 65세 이상
- 고용량의 제1형 약제(> 350 mg/m^2)를 투여받을 예정이거나 제1형과 제2형의 복합 화학요법을 받을 예정인 경우

철저한 병력 및 신체 검사 외에 기준 심장검사 및 추적 심장검사(박스7.3)는 다음을 포함해야 한다.

- 심전도 - 심장 리듬을 평가하고 이상소견(예: 이전 심근경색증의 증거)을 탐지
- 심장 영상(대개 심초음파) – 무증상 좌심실 기능장애(예: LVEF나 strain 분석과 같은 심근 역학 평가를 통해 좌심실 수축기능 저하 감지 - 아래 내용 참고)의 평가뿐만 아니라 심장 구조 및 기능 평가를 위해
- 트로포닌 I(TnI)와 같은 혈액 생체표지자의 측정(아래 내용 참고)

무증상 좌심실 기능장애의 치료는 영상촬영 및/또는 생체표지자를 이용하여 심근 질환을 조기에 발견하는 전략을 기반으로 한다. 이 접근법은 잠재적으로 모든 환자에게 도움이 될 수 있으며, 좌심실 기능장애가 없는 환자에게서 화학요법의 부적절한 변경과 같은 잘못된 치료를 피할 수 있다. 단점은 선별검사가 위험에 처한 모든 환자를 확인하기에 충분히 정확해야 하며, 일부 환자는 이미 손상이 진행되어 치료가 부분적인 반응만 보일 수 있다는 것이다.

비록 심부전 치료를 위한 병용요법이 효과적이라고 보고 되었지만, CTRCD로 인한 심부전은 늦게 진단될 경우 종종 치료에 저항성을 나타낸다. 따라서, 심부전을 예방하기 위한 노력이 필요하다.

박스 7.3 **치료 전, 치료 중 및 치료 후 암 환자의 심장 평가**

- 종양내과 전문의와 심장내과 전문의 간의 긴밀한 협력
- 주의깊은 병력청취와 검사
- 연속적인 심전도검사
- 연속적인 심초음파검사 – 전반적인 심초음파 평가, 무증상성 좌심실 기능장애에 대한 증거
- 연속적인 생체표지자(예: 트로포닌 I) 검사
- 다른 영상 기법(예: MUGA 스캔, 심장 MRI) 고려
- 환자의 임상상태(위험요인, 증상, 징후)와 사용된 항암요법에 따른 평가시기 및 빈도
- 항암치료를 계속할 것인지, 중단할 것인지 또는 변경할 것인지 고려
- 심장보호약물(예: 베타차단제, 안지오텐신 수용체 차단제)의 사용에 대한 고려
- LVEF 〈53%인 경우, 무증상성 좌심실 기능장애가 있고(예: GLS(아래 내용 참고)가– 정상범위 이하이거나 15% 넘게 감소), 그리고/또는 트로포닌이 높으면, 치료의 위험/이득 비율에 대해 종양내과 전문의와 심장내과 전문의 간에 상의가 필요하며, 이후 종양내과 전문의의 판단에 의해 치료 지속 여부를 결정해야 한다.

치료받은 항암제의 특정 유형에 근거하여 심장과 심초음파검사의 기본평가 및 추적평가(박스 7.4 참고)를 권장한다(처방은 제1형 및 제2형 약물을 병용하거나 연속적으로 사용할 수 있다).

암 환자에서 심장 구조 및 기능에 대한 심초음파 평가

좌심실 수축기 기능

- 심초음파검사는 좌심실 구조 및 기능의 연속적인 평가에 적합하다(박스 7.5 참고). LVEF는 가능한 좀 더 전문화된 기법을 사용하여 최상의 측정방법(2D 또는 3D 심초음파검사)과 결합하여 계산해야 한다(아래 내용 참고).
- 2D 심초음파검사에서 Simpson법(4장 참고)을 사용해 측정하는 것이 기본이다.
- 과거에는 암 환자(특히 소아 환자)에서 M-mode 또는 2D 심초음파의 선형 측정을 이용한 분획단축(fractional shortening, FS)을 LVEF 대신 사용되었지만 적합하지 않은 방법이다. 왜냐하면 LVEF를 측정하기 위해 2개의 좌심실벽(중격과 후벽)만을 고려하기 때문이다. 암 환자에서 관상동맥질환이 흔히 발생하고 CTRCD가 국소적일 수 있으므로 용적을 통한 LVEF 측정이 필요하다.

박스 7.4 항암제 치료 중 심초음파검사 시기

제1형 약제

Doxorubicin을 투여받는 환자는 다음을 시행해야 한다

- 기저 (치료 전) 심초음파검사
- 용량이 240 mg/m^2 미만인 경우에는 항암치료 종결 시점에 추적관찰 심초음파검사
- 용량이 240 mg/m^2 을 넘으면 각 추가 주기 전에 평가 필요

제2형 약제

Trastuzumab을 투여받는 환자는 다음을 시행해야 한다

- 기저(치료 전) 심초음파검사
- 치료 중 3개월마다 추적 심초음파검사

다중표적 타이로신 키나제 억제제(sunitinib, sorafenib)를 투여 받는 환자는 다음을 시행해야 한다

- 기저(치료 전) 심초음파검사
- 1개월 후 추적 심초음파검사
- 치료 중 3개월마다 추적 심초음파검사

- 과거에는 안트라사이클린계 항암제의 누적 용량이 400 mg/m^{2}을 초과하는 경우에만, 심부전의 발생위험률이 5%로 위험하다 여겼다. 하지만 독소루비신 관련 CTRCD의 위험도는 누적용량이 증가함에 따라 150 mg/m^{2}부터 850 mg/m^{2}일때 0.2%부터 100%까지 증가한다(9% → 18%). 심장 사건 발생 위험률은 250 mg/m^{2}부터 350 mg/m^2 구간에서 급격하게 증가한다. 375 mg/m^2 미만의 안트라사이클린계 항암제를 투여받은 환자는 치료 후 6개월째 무증상 좌심실 기능장애(LVEF 〈 50%)가 26%에서 발생한다.
- 만약 좌심실의 기능적 변화에도 불구하고 약물을 임상적 근거로 계속 사용하는 경우 각 추가 주기 전에 영상(이상적으로는 심초음파검사) 및/또는 트로포닌에 의한 재평가를 실시해야 한다. 심장 사건의 위험은 추가 노출과 함께 증가한다. 환자에게 추가 노출에 대한 위험/이득을 충분히 설명하고 문서화해야 한다.
- 환자에게 위험을 증가시키는 요인들(동반된 위험인자들 또는 방사선요법)이 없는 경우에 만약 심초음파검사 소견이 화학요법 중에 안정적이고 제1형 약물치료 종결 후 6개월째 추적관찰 심초음파검사상 정상인 경우, 또는 트로포닌이 치료기간 내내 상승하지 않았다면, CTRCD에 대한 추가적인 영상검사를 시행하지 않아도 된다.
- 화학요법으로 CTRCD 또는 무증상 좌심실 기능장애가 없는 경우, 방사선요법을 동시에 받은 환자는 발표된 지침(예: EACVI/ASE 전문가 합의, 아래 내용 참고)에 따라 추적해야 한다.
- 치료종결 이후, 특히 무증상 좌심실 기능장애의 조기 발견 전략을 시행하지 않은 환자의 경우, 심혈관 질환의 증상 및 징후를 찾기 위해 매년 임상적인 심혈관 평가(필요한 경우 심초음파검사 포함)가 요구된다.

2014 ASE/EACVI 지침에 근거

Plana JC, Galderisi M, Barac A, et al. Expert consensus for multimodality imaging evaluation of adult patients during and after cancer therapy: a report from the American Society of Echocardiography and the European Association of Cardiovascular Imaging. J Am Soc Echocardiogr. 2014;27:911-939.

- 2D 심초음파검사에 의한 LVEF 측정은 일반인에서 심장 결과의 좋은 예측인자이지만, 좌심실 기능의 작은 변화를 감지하기에는 민감도가 낮다. 이러한 이유로, 심근 strain(LVEF보다 민감함)에 대한 평가를 추가하는 것은 암 환자에게 임상적으로 유용하다.
- Strain은 심근 역학을 평가하기 위해 심근변형을 무차원적(dimensionless)으로 측정하는 척도이다(장축 기능에 대해 4.7절, 비동기화 평가에 대해 4.9절 참고). Strain은 심근 길이의 원래 값에서 얼마나 변화했는지를 구획(fraction) 또는 %로 나타낸 것이다. Strain rate는 변형이 일어나는 속도이다.
- Strain 정보는 조직 도플러 영상(Tissue doppler image, TDI) 또는 반점 추적 심초음파(Speckle tracking echo, STE)를 이용한 2D 심초음파를 통해 얻을 수 있다.
- STE는 심근 조직의 움직임을 분석한다. 2D 심초음파검사에서 심근은 회색 톤으로 된 영상에 반점으로 나타난다. 이러한 반사('반점')의 움직임은 심초음파 기기의 소프트웨

박스 7.5 암 환자에서 무증상 좌심실 기능장애에 대한 심초음파 진단의 중요성

- 안트라사이클린계 항암제의 치료 전 또는 치료 후 LVEF의 감소는 추적관찰 중 심장 사건의 발생률을 높인다.
- 안트라사이클린계 항암제로 치료받는 환자(그리고 trastuzumab 및 taxanes을 투여한 일부연구)에서 LVEF의 후기 감소와 상관없이 TDI와 STE를 사용한 radial 및 longitudinal strain과 strain rate의 조기 감소가 관찰되었다.
- 무증상 좌심실 기능장애를 진단하기 위한 이상적인 전략은 화학요법 중 좌심실의 전반적인 종축 변형(Global longitudinal strain, GLS) 측정치를 환자 개개인별로 각자의 기저 GLS 측정치와 비교하는 것이다.
- GLS가 15% 이상 감소하면 비정상일 가능성이 매우 높다. 8% 미만의 변화는 임상적으로 유의하지 않은 것으로 보인다.
- 비정상적인 GLS 값은 반복적인 심초음파검사로 확인해야 하며, 이는 초기 비정상적인 검사부터 2~3주 후에 수행해야 한다.
- LVEF와 GLS 값을 검사할 때는 이러한 측정의 부하 의존성을 염두에 두어야 한다. 검사 중 활력징후(혈압 및 심박수) 뿐만 아니라 화학요법 약제의 정맥내 주입(치료 전후 일수)에 대한 심초음파검사 시기를 기록해야 한다. 부하 상태의 변화는 빈번하며 GLS에 영향을 줄 수 있다(예: 정맥내 약물로 인한 체액 팽창 또는 구토나 설사로 인한 체액 수축).
- 비정상적인 GLS 및/또는 TnI 상승이 있는 경우 기존 항암제의 지속 투여 유무, 항암요법의 변경 유무(종양내과 전문의의 판단에 따라) 및/또는 심장 보호약제를 투여할지에 대해서 심장내과 전문의와 종양내과 전문의가 논의해야 한다.

어로 추적할 수 있으며, 각도에 독립적인 2D 및 3D strain기반 시퀀스로 해석된다. 이들은 심근변형과 운동에 관한 양적 및 질적 정보를 제공한다.

- STE는 점점 더 사용이 증가하고 있다. STE의 strain결과는 MRI를 사용하여 검증되었으며, TDI를 통해 얻은 측정치와 좋은 상관관계를 가진다.
- STE가 TDI보다 나은 점: 보다 쉬운 데이터 수집, 각도에 독립적, 직접 strain 측정, 다중 동시 측정, 정보 획득 후 분석가능
- 좌심실의 전반적인 종축 변형(Global longitudinal strain, GLS)으로 알려진 변수는 무증상 좌심실 기능장애의 조기 발견을 위한 최상의 척도로 간주된다(**그림 7.3**). 이상적으로는 화학요법 중 측정값을 기준치와 비교해야 한다.
- GLS의 정상치는 약 -20%에서 -25%이다(음수 값). GLS는 연령, 성별과 심초음파 장비와 같은 요인의 영향을 받는다(동일한 회사의 특정 기계로 연속 측정해야 함).

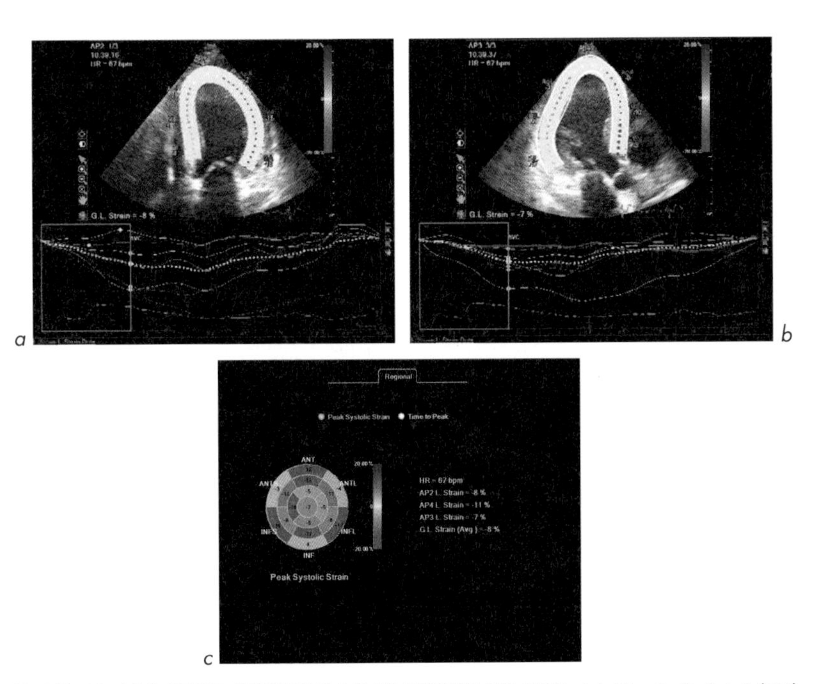

■ 그림 7.3 **비후성 심근병증 환자에서 반점 추적 심초음파검사(STE)를 이용한 global longitudinal strain(GLS) 측정.** (a) A4C, (b) A3C, (c) 17-분절 좌심실 모형. 평균 GLS=-8%. 이것은 비정상이며 임상적 또는 무증상 좌심실 기능장애와 일치한다. 정상 GLS값은 대략 -20%에서 -25%(음수 값)이다.

- STE는 TDI의 몇 가지 한계를 극복했다. TDI는 각도 의존적이다(운동 방향과 초음파 빔이 평행해야 한다). 또한 관찰자 내 및 관찰자 간의 변동성과 잡음 간섭이 있다. 그러나 TDI는 더 나은 시간 정의를 허용하며, 심초음파 영상이 나쁜 경우에도 사용할 수 있다.
- Strain 측정치를 이용하여 LVEF를 추정할 수 없는 경우, 좌심실 장축 기능은 M-mode 심초음파를 이용한 승모판륜의 수축기 이동 값(mitral annular plane systolic excursion, MAPSE, 장축 기능 참고, 4.7절 참고) 및/또는 간헐파 TDI로 측정한 승모판륜 최대 수축기 속도(Sm 또는 s', S')를 사용하여 정량화 할 수 있다.

좌심실 이완기 기능

- 전반적인 평가, 좌심실 이완기능의 등급, 좌심실 충만압(LV filling pressure)을 비침습적으로 평가해야 한다.
- 좌심실 이완기 기능의 변화(예: 승모판 혈류의 도플러 파형, 간헐파 TDI로 측정한 Em (e')는 수축기 기능의 변화보다 먼저 나타나지만, 이후 CTRCD를 예측하기 위한 지표로서의 역할을 한다는 증거가 부족하다.

우심실 기능과 폐동맥압

- 화학요법을 받는 환자에서 우심실 기능장애가 예후에 미치는 영향은 입증되지 않았지만, 우심실 침범의 가능성이 있으므로 우심실 크기와 기능의 정략적 평가가 수행되어야 한다.
- 암 환자에서 여러가지 이유로 우심실 이상이 발생할 수 있다(예: 기존에 우심실 기능장애 존재, 종양의 침범[원발성 또는 전이성], CTRCD의 결과)
- 폐동맥 수축기압을 측정해야 한다. 이것은 합병증으로 폐동맥 고혈압을 유발할 수 있는 티로신 키나제 억제제(tyrosine kinase inhibitor)인 dasatinib으로 치료받는 환자에게 특히 중요하다.

판막질환

- 항암 치료 중과 치료 후에 심장 판막을 주의 깊게 평가해야 한다.
- 항암제가 판막에 직접적으로 영향을 미치는 것 같지는 않다. 판막 이상은 기존에 있던 판막질환, 동반된 방사선요법 감염 또는 CTRCD를 포함한 다양한 이유로 나타날 수 있다.
- CTRCD로 인해 판막이상이 발생할 수 있다. MR은 좌심실 기능장애 및 좌심실 재형성(remodeling)으로 인한 승모판륜 확장 또는 심첨부 끌림(tethering)에 의해 유발될 수 있다. TR은 CTRCD로 인한 우심실 기능장애 또는 폐동맥 고혈압 때문에 발생할 수 있다. MR과 TR은 의미 있는 심실 기능장애가 발생한 후 CTRCD 후반에 나타난다.
- 아주 드물게 일차성 또는 이차성 심장 종양이 판막에 국소적인 영향을 미칠 수 있다.

- 비세균성 혈전성(non-bacterial thrombotic, marantic) 심내막염이 발생할 수 있다. 왼쪽 판막에 더 많이 발생한다.
- 판막병변의 크기는 미세한 것부터 크기가 큰 병변까지 다양하다. 병변이 큰 경우 판막 폐쇄를 방해하여 역류를 유발할 수 있으며, 종종 중증 역류가 발생하기도 한다. 의미있는 판막 폐쇄는 드물다.
- 판막 병변의 혈전색전증(thromboemblism)은 혈역학적 영향보다 더 큰 위험요소이다.
- 방사선요법은 판막질환을 일으킬 수 있다. 방사선요법이 판막 구조물에 미치는 영향은 잘 알려져 있다. 방사선치료를 받는 환자의 심초음파검사는 발표된 지침(예: 유럽심혈관영상협회(EACVI/ASE 전문가 합의, 2013. 아래 내용 참고)에 따라 수행해야 한다.
- 화학요법은 균혈증과 패혈증을 동반한 범혈구감소증을 유발할 수 있으며 증식물(vegetation), 판막 역류증과 함께 감염성 심내막염을 유발할 수 있다. 기저 판막질환이 있는 경우(MVP 또는 이첨 대동맥판[bicuspid AV]) 또는 중심정맥관(central venous catheters)이 삽입되어 있는 경우에 더 많이 발생한다.

심낭질환

- 심낭질환은 심장 전이와 연관되거나 화학요법 또는 방사선요법의 결과일 수 있다.
- 심낭삼출액(**그림 4.25, 4.26**)은 정량화해야 한다.
- 특히 악성 삼출액을 가진 환자에서 심초음파를 통해 심낭압전(cardiac tamponade)이 있는지 평가해야 한다.
- 심장 MRI는 심낭의 손상 여부와 상관없이 심장의 원발 종양을 평가할 때 또는 정밀한 심초음파검사 후에도 압축성 심낭염(constrictive pericarditis)의 진단이 불확실한 경우에 고려해야 한다.

3D 심초음파

- 3D 심초음파는 좌심실 기능 관찰과 CTRCD 진단을 위해 선호되는 검사법이다.
- 2D 심초음파와 비교하여 정상보다 낮은 LVEF를 진단하는데 보다 정확하고, 재현성이 좋으며, 시간 변동성이 낮다는 장점이 있다.
- 비용, 가용성, 영상 품질에 대한 높은 의존성 및 운영자 교육 필요성은 현재 종양학에서 3D 심초음파의 확대 적용을 힘들게 한다.

조영 심초음파

- 심근 조영제는 심내막이 잘 관찰되지 않을 때(endocardial dropout) 유용할 수 있다. 조영제를 사용하지 않은 심초음파의 심첨부 영상에서 2개의 인접한 좌심실 분절(contiguous LV segments)이 잘 보이지 않을 때 조영제가 사용될 수 있다. 암 환자의 장기적 추적 관찰시 3D 심초음파와 함께 조영제를 사용하는 것은 추천되지 않는다.

부하 심초음파

- 사전 검사에서 관상동맥질환이 있을 확률이 중등도 또는 고도로 평가된 환자가, 심근 허혈을 일으킬 수 있는 항암요법(예: fluorouracil, bevacizumab, sorafenib, sunitinib)을 받을 받아야 하는 경우, 환자를 평가하는데 도움이 될 수 있다.
- CRTCD의 증거가 있는 환자의 수축 예비량 결정에 도움이 될 수 있다.

삽입된 관들

- 삽입된 포트, 터널형 카테터 또는 말초 삽입형 중심정맥관이 있는 환자에서 심초음파는 상대정맥-우심방 접합부에 대한 삽입관의 끝부분(tip)의 위치를 확인하고, 혈전 또는 증식물의 유무를 평가할 수 있다.

특수한 심초음파 문제들

- 유방암 환자는 특수한 영상 문제가 나타날 수 있다. 유방절제술, 방사선요법 또는 재건된 유방 보형물 때문에 2D, 3D 심초음파 및 strain 영상을 얻는 것이 제한될 수 있다.

암 환자에서 혈액 내 생체표지자(예: 트로포닌)

1. 트로포닌 I 또는 T(TnI or TnT)

- 심장 트로포닌은 심근 손상 진단을 위한 최적의 생체표지자이다.
- 트로포닌은 CTRCD의 조기 발견과 모니터링을 위한 강력하고 민감한 진단도구이다.
- 최소침습적이며 중대한 위험없이 반복시행할 수 있다.
- TnI는 안트라사이클린계 항암제로 치료받은 성인의 심근 손상에 민감하고 특이한 표지자이다.
- TnI 상승은 후속적으로 CTRCD가 발생할 위험이 있는 환자를 알아낸다.
- 치료 중 TnI 상승 환자는 심혈관계 사건 발생 위험이 높다.
- TnI는 각 화학요법 주기 전과 24시간 후에 측정해야 한다.
- 트로포닌은 GLS와 같이 무증상 좌심실 기능장애의 예후인자로써 작용한다. TnI와 GLS 중 한가지만이 비정상인 경우 CTRCD 예측 특이도는 73% 정도이며, TnI와 GLS 모두 비정상인 경우 CTRCD 예측 특이도가 93%로 증가한다. 둘 다 정상이면 음성 예측도가 91%이다.

2. N-terminal pro-brain natriuretic peptide(NT-proBNP)

- NT-proBNP의 증가는 CTRCD로 인한 좌심방 및 좌심실 충만압 상승이 있음을 시사한다.
- NT-proBNP는 음성예측도(negative predictive value)가 높아 유용하며, NT-proBNP가 충만압의 상승을 반영하지만, 초기 CTRCD를 찾아내는 데에는 유용성이 떨어진다.

심초음파검사 외에 암 환자에게 유용한 영상검사

방사성핵종 심실 조영술(Radionuclide ventriculography, multi-gated acquisition – MUGA scan)

- 정확한 LVEF 계산.
- 재현성이 높다.
- 주요 제한점으로 방사선 노출과 심낭 및 판막질환, 우심실 기능에 대한 평가가 어렵다는 점이 있다.

심장 MRI

- 좌심실 및 우심실 용적과 LVEF 평가 시 참고 표준이다.
- 심초음파 품질이 최적화되지 않은 경우 심장 MRI가 권장된다.
- 주요 제한점은 가용성과 비용이다.
- 화학요법의 중단을 고려하고 있거나 심초음파 또는 MUGA의 LVEF 계산과 관련한 문제가 있는 경우에 유용하다.
- 방사선요법 후 추적 관찰에 유용하다.
- MRI 안전을 위한 표준 주의사항을 준수해야 한다. 이것은 유방암 환자에게 중요할 수 있다. 유방절제술 후 유방재건술에 사용되는 일부 조직 확장체는 강자성 요소(ferromagnetic components)를 가지고 있어 주의를 요한다.

암 환자에서 심장보호 치료

- 소규모 연구에서 무증상 좌심실 기능장애인 경우 심장보호약제의 시작을 제안하고 있다.
- 다양한 약제들이 CTRCD 예방 또는 조기 치료에 도움이 될 수 있다. 예: dexrazoxane (안트라사이클린계 항암제로 치료받는 성인에서 심장보호약제일 수 있는 EDTA[ethylenediaminetetraacetic acid]의 철 킬레이트 유도체), 베타차단제, ACE 억제제, 안지오텐신 수용체 차단제와 스타틴
- 아직은 위의 전략을 뒷받침하는 결정적인 데이터(무작위 대조 임상시험)가 부족하다.

방사선에 의한 심장질환(Radiation-induced heart disease, RIHD)

흉부 방사선요법이 심장질환의 위험을 증가시킬 수 있다는 강력한 증거가 있다. 이것은 치료 후 수년 후에 발생할 수 있다. 현대의 방사선요법 기술은 RIHD의 발생과 중증도를 감소시킬 수 있다. 치료용량 최소화, 표적화(targeting) 및 차폐(shielding)를 통해서 심장에 대한 방사선의 영향을 감소시켰다. 그러나 예전 방식의 방사선요법을 받았던 암 생존자에서 RIHD가 증가할 수 있다. 1980년대 흉부 방사선조사로 치료받았던 환자의 경우 좌심실

기능장애, 판막이상 및 관상동맥질환의 위험이 남아있다. RIHD에 관한 대부분의 정보는 유방암 또는 호치킨 림프종 환자에 대한 연구를 기반으로하며, 폐암 또는 식도암 생존자에서도 관찰될 수 있다. 방사선에 의한 이상의 유병률과 중증도는 5년에서 20년까지 시간이 지남에 따라 상당히 증가하며, 종종 임상적으로 인식할 수 없기 때문에 선별검사가 필요하다. 이에 대한 지침이 발표되어 있다(예: EACVI/ASE 전문가 합의, 2013).

RIHD의 위험도가 높은 경우

- 젊은 나이(50세 미만)
- 심혈관 위험인자 또는 기존의 심혈관질환(예: 당뇨병, 흡연, 비만, 고혈압, 고콜레스테롤혈증)
- 다량의 방사선 노출(> 30 Gy)
- 높은 방사선량(> 2 Gy/일)
- 동반된 화학요법(특히 안트라사이클린계)
- 전방 또는 좌측 흉부 방사선조사(호치킨 림프종 > 좌측 유방암 > 우측 유방암)
- 차폐를 사용하지 않은 경우

심초음파검사는 RIHD의 선별검사, 진단 및 추적에 필수적이다. 또한, 임상의사는 심장 MRI, CT 또는 단일 광자 방출 컴퓨터단층촬영(SPECT)과 같은 다른 영상기법을 사용할 수 있다.

심초음파검사는 RIHD를 진단하고 추적할 수 있다

심낭질환

- 심낭삼출
- 심낭 협착(pericardial constriction)

심근질환

- 심근염
- 좌심실 수축기능 장애
- 좌심실 이완기능 장애
- 심근 섬유화(myocardial fibrosis)

방사선요법으로 치료받은 암 생존자는 심근 손상이 빈번하다. 부하 심초음파는 수축 예비력을 확인하고 무증상 좌심실 기능장애를 추적하는데 사용할 수 있다. CTRCD와 마찬가지로 LVEF만으로는 충분하지 않다. GLS를 측정하는 STE가 더 유용하다.

판막질환

- 역류증
- 협착증

방사선요법 후 첫 10년 동안 경도의 좌측 판막 역류가 자주 관찰된다. 경도의 판막질환이 지닌 임상적 중요성은 불분명하다. 그러나 수년에 걸쳐 중증 질환으로 진행할 수 있다. 방사선치료 후 10년 이상 지난 후부터 혈류역학적으로 유의한 판막질환(중등도 판막질환)이 흔하게 발생한다. 일부 연구에서는 남성보다 여성에서 판막질환의 발생률이 더 높게 나타났다.

관상동맥질환(coronary artery disease, CAD) 및 혈관질환

일반적으로 방사선에 의한 CAD는 일반인구보다 어린 나이에 나타난다. 의미 있는 CAD가 발생하는 기간은 5-10년 후이다. 부하 심초음파, SPECT 및 부하 MRI와 같은 허혈 유발검사로 CAD를 진단할 수 있다. 영상기반 부하검사(image-based stress test)는 방사선 조사 환자에서 협심증이 있거나 추적 심초음파검사상 새로운 휴식기 국소 벽 운동장애가 있는 경우 시행한다. 여러 연구를 통해 칼슘스코어링 CT 또는 관상동맥조영술을 통해 관상동맥병변을 평가할 수 있다는 것이 알려졌다. 방사선은 또한 CT에 의해 감지될 수 있는 상행 흉부 대동맥과 대동맥 궁의 석회화 및 죽종('도자기 대동맥[porcelain aorta]')과 연관될 수 있다.

RIHD 추적 평가를 위한 심초음파검사의 사용

RIHD의 선별검사를 위한 이상적인 전략은 여전히 논의되고 있다. 현대의 방사선요법 기술을 이용한 경우 RIHD 위험의 정도는 아직 명확하지 않다. 증상이 없는 암 생존자를 감시할 수 있는 최적화된 체계를 정립하려 대규모 전향적 연구가 필요하다. 이를 통해서 정확한 추적관찰, 선별검사 및 중재가 가능해 질 것이다.

기저 검사(방사선요법 전)

- 모든 환자에서 위험요소와 병력 및 임상 검사를 통해 치료 전 심혈관 선별검사를 실시해야 한다.
- 모든 환자에게 심초음파검사를 시행해야 한다.

추적 검사

- 매년 심장질환의 증상 및 징후에 주의를 기울이는 기록 및 검사
- 새로운 심폐기능 증상 또는 새로운 심잡음과 같은 신체 징후가 발생하면 즉시 심초음파검사와 추가 검사가 필요하다.
- 고위험 무증상 환자(위 내용 참고. 예: 전방 또는 좌측 흉부 방사선조사를 받은 사람들, 특히 호치킨 림프종 또는 유방암 치료를 받은 경우)에서는 5년 후 심초음파검사를 시행한다.
- 고위험 환자의 경우 방사선요법 5-10년 후에 CAD의 위험이 증가하므로 비침습적 부하영상(예: 부하 심초음파, 부하 MRI)을 통해 폐색성 CAD를 확인하는 것이 타당하다. 첫번째 부하 검사에서 허혈이 유도되지 않으면 5년 후에 부하검사를 고려하고 이후에는 매 5년마다 시행해 볼 수 있다.

- 위험이 보다 적은 무증상 환자의 경우, 치료 후 10년 후에 선별 심초음파검사를 시행하는 것은 중요한 심장질환을 진단할 가능성이 높다는 점을 감안할 때 합리적으로 보인다.
- 기존의 심장이상이 없는 경우, 심초음파 감시는 방사선 조사 후 10년 후부터 시작하고, 이후 매 5년마다 시행한다.

8

심초음파검사의 시행 및 결과 보고

8.1 심초음파검사의 시행

앞서 언급된 심초음파 기술들은 종합적인 심초음파검사 시행을 가능하게 해주는 것들이다. 설정에 있어 정해진 것은 없다. 각 검사자가 본인만의 표준 검사법을 만들어 중요한 정보를 빠트리지 않고 세세한 심초음파검사와 관련된 평가와 측정을 하는데 지장이 없도록 하면 된다. 초심자는 검사를 할 때 숙련된 검사자의 도움을 받도록 한다. 심초음파에서 방출되는 초음파는 피검사자에게 무해하다. 검사 순서를 계속 익히다 보면 자연스럽게 할 수 있게 될 것이다.

초심자들이 온라인이나 멀티미디어 자료를 이용해 학습할 수 있는 유용한 코스들이 많이 있다(예를 들어 American Society of Echocardiography에서 제공하는 training DVD).

유용한 프로토콜과 가이드라인들이 국내외에 많이 나와 있어서 성인 심초음파에 필요한 최소한의 dataset을 구성하는 데 도움을 준다(British Society of Echocardiography Protocols – Minimum Dataset for a Standard Transthoracic Echocardiogram, 2012 – http://www.bsecho.org/media/71250/tte_ds_sept_2012.pdf).

국내외의 여러 단체에서 성인과 소아의 경흉부/경식도 심초음파의 강좌와 인증시험을 시행하고 있다(Accreditation of British Society of Echocardiography, European Society of Cardiology, certification by National Board of Echocardiography in the USA 등).

이제부터 언급할 내용들은 일반적인 검사 방식과 함께 실제 상황에서 유용한 팁들이다.

1. 심초음파검사의 시행

- 환자에게 심초음파검사를 하는 이유를 설명한다.
- 검사는 통증이 없고 안전하다는 것을 주지시키고 동의서를 획득한다.
- 검사시간은 약 30-45분 소요된다(검사시간에는 보고서 작성시간을 꼭 포함시킨다).
- 환자의 흉부가 노출되어야 하므로 환자의 프라이버시와 품위를 유지할 수 있도록 한다.

- 환자에게 가운을 제공한다.
- 가능하다면 보호자를 동반하도록 한다.
- 검사실은 따뜻하고 조용해야 하며 검사장비의 디스플레이가 잘 보이도록 검사실의 밝기를 조절해야 한다.
- 심전도 전극을 부착한다(심장주기를 이용한 심초음파 소견에 필요하다).
  - 적색: 우측 어깨
  - 황색: 좌측 어깨
  - 녹색: 우측 늑골연
- 필요에 따라 phonocardiogram을 연결한다(심음과 심잡음을 녹음하기 위해).
- 환자의 오른쪽에, 초음파기기를 바라보도록 앉는다(**그림 8.1**).
- 허리를 펴고 편안하게 앉는다. 잘못된 자세로 여러 환자를 검사하다 보면 등이 아플 수 있다.
- 검사자에 따라 특정 단면(예: 심첨부)을 환자의 왼쪽에 앉아서 잡기도 한다(어떤 검사자는 모든 검사를 환자의 왼쪽에서 시행하기도 한다).
- 피검사자를 왼쪽으로 45° 기울어지도록 눕게 한다(좌측 측와위). 왼손을 머리 뒤쪽으로 높고 오른손은 오른쪽 허리에 놓는다(**그림 8.2**). 검사 중에 검사자의 필요에 따라 자세를 조정한다(왼쪽으로 더 기울인다든지, 후반부에 늑골하부창 검사 시).
- 심초음파검사에 사용되는 창(window)은 그림 1.2에 나와 있으며 자세한 사항은 뒤에

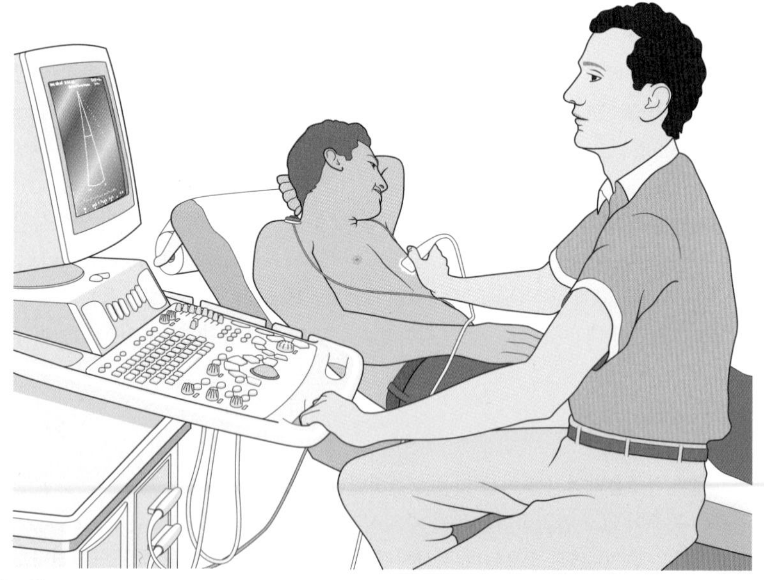

■ **그림 8.1** 심초음파검사의 시행

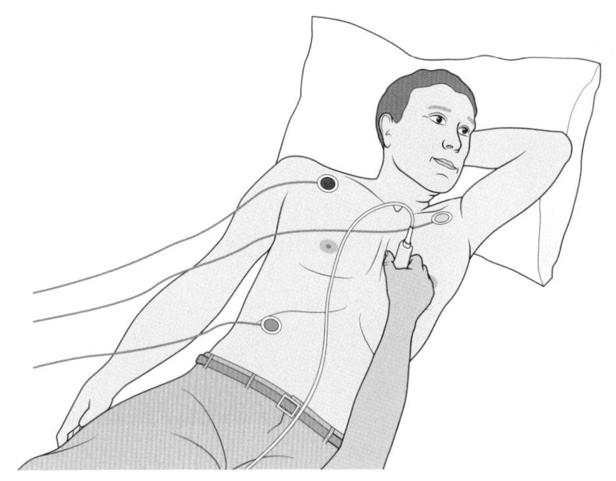

■ **그림 8.2** 좌측 흉골연 단면을 얻기 위한 자세

언급될 것이다

- 일부 심초음파 단면(예: 흉골연 장축 영상), PLAX는 피검사자가 숨을 내쉬고 참았을 때 더 잘 보일 수 있다. 다른 영상의 경우(예: 심첨부) 약간 숨을 들이쉬고 참았을 때 잘 보이는 경우가 있다. 늑골하부 영상은 숨을 크게 들이쉬었을 때 더 잘 보이는 경우가 있다.
- 대부분의 검사자는 탐촉자를 오른손으로 잡고 왼손으로는 초음파기기를 조정하여 기록을 한다.
- 약간(~5 mL)의 초음파 젤리를 탐촉자의 머리부분에 바른다. 이것은 초음파를 내보내고 신호를 받는데 공기를 통하는 것보다 액체를 통하는 것이 효과적이기 때문이다.
- 탐촉자를 엄지와 검지/중지를 이용해서 펜을 잡듯이 쥔다(**그림 8.3**).
- 오른팔을 펴서 손끝/탐촉자가 환자의 흉벽과 수직이 되도록 한다.
- 탐촉자가 흉벽에 "가볍게" 닿도록 한다. 강하게 누르면 환자에게 불편감을 주고, 젤리가 밀려나가 흉벽 표면의 액체가 줄어 초음파 영상을 개선시키는데 도움이 되지 않는다.
- 초음파 영상을 최적화하는데 탐촉자를 많이 움직일 필요는 없다.
- 눈과 손 사이의 조화가 중요하다. 영상을 얻고 최적화함에 있어서 오른손을 보지 않도록 한다. 오른손의 탐촉자를 약간만 움직이면서 눈으로는 초음파기기의 디스플레이를 보도록 한다.
- 각 영상에서 필요한 정보를 얻기 위해서 다른 심초음파검사법이 사용된다. 추천하는 검사 순서는 다음과 같다.
  1. 2D 심초음파
  2. M-mode(특히 PLAX와 늑골하부 단면에서 유용)

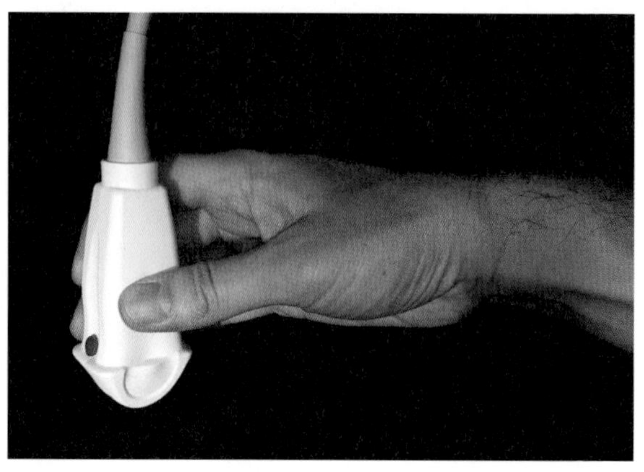

■ 그림 8.3 심초음파 탐촉자를 쥐는 법

3. 도플러 색
4. 간헐파 도플러
5. 연속파 도플러
6. 기타 검사법(예: 조직 도플러)

- 몇몇 검사법들이 특정 상황에서 유용하게 쓰인다. 예를 들어 PLAX에서 M-mode를 이용한 직경의 측정(좌심실 수축기/이완기, 벽의 두께, 대동맥, 좌심방 등)이 대표적이다. 만약 흉골연에서 기술적으로 좋은 영상을 얻기 힘들다면 늑골하부 영상으로 대체할 수 있다. M-mode 빔은 검사하고자 하는 심장의 구조물과 반드시 수직으로 지나가도록 해야 한다. 연속파 도플러 검사 시에는 초음파 빔이 혈류의 방향과 평행하도록 한다.
- 몇몇 단면에서, 정규검사를 한 후에 관찰하고자 하는 부위에 초점을 맞춰 추가적으로 검사할 수도 있다(예: PLAX의 기본검사 후 승모판과 판막하 구조를 확대해 검사).
- 각 영상을 저장할 때 많은 심장주기를 관찰할 필요는 없다(단, 심방세동의 경우 3회 또는 그 이상의 심장주기를 검사)

2. 심초음파 영상의 획득과 최적화

연습과 경험이 쌓이면 자연스럽게 좋아지는 부분이다. 자주 연습하여 술기 및 눈과 손의 조화를 향상시키도록 한다(**박스 8.1**). 명시할 것은 심초음파검사는 전리방사선 없이 음파만 사용되기 때문에 안전하다는 점을 명심하자. 많은 경우 영상을 향상시키기 위해서는 약간의 조정이 필요할 뿐이다.

각 단면은 정확한 축으로 잡아야 측정과 평가가 제대로 이루어진다. 예를 들어 심장의 직경, 기능, 벽 운동(M-mode에서 수직으로), 도플러(제트나 혈류방향이 평행하도록 하여 속도가 저평가 되지 않도록) 검사가 모두 영향을 받는다. 좋은 영상을 얻기 위한 탐촉자의 위치를 조정하는 것에 대해 너무 겁먹을 필요는 없다.

탐촉자를 움직이는 방법은 다음과 같다(**그림 8.4**).

- Positional(이동): 흉벽에서 위치를 옮김
- Angulation, tilting(기울임): 양 옆으로, 오른쪽/왼쪽, 위/아래(머리, 발 방향)
- Rotational(회전): 장축을 따라 돌림

예를 들어 흉골연 장축 단면에서 2D 영상은 심실중격과 좌심실 후벽, 그리고 심실중격과 대동맥 전벽이 평행(영상의 좌우 양쪽에서 같은 높이에 있도록)이 되도록 하여야 한다. 대부분의 성인에서 3번째 늑간(3rd intercostal space, 3rd ICS)이 적절하지만 정확한 위치를 찾기 위해 2번째나 4번째 늑간으로 이동해야 할 수도 있다. 더 좋은 영상을 찾는 노력을 게을리하지 않도록 한다. 이 과정은 환자마다 해부학적 차이가 있을 수 있기 때문에 필요하다.

박스 8.1 **심초음파 영상의 최적화 - 기술적인 면에서 고려할 점**

- 환자가 적절한 자세를 취하도록 한다(예: 흉골연과 심첨부에서 검사할 때는 좌측 측와위로, 늑골하부와 흉골상부 검사에서는 똑바로 누운 자세로 머리가 45도 올라오도록 하고, 우측 흉골연에서 검사할 때는 우측 측와위를 취한다).
- 환자가 호흡 양상을 적절히 유지하게 하거나 필요에 따라 숨을 참게 한다(예: 흉골연에서 검사할 때는 호기 상태에서, 심첨부에서 검사할 때에는 약간 흡기 상태에서, 늑골하부에서 검사할 때는 완전 흡기 상태에서).
- 정확한 축에서 영상을 얻기 위해 노력한다(예: M-mode 값의 정확도를 위해서는 수직으로, 도플러 제트/혈류 측정시에는 평행하게).
- 탐촉자의 주파수 - 성인의 경우 일반적으로 3 MHz로 하면 0.5 mm의 해상도를 보임
- 초음파 젤리 - 흉벽과 탐촉자가 닿는 부분에 소량만 사용한다.
- Depth - 심장 전체가 보이도록 조정하여 보고자 하는 영역이 가운데에 위치하도록 한다. 필요에 따라 특별히 보고 싶은 구조물이 있는 경우 재조정한다.
- 영상 표현의 깊이와 각도 - 부채꼴 각도를 넓게 하면 많은 곳을 한번에 볼 수 있고, 좁게 하면 영상의 질을 높일 수 있다.
- Gain - 영상의 밝기를 초음파의 세기에 따라 강하게 또는 약하게 조정한다.
- 초점 - 결정(crystal)이 활성화되는 순서를 조정함으로서 초음파의 초점 위치를 바꿀 수 있다. 보고자 하는 부분에 초점이 위치하도록 한다.
- Tissue harmonics - 이 설정은 영상의 질을 높이는 데 사용한다. 일반적으로 높게 하면 영상의 질은 좋아지지만 반사가 많이 되는 조직(판막, 심막)의 두께가 두꺼워 보이게 된다.
- 도플러 색 지도 - 부채꼴 영역의 각도와 위치, gain, aliasing velocity를 조정한다.
- 도플러 - 간헐파 - 표본용적(sample volume)의 위치와 기준선(baseline), sweep speed를 조정한다.
- 도플러 - 연속파 - 초음파 빔이 보고자 하는 제트의 방향과 평행하도록 조정한다(초음파 빔의 영역에서 생기는 모든 지점의 최고 속도를 알 수 있으나 그 정확한 위치는 알 수 없다).

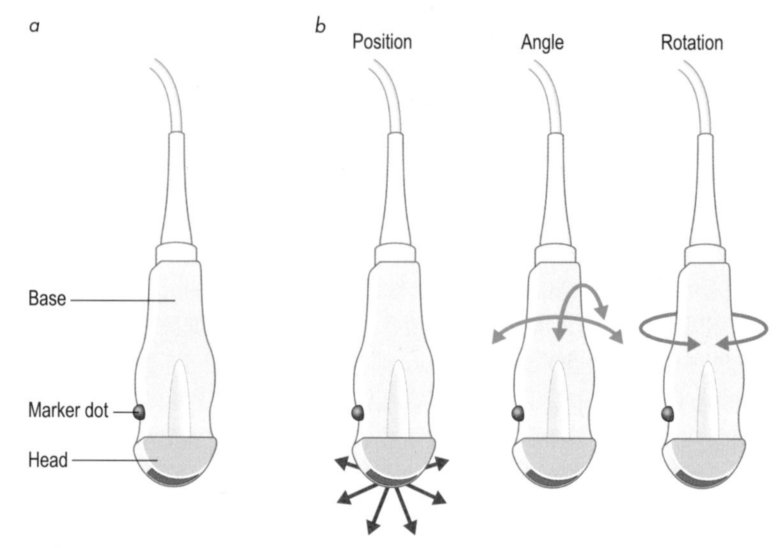

■ 그림 8.4 심초음파 탐촉자. (a) 탐촉자 각 부분의 명칭. (b) 탐촉자의 조작

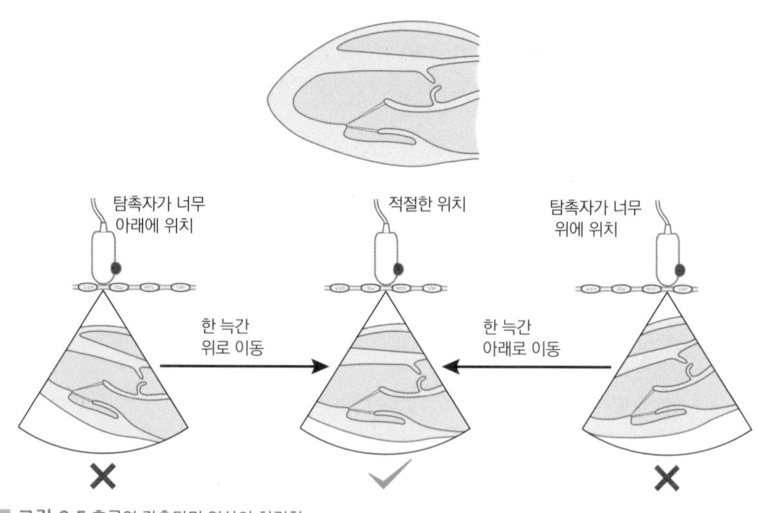

■ 그림 8.5 흉골연 장축단면 영상의 최적화

좋은 영상을 얻을 때 유용한 법칙이 있다. 그것은 'angle for the center, rotate for the sides'이다. 상상속에서 화면을 좌우로 크게 3등분한다. 그 후에 가운데 부분의 영상(승모

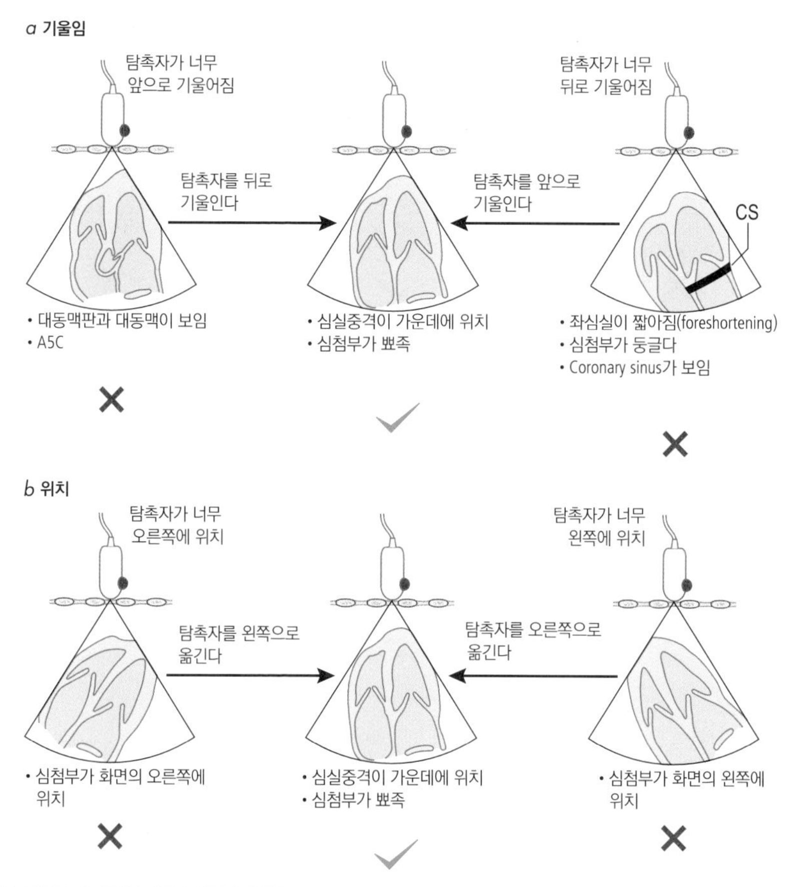

그림 8.6 심첨부 4방도 영상의 최적화

판, 대동맥판)을 최적화하기 위해 기울인(angulation)다. 그렇게 해서 적절하게 위치가 되면 탐촉자를 장축에 맞추어 회전(rotation)시켜 양 옆 부분의 영상을 최적화한다.

그림 8.5와 8.6은 PLAX와 A4C를 최적화하는 데 필요한 요소들을 나열한 것이다. 그림 8.7은 영상 최적화의 다른 요소들을 보여준다.

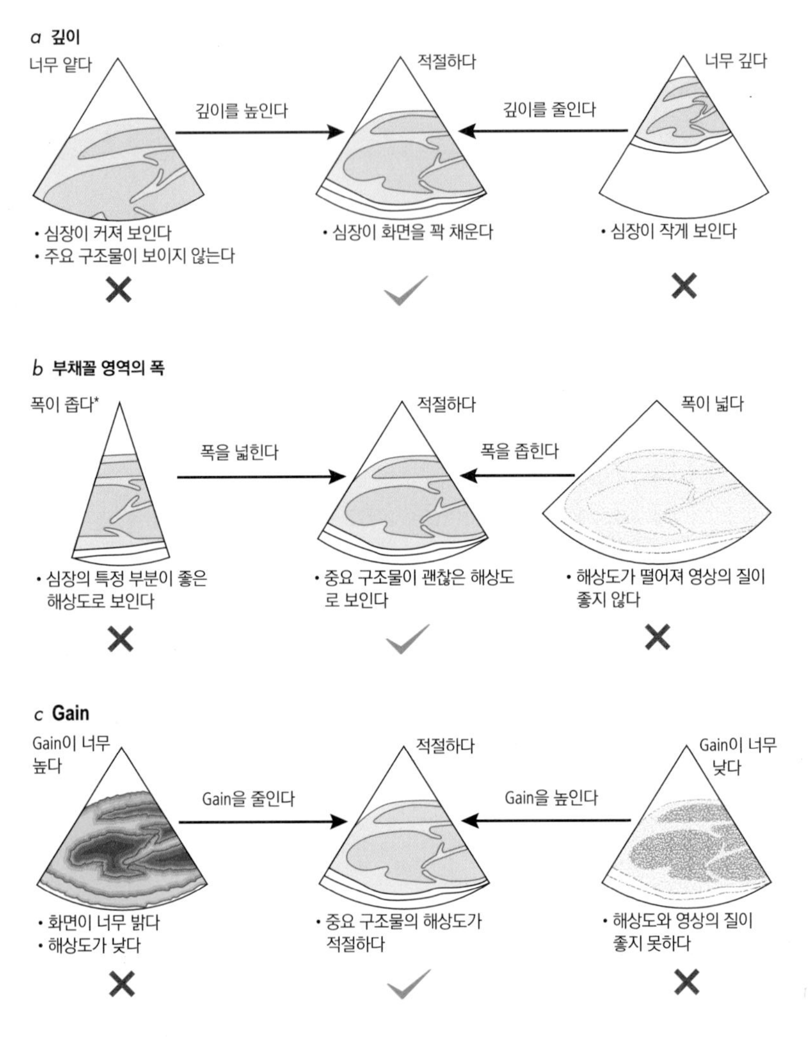

■ 그림 8.7 **심초음파 영상 최적화의 일례.** 흉골연 장축 영상이다. 다른 영상에서도 비슷한 원리를 이용한다(심첨부 4방도, 늑골하부 등).
*심장 구조 중 특정 부분에 초점을 두고 검사할 때는, 영상의 부채꼴 영역을 좁게 하는 것이 어떤 경우에는 더 도움이 된다. 부채꼴 영역을 좁게 한 이후에 양 side로 기울여가며 볼 수도 있다.

3. 심초음파검사 순서(그림 8.8)

1. 흉골연 장축단면(parasternal long axis view, PLAX)부터 시작하기(그림 8.8a) - 최대 3개 영상

탐촉자를 좌측 흉골연창(대개 흉골연 왼쪽의 3rd ICS에 두며 늑골 위에 올리지 않는다)에 놓는다. 탐촉자를 흉벽과 수직이 되도록 잡고 marker가 오른쪽 어깨를 향하도록 한다.

2D 심초음파를 이용해 정확한 축의 장축 영상을 얻어 최적화한다. 그림 8.5와 8.7에 영상의 질을 좋게 하기 위한 조언들이 나열되어 있다. 위에서 언급한 다양한 기법을 이용하고 그림 8.8a에 있는 순서를 따라 필요한 모든 정보를 얻어낸다. 탐촉자를 inferomedial이나 superolateral로 기울이면 각각 흉골연 우심실 유입/유출로 영상을 얻을 수 있다(**그림 8.8a**).

2. 흉골연 단축 단면(parasternal short-axis view, PSAX)으로 옮겨가기(그림 8.8b) - 최대 4개 영상

장축단면에서 탐촉자를 시계방향으로 90도 돌려 marker가 왼쪽 어깨를 향하게 하면 흉골연 단축 단면을 얻을 수 있다. 각 영상에서 여러 기법을 이용해 필요한 정보를 수집한다(**그림 8.8b**). 탐촉자의 각도를 조절하여(위쪽으로 기울이면) 심첨부, 유두근, 승모판, 우심실 유출로(대동맥판) 높이의 영상을 얻을 수 있다.

3. 심첨부 단면으로 옮겨가기(그림 8.8c, 8.9) - 최대 4개 영상

심첨부 4방도(apical 4-chamber view, A4C)와 5방도(apical 5-chamber view, A5C)

탐촉자를 심첨부에 놓고 marker가 왼쪽 아래를 보도록 한다(**그림 8.9**). 영상을 최적화하기 위해 흉벽에 위치한 탐촉자의 위치를 옮기거나 각도를 조절하여, 심방중격과 심실중격이 수직으로 화면의 정 가운데에 오되 좌심실이 짧아지지 않도록 한다(**그림 8.6, 8.7**). A4C 영상이 얻어지면 차례로 그림 8.8c에 따라 필요한 정보를 얻는다. 탐촉자를 약간 위쪽으로 들어올리듯 기울이면 A5C 영상을 얻을 수 있다(**그림 8.8c**).

심첨부 2방도(apical 2-chamber view, A2C)와 심첨부 3방/장축도(apical long-axis or 3 chamber view, ALAX or A3C)

A2C 영상을 얻기 위해서는 탐촉자를 A4C에서 시계 반대방향으로 탐촉자를 45-60º 돌려 marker가 왼쪽 어깨를 향하도록 한다. A3C 영상은 A2C에서 45-60º 더 회전시켜서(A4C에서 시계 반대방향으로 90-120º) marker가 오른쪽 어깨를 향하게 하면 된다. 이 영상은 PLAX와 비슷하나 구조물의 위치가 다르다. 측정방법은 그림 8.8c에 나와 있다.

4. 늑골하부 단면으로 옮겨가기(그림 8.8d, 8.10) - 1개 또는 2개 영상

늑골하부 단면은 매우 유용하며 기본적인 심초음파검사에 포함된다. 많은 흉골연과 심첨부의 영상과 비슷한 영상(화면상에서 구조물의 위치는 다를 수 있다)을 얻을 수 있다.

a. 좌측 흉골연 장축 단면 - 환자는 45° 좌측 측와위

탐촉자:
- 좌측 흉골연, 3번째 늑간
- Marker는 오른쪽 어깨를 향함

1. 흉골연 장축 단면(PLAX)

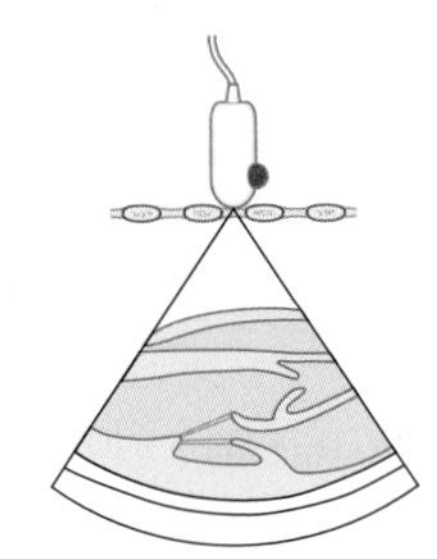

검사항목

- 2D: 좌심실(수축기능, 국소 벽운동), 우심실, 대동맥판, 좌심실 유출로와 직경, 승모판, 좌심방, 심막, 심낭삼출
- M-mode: 좌심실 수축기말/이완기말 직경, IVS와 후벽의 수축기/이완기 두께, 승모판, 대동맥판, 대동맥근 직경, 좌심방 직경
- 도플러 색 지도: 대동맥판(AR?), 승모판(MR?), IVS (VSD?)

(탐촉자를 하나 위의 늑간으로 올려서 보면 상행대동맥을 볼 수 있다.)

2. 우심실 유입로 단면
(탐촉자를 PLAX에서 inferomedial로 기울임)

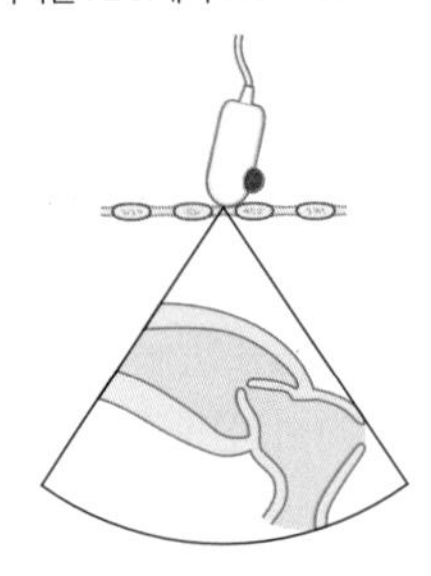

- 2D: 우심실, 삼첨판, 우심방
- 도플러 색 지도: 삼첨판
- 연속파 도플러: 삼첨판

3. 우심실 유출로 단면
(탐촉자를 superolateral로 기울임)

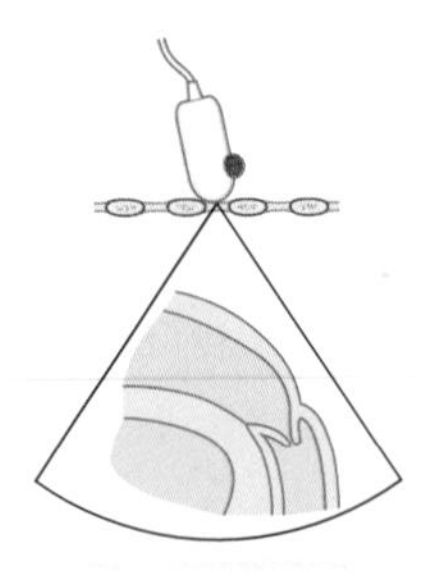

- 2D: 폐동맥판, 폐동맥, 우심실 유출로 직경, 폐동맥 직경, 좌폐동맥
- 도플러 색 지도: 우심실 유출로, 폐동맥판, 폐동맥
- 간헐파 도플러: 우심실 유출로
- 연속파 도플러: 폐동맥판

■ 그림 8.8 **심초음파검사 순서와 얻어야 할 정보.** (a) 흉골연 장축 단면 *Continued*

b. 좌측 흉골연 단축 단면 - 환자는 45° 좌측 측와위

탐촉자:
- 좌측 흉골연, 3번째 늑간
- Marker는 왼쪽 어깨를 향함

검사항목

1. 흉골연 단축 단면(PSAX) - 좌심실 유두근 높이
(탐촉자를 아래쪽으로 기울임)*

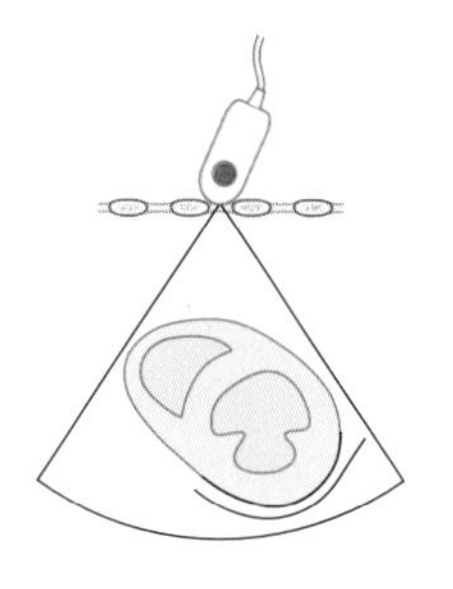

- 2D: 좌심실, 우심실, 심낭, 심낭삼출
- M-mode(PLAX에서 검사하지 못했을 경우): 좌심실 수축기말/이완기말 직경, IVS와 후벽의 수축기/이완기 두께
- 도플러 색 지도: IVS(VSD?)

(* 아래쪽으로 더 기울이면 심첨부를 볼 수 있음)

2. 흉골연 단축 단면 - 승모판 높이

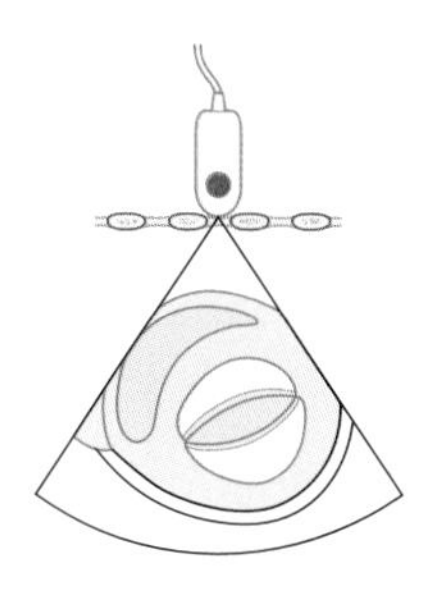

- 2D: 승모판(구조, 두께, 운동성, 석회화, 교련부 융합, 판막하 구조, 증식물)
- 도플러 색 지도: 승모판, IVS(VSD?)

3. 흉골연 단축 단면 - 대동맥판 높이
(탐촉자를 위[머리]쪽으로 기울임)

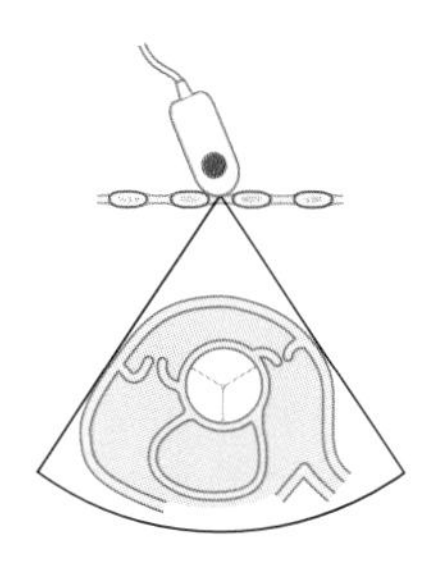

- 2D: 대동맥판, 삼첨판, 폐동맥판, 우심실, 우심실 유출로와 직경, 폐동맥 직경, 폐동맥 분지, 좌심방, 심방중격
- 도플러 색 지도: 대동맥판, 삼첨판, 우심실 유출로, 폐동맥판, 폐동맥, 심방중격
- 간헐파 도플러: 삼첨판, 우심실 유출로
- 연속파 도플러: 삼첨판, 폐동맥판

■ 그림 8.8 **심초음파검사 순서와 얻어야 할 정보.** (b) 흉골연 단축 단면

Continued

c. 심첨부 단면 – 환자는 45° 좌측 측와위

탐촉자:
- 심첨부
- Marker는 왼쪽 겨드랑이를 향한다

검사항목

1. 심첨부 4방도(A4C)

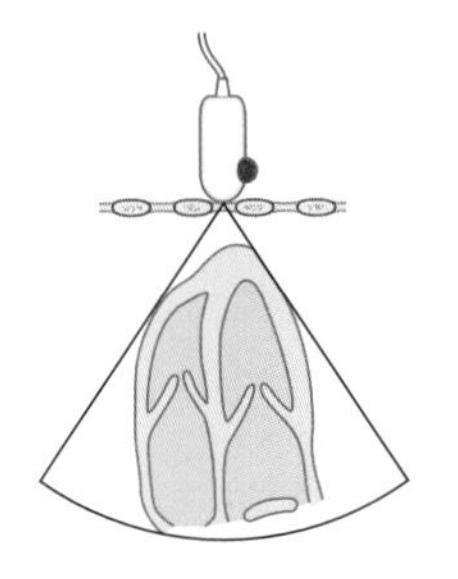

(* 참고: IAS가 모서리에 위치해 있고 'echo dropout'으로 인해 잘 안보여 defect처럼 나타날 수도 있다.)

- 2D: 좌심실(수축기능, 국소 벽운동, Simpson's method를 이용한 수축기/이완기 면적/용적, LVEF), 우심실 직경/면적, IVS, 승모판, 삼첨판, Simpson's method를 이용한 좌심방 면적/용적, 우심방 면적, IAS*와 운동성, 심낭, 심낭삼출)
- 도플러 색 지도: 승모판(MR? vena contracta), 삼첨판, IVS(VSD?), IAS(ASD?), 폐정맥
  - 간헐파 도플러: 승모판, 폐동맥판, 폐정맥
  - 연속파 도플러: 승모판, 삼첨판
- 조직 도플러 영상: 좌심실 승모판륜(septal, lateral), 우심실 삼첨판륜(lateral)

2. 심첨부 5방도(A5C)
(탐촉자를 A4C에서 앞[머리쪽으로 올림]으로 기울임)

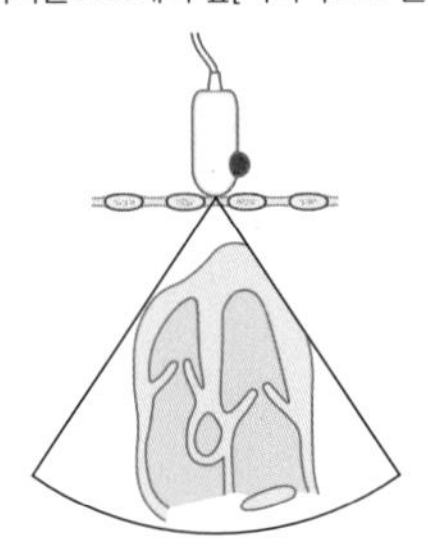

- 2D: 대동맥판, 좌심실, 좌심실 유출로와 직경
- 도플러 색 지도: 대동맥판(AR?)
- 간헐파 도플러: 좌심실 유출로
- 연속파 도플러: 대동맥판(Vmax, VTI)

3. 심첨부 2방(단축)도(A2C)
(탐촉자를 A4C에서 시계 반대방향으로 45-60° 돌려 왼쪽 어깨를 향하게 함)

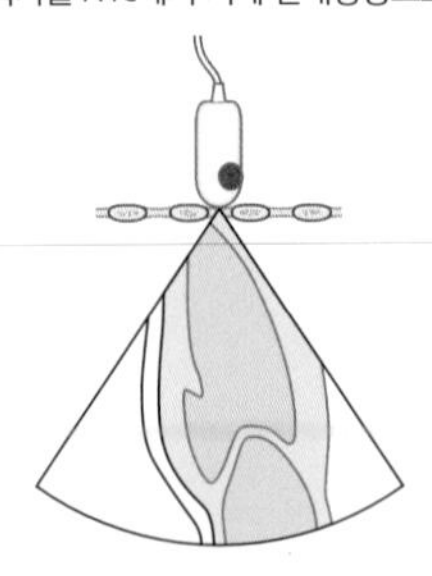

- 2D: LV (전벽과 하벽, 수축기능, 국소벽운동, Simpson method에 의한 수축기/이완기 면적/용적, LVEF), 승모판, Simpson method에 의한 좌심방 면적/용적, 심낭, 심낭삼출
- 도플러 색 지도: 승모판
- 간헐파 도플러: 승모판
- 연속파 도플러: 승모판

■ 그림 8.8 **심초음파검사 순서와 얻어야 할 정보.** (c) 심첨부 단면 *Continued*

검사항목

4. 심첨부 3방도(장축도, A3C or ALAX)
(Marker를 A4C에서 반시계방향으로 90–120° 돌려 오른쪽 어깨를 향함)

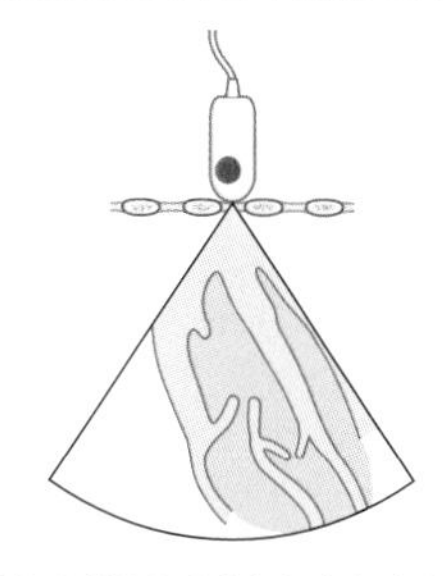

- 2D: 좌심실, 대동맥판, 승모판, 좌심실 유출로, 좌심방, 심낭, 심낭 삼출
- 도플러 색 지도: 승모판, 좌심실 유출로, 대동맥판
- 간헐파 도플러: 승모판, 좌심실 유출로
- 연속파 도플러: 승모판, 좌심실 유출로, 대동맥판

그림 8.8 **심초음파검사 순서와 얻어야 할 정보.** *Continued*

때문에 이전 영상에서 얻은 소견을 확인하는데 활용할 수 있다. 어떤 환자(예: 중환자실)에서는 기술적으로 늑골하부 영상만 얻을 수 있는 경우도 있다.

늑골하부 단면을 얻기 위해서는 환자의 자세를 변경해야 한다. 똑바로 누운 상태에서 45° 일으킨다(그림 8.10). 가능하다면 무릎을 구부려 복근을 이완시킨다. 탐촉자를 늑골연 아래쪽 정중선(검상돌기 아래)에 위치시킨다. 탐촉자가 왼쪽 어깨를 향하도록 하고 marker는 환자의 왼쪽을 보도록 한다. 최적의 영상은 환자가 숨을 깊게 들이쉬고 참을 때 얻을 수 있다. 여기서 4방도 영상을 얻는다. 그 다음에 탐촉자를 약간 위쪽으로 기울이면 대동맥판과 좌심실유출로가 보여 A5C와 유사해진다. 탐촉자를 시계 반대방향으로 90° 돌리면 단축 단면이 보이며, 위쪽으로 기울이면 대동맥판과 우측 심장의 구조물도 볼 수 있다. 기본 4방도에서 탐촉자를 환자의 오른쪽 어깨 쪽으로 기울이면 하대정맥과 간정맥을 볼 수 있다(그림 8.8d).

5. 흉골상부 단면으로 옮겨가기(그림 8.8e, 8.11)

환자를 45° 기울여 앉힌 상태는 그대로 두고 환자의 얼굴을 뒤로 젖힌다. 탐촉자를 흉골 상부의 supraclavicular fossa에 위치시킨다. 탐촉자는 아래쪽으로 하여 왼쪽 어깨로 marker가 향하도록 한다. 대동맥궁과 하행대동맥을 볼 수 있는데, 하행대동맥을 보기 위해서는 약간 왼쪽으로 기울여야 한다. 탐촉자를 오른쪽으로 기울이면 상행대동맥을 볼 수 있다. 탐촉자를 처음 위치에서 45° 시계 반대방향으로 돌리면 좌심방의 뒤쪽이 보이는 단축면과 4개의 폐정맥을 볼 수 있다(crab view라고도 한다). 성인에서 흉골상부 영상을 얻는 것은 쉽지 않다.

6. 우측 흉골연 단면으로 옮겨가기(그림 8.8f, 8.12)

이 영상은 표준검사 시 일반적으로 하지는 않지만 AS 환자에서 유용하다. 검사 전 환자를 우측으로 기울인다. 탐촉자를 2번째나 3번째 늑간에 놓고 marker가 환자의 왼쪽을 보

d. 늑골하부 영상: 등을 대고 누운 다음 45° 기울이고, 무릎을 구부린다.

탐촉자:
- 검상돌기 아래에 두고, 위쪽/왼쪽 어깨쪽으로 기울인다.
- Marker는 환자의 왼쪽을 향하도록 한다.

1. 늑골하부 4방도(SC4C)

검사항목

- 2D: 좌심실(수축기능, 국소 벽운동), 우심실, 심실중격, 승모판, 삼첨판, 좌심방, 우심방, IAS, 심낭, 심낭삼출
- M-mode: (PLAX에서 충분히 검사하지 못한 경우) 좌심실 이완기/수축기말 직경, 수축기/이완기 중격/후벽 두께,
- 도플러 색 지도: 승모판(MR?), 삼첨판, 심실중격(VSD?), 심방중격(ASD?)
- 연속파 도플러: 삼첨판

2. 늑골하부 하대정맥(IVC), 간정맥, 우심방(단축) 단면
(탐촉자를 피검자의 우측 어깨 방향으로 기울인다)

- 2D: IVC 직경과 collapsibility
- M-mode: IVC 직경과 호흡 변동
- 간헐파 도플러:간정맥 혈류

늑골하부 영상검사 시 참고사항
1. 유용한 영상이므로 기본검사 시 꼭 시행한다. 영상의 위쪽에는 간이 보인다.
2. 무릎을 구부리고(복근을 이완시킴) 흡기 상태에서 숨을 참을 때, semi-recumbent 자세에서 가장 영상이 잘 보인다.
3. 좌측 측와위를 하지 못하는 중환자실 환자나 움직이지 못하는 환자에서 유용하다.
4. SC4C는 A4C와 유사한 영상이므로 이 단면부터 검사를 시작한다.
    - 약간 위쪽으로 기울이면 좌심실 유출로와 대동맥판이 보인다. 이것은 위치는 다르지만 A5C와 비슷한 영상을 보여준다.
    - 시계 반대방향으로 90° 회전시키면 심실의 단축이 보인다.
    - 위쪽으로 더 기울이면 대동맥판의 단면과 우측 심장이 보인다(PSAX와 유사함).

■ 그림 8.8 **심초음파검사 순서와 얻어야 할 정보.** (d) 늑골하부 영상 *Continued*

e. 흉골상부 단면: 환자가 45° 누운 상태에서 목을 뒤로 젖힌다.

탐촉자:

- 흉골상부에 놓고 아래쪽으로 기울임
- Marker는 왼쪽 어깨쪽으로 향함

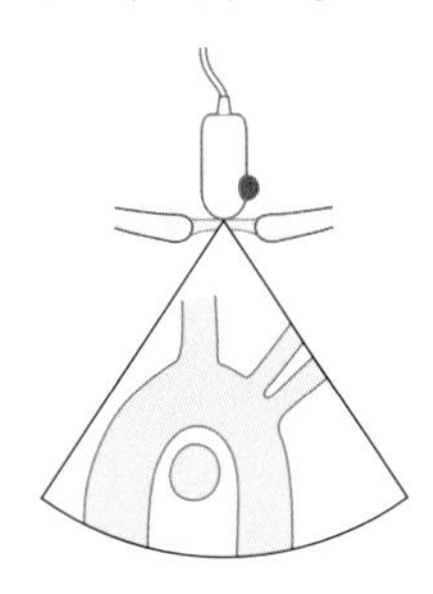

검사항목

- 2D: 대동맥궁의 해부학적 구조와 직경
- M-mode: 대동맥궁의 직경
- 도플러 색 지도: 대동맥궁, 축착, 동맥관개존(PDA), 우측 폐동맥
- 간헐파 도플러: 하행 대동맥
- 연속파 도플러: 하행 대동맥(일반적인 탐촉자 또는 PEDOF*를 이용)

f. 우측 흉골연 단면: 환자는 45° 각도에서 우측 측와위로 눕는다.
(오른팔은 머리 위로 올리고, 왼팔은 허리에 놓는다.)

탐촉자:

- 오른쪽 2,3번째 늑간에 놓고, 아래로 기울인다.
- marker가 환자의 왼쪽을 향함.

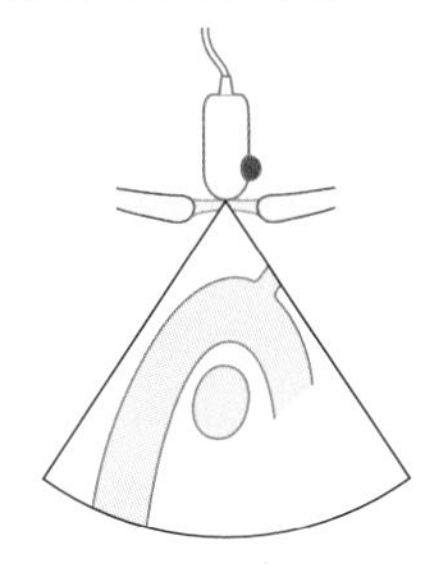

- 2D: 상행대동맥 해부학적 구조와 직경
- 연속파 도플러: AS 평가를 위해 상행대동맥에서 PEDOF*로 측정할 수 있다.

흉골상부와 우측 흉골연 단면 검사 시 참고사항

1. * Non-imaging Doppler probe(PEDOF= Pulsed Doppler Flow velocity meter)
2. 흉골상부 영상에서는 상행대동맥, 대동맥궁(brachiocephalic[innominate] artery, 좌측 총경동맥, 좌측 쇄골하동맥 포함)을 볼 수 있다. 우측 폐동맥이 대동맥궁 아래쪽으로 보인다.
3. 우측 흉골연 영상은 대동맥판과 상행대동맥을 검사할 때 이용될 수 있다. 이 외에 다른 단면도 탐촉자의 위치나 환자의 자세를 변경하여 검사할 수 있으나 성인 심초음파에서 일반적인 방법은 아니다. 예를 들어 우측 흉골연 우심실 유출로, 좌심실 유출로의 장축과 4방 단면이 있다.

■ 그림 8.8 **심초음파검사 순서와 얻어야 할 정보.** (e) 흉골상부(SSN) 영상(f) 우측 흉골연(RPS) 영상. SSN과 RPS 단면에서는 non-imaging Doppler probe(PEDOF)를 사용할 수도 있다. SSN 단면은 상행대동맥과 대동맥궁(분지 포함)을 볼 수 있다. 우측 폐동맥은 대동맥궁 아래에서 볼 수 있다. RPS 단면은 대동맥판과 상행대동맥을 검사할 때 이용될 수 있다. 이외에 다른 단면도 탐촉자의 위치나 환자의 자세를 변경하여 검사할 수 있으나 성인 심초음파에서 일반적인 방법은 아니다. 예를 들어 우측 흉골연 우심실 유출로, 좌심실 유출로의 장축과 4방 단면이 있다.

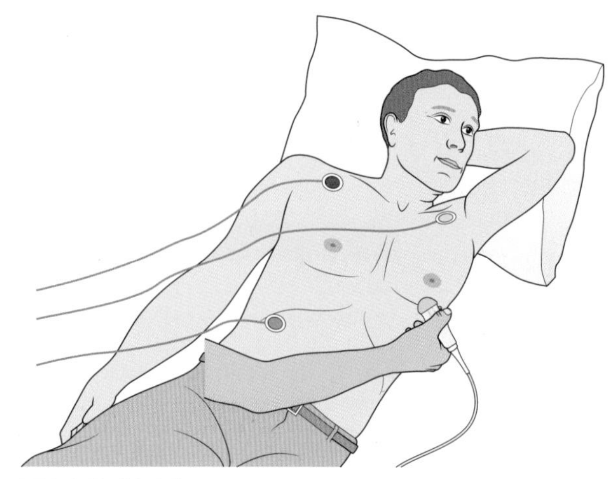

■ 그림 8.9 심첨부 단면을 위한 자세

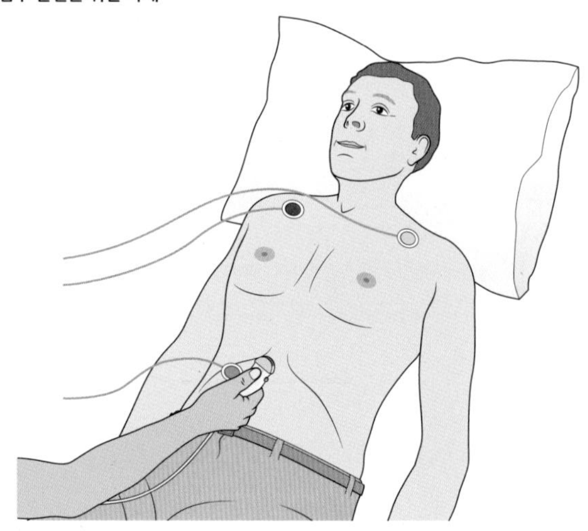

■ 그림 8.10 늑골하부 단면을 위한 자세

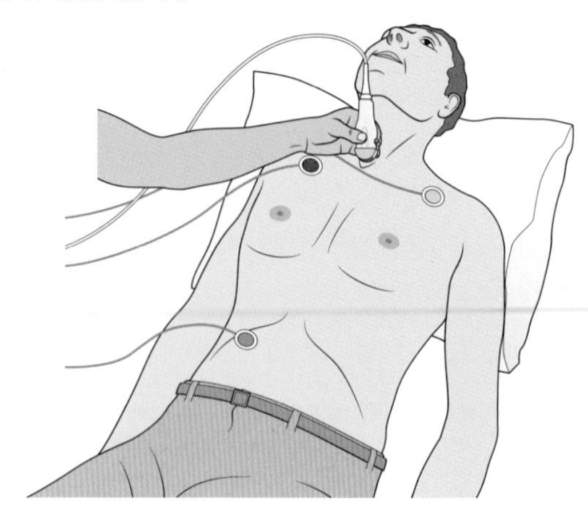

■ 그림 8.11 흉골상부 단면을 위한 자세

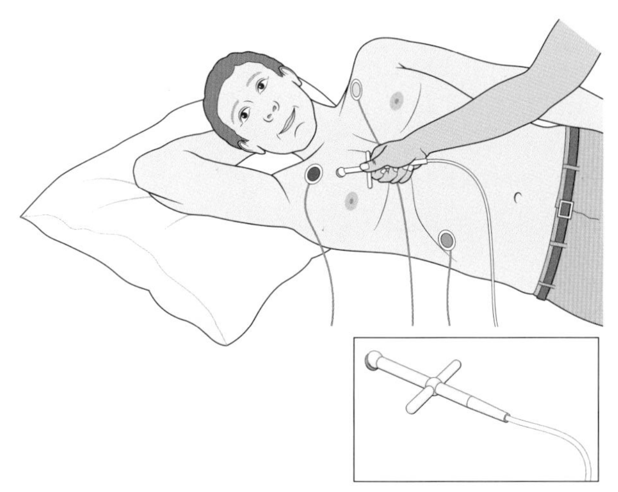

■ 그림 8.12 **우측 흉골연 단면을 위한 자세. 도플러만 가능한 탐촉자(PEDOF)를 사용하기도 한다(작은 그림).**

게 한다. 이렇게 하면 대동맥판에서 나오는 혈류와 상행대동맥을 검사할 수 있다(예: AS의 중증도 평가). 보다 작은 head를 가진 도플러 탐촉자(PEDOF[Pulsed Echo Doppler Flow velocity meter] probe)를 사용하기도 하나, 이것으로는 2D 또는 도플러 색 영상을 얻을 수 없어 초음파 빔의 위치를 정하기가 어려워 많은 경험을 요한다. 일반적인 탐촉자를 이용해 다른 영상을 검사하는 것도 가능하다. 우측 흉골연 영상은 성인에서 간단히 얻어지지 않는다.

7. 검사 종료

심전도 전극(만약 phonocardiogram을 사용했다면 이것도)를 제거하고, 환자가 초음파 젤리를 닦고 옷을 갈아입을 수 있도록 한다. 이제 얻어낸 초음파 정보를 해석하고 보고서를 작성할 차례이다.

8.2. 심초음파의 결과 보고

심초음파검사를 마치고 나면, 얻은 정보들을 분석하고 해석하는 과정을 거쳐야 한다.

영상을 확인해서 필요한 측정과 계산을 하도록 한다. 만약 이전 검사가 있다면 비교를 위해 리뷰하는 것도 도움이 된다. 초음파 소견들은 결과지에 꼭 언급하여 검사를 의뢰한 사람과 정보를 공유하여야 한다.

이상적인 결과지 형식은 정해진 것이 없지만 표준화된 결과지에 객관적인 정보들을 적절한 방식으로 제공해야 하고, 관찰되는 소견에 대한 해석과 결론을 언급해야 한다(그림 8.13).

표준화된 형식을 사용하게 되면 중요한 정보들이 누락되는 것을 방지할 수 있다. 검사 영상의 질을 고려(일부 정보를 얻을 수 없는 경우에도)하여 특이 사항을 언급한다(예: 성인에서는 흉골상부 단면이 잘 보이지 않아 대동맥궁이나 하행대동맥에 대한 검사가 불가능할 수 있음).

어떤 결과지는 해부학적인 내용을 한군데에 모아서 보여주고(예: 내강의 크기, 기능, 판막의 구조), 도플러 결과는 따로 기록하기도 한다. 다른 결과지는 내강이나 판막에 대한

Cardiology Dept. **Echocardiography Report** **Page 1 of 2**

Name: BROWN, Mary	**Study Date: 20/04/2015**
MRN: 1234567890	**NHS number: 123456789012**
DOB: 07/07/1919	**Gender:** Female
Age: 95 yrs	**Height, weight: 1.49m , 50kg**
Reason For Study: AF new rate controlled on digoxin.	BNP 2769 ?cardiac failure

MMode/2D Measurements & Calculations

RVDd: 4.7 cm	**LVIDd:** 4.1 cm	**FS:** 13.5 %	**LV mass(C)d:** 244.8 grams
IVSd: 1.5 cm	**LVIDs:** 3.5 cm	**EDV(Teich):** 72.1 ml	
	LVPWd: 1.5 cm	**ESV(Teich):** 51.1 ml	
		EF(Teich): 29.2 %	

Ao roTot diam: 2.9 cm	**LVOT diam:** 2.4 cm
Ao root area: 6.7 cm^2	**LVOT area:** 4.6 cm^2
LA dimension: 4.3 cm	

Doppler Measurements & Calculations

MV E max vel: 171.4 cm/sec	**MV V2 max:** 181.0 cm/sec	**Ao V2 max:** 564.0 cm/sec	**LV V1 max PG:** 1.2 mmHg
	MV max PG: 13.1 mmHg	**Ao max PG:** 127.4 mmHg	**LV V1 max: 55.8** cm/sec
	MV V2 mean: 93.6 cm/sec	**Ao V2 mean:** 438.2 cm/sec	
	MV mean PG: 4.5 mmHg	**Ao mean PG:** 83.9 mmHg	
	MV V2 VTI: 35.1 cm	**Ao V2 VTI:** 139.9 cm	
	MVA(VTI): 1.2 cm^2	**AVA(V,D):** 0.45 cm^2	

SV(LVOT): 40.7 ml	**TR max vel:** 314.0 cm/sec	**AS DPI:** 0.06
	TR max PG: 39.4 mmHg	

Left Ventricle
Normal LV size with moderately hypertrophied walls.
Hypokinetic basal-mid septum.
Estimated EF of 25-35%

Severely impaired longitudinal function particularly of the septum.

Right Ventricle
Normal RV size and function.

Atria
The left atrium is mildly dilated. A mass suggestive of myxoma is noted in the left atrium. Dimensions of the round, smooth LA mass as 2.8 cm, 2.1 cm with area approximately 5.0 cm sq that appears attached to the interatrial septum. The right atrium is mildly dilated.

그림 8.13 **심초음파 결과지 양식**

Continued

모든 정보를 통합해서 보여주기도 한다. 예를 들어 중증 AS에서 결과지에 'Heavily calcified bicuspid AV with restricted opening, valve area 0.4 cm^2 by continuity equation, peak Doppler velocity 4.5 m/s(pressure gradient 81 mmHg) – severe aortic stenosis'라고 기술할 수도 있다.

추천되는 결과지 양식은 ASE 권고사항을 기반으로 한다. 이런 권고사항을 보면 결과지에 포함해야 하는 측정값과 소견이 무엇인지 제시하고 있다.

Page 2 of 2

Mitral Valve
Moderate posterior annular calcification noted. Thickened leaflet tips with some degree of limited excursion. Mildly raised transmitral flow with mean gradient of 4-5 mmHg. Trivial MR.

Tricuspid Valve
Thin and mobile leaflets. RVSP of 39 mmHg + RA pressure. There is moderate tricuspid regurgitation.

Aortic Valve
Severely thickened cusps. Severely raised transaortic flow velocities with peak pressure drop of up to 127 mmHg, mean gradient of 84 mmHg. Trivial AR.

Pulmonic Valve
The pulmonic valve leaflets are thin and pliable; valve motion is normal.

Great Vessels
Normal aortic root dimension. Doppler examination of the descending aorta was normal.

Pericardium/Pleural
There is no pericardial effusion.

Interpretation Summary
Good-fair image quality. BP: 115/75 mmHg
ECG: AF (78 up to 102 bpm).

Moderate concentric LV hypertrophy with severely reduced LVEF of 25-35%
Severe calcific Aortic Stenosis, trace AR.
Mild mitral stenosis with trace MR.
Left atrial mass suspicious for myxoma.
Raised pulmonary pressure.

Finalized By: G.Fielding

Referring Physician: Dr Wilson
Performed By: GF

■ 그림 8.13 심초음파 결과지 양식

심초음파 결과지 양식

성인의 심초음파 결과지는 다음과 같은 목차로 구성해야 한다.

1. 환자의 인적사항과 식별을 위한 정보
2. 심초음파검사 소견
3. 결론 및 요약

각 심초음파검사실은 필요한 기본정보들을 담은(박스 8.2) 고유한 결과지 양식을 만들면 된다. 예를 들어 어떤 검사실은 좌심실 국소 벽운동 장애를 그림으로 보여주고자 하고, 어떤 검사실에서는 텍스트 형식으로 결과를 작성할 수 있다. 가능하다면 심초음파 정보는 데이터베이스 형식으로 저장하여 나중에 다시 정보를 꺼내오거나 소통하는데 활용할 수 있도록 하는 것이 좋다. 어떤 검사실에서는 결과지 내에 그림을 넣어 정보를 제공하기도 한다(예: M-mode의 사진, 2D 영상, 도플러 색 지도 등)

박스 8.2 성인의 심초음파 결과지에 포함해야 하는 정보

1. 환자의 인적사항과 식별을 위한 정보

(1) 환자의 이름과 고유식별번호(병원 ID), (2) 나이, (3) 성별, (4) 검사 목적, (5) 키, (6) 체중, (7) 심박수/리듬, (8) 혈압, (9) 검사를 의뢰한 의사의 이름, (10) 판독의사, (11) 검사일

(필요에 따라 아래의 다른 식별정보를 포함할 수 있다.)

(1) 검사 저장매체의 위치(예: 디스크나 테이프 번호), (2) 검사 처방일, 결과 확인일, 판독 입력일, 판독 확정일, (3) 환자의 위치(예: 외래, 입원, 중환자실 등), (4) 검사 시행장소, (5) 검사자의 이름 또는 식별정보(예: 초음파기사, 의사), (6) 검사장비명, (7) 검사한 단면 또는 검사하지 못한 단면(특히 suboptimal한 검사의 경우), (8) 추가로 시행한 검사(예: 기포를 이용한 검사, 조영제 사용)

2. 심초음파 소견(구조, 도플러)

심장 구조물:

다음 심장/혈관 구조물에 대한 언급을 반드시 포함해야 한다.

1. LV
2. LA
3. RV
4. RA
5. AV
6. MV
7. TV
8. PV
9. pericardium
10. aorta
11. PA
12. IVC
13. pulmonary veins
14. IVS
15. IAS

측정값:

정량적인 측정이 좋다(예: 도플러 속도). 그러나, 반정량 또는 정성적인 평가도 종종 이루어지며 적절한 경우도 많다.

다음의 측정값들이 종종 포함된다.
1. 좌심실
   a) 크기: 직경 또는 용적(수축기/이완기말)
   b) 벽 두께 ± 질량: 심실중격, 후벽(수축기/이완기말) 두께 ± 질량(이완기말)
   c) 기능: 수축기능과 국소 벽운동의 평가. 이완기능의 평가
2. 좌심방
   크기(면적, 용적 또는 직경)
3. 대동맥근
   직경
4. 판막의 협착
   a) 판막 협착: 중증도의 평가. 정확한 중증도 평가에 필요한 정보(예: 평균/최대 압력차, 면적)
   b) 판막 하부 협착: 중증도 평가. 중증도의 정확한 평가를 위한 압력차
5. 판막의 역류
   중증도를 반정량적으로 기술 ± 정량적인 측정
6. 인공판막
   a) 압력차와 유효 판구 면적(effective orifice area)
   b) 역류가 있다면 이에 대한 기술
7. 심내 단락
   중증도의 평가. Qp/Qs의 측정 ± orifice area 또는 결손의 직경

소견에 대한 서술

초음파 소견을 기술한다. 이런 언급은 전반에 대한 내용일 수도 있다. 각 결과지에 필요한 내용을 적되 빠뜨리지 않고 정확하고 자세하게 기술하여 의뢰한 의사가 필요한 정보들에 대한 대답이 되도록 한다. 검사실의 필요에 따라 결과지의 이 부분이나 뒤쪽의 요약 부분에 들어갈 문장의 형식을 간단하게 미리 만들어 놓을 수도 있다.

3. 결론 및 요약

이 부분에서는 다음과 같은 내용이 종종 포함된다
1. 의뢰한 의사가 궁금해하는 내용에 대한 답변
2. 비정상 소견에 대한 강조
3. 이전 검사와 비교하여 비슷한 부분과 달라진 부분에 대한 언급(언급이 가능하고, 임상적으로 의미 있는 소견에 대해)

Based upon guidance from www.asecho.org. Gardin JM, Adams DB, Douglas PS, et al. Recommendations for a standardized report for adult transthoracic echocardiography: a report from the American Society of Echocardiography's Nomenclature and Standards Committee and Task Force for a Standardized Echocardiography Report. J Am Soc Echocardiogr. *2002;15:275-290.*

앞서 언급했듯이 여러 다른 형태의 결과지 형식이 있지만 2D 영상에 기반한 내용과 도플러 정보를 통합하여 기술하는 것이 바람직하다. 예를 들어 인공 대동맥판의 역류에 대해 기술할때, 초음파 영상과 도플러 결과를 종합하여 기술하여야 한다. 어떤 검사실에서는 도플러 결과를 결과지의 다른 부분에 따로 모아서 기록하기도 한다. 이 역시 필요한 정보들이 모두 있다면 가능한 방법이다.

구조물을 찾아내고 측정하는 법에 대한 것은 박스 8.2에 잘 나와있지만 임상적으로 의미 있는 결과 정보를 제공하기 위해 모든 정보가 항상 필요한 것은 아니다. 그러나 심초음파 결과에는 좌심실, 승모판, 대동맥판, 그리고 좌심방에 대한 언급을 포함하는 것은 매우

중요하다. 만약 일부 구조물들의 영상이 기록되지 않았거나 해석이 어렵다면, 결과지에 영상이 부적절하거나 불가능했음에 대한 언급을 하여야 한다. 또한 특수한 검사법이 특정 구조물의 영상을 보거나 도플러 결과를 얻기 위해 필요하다면 시행하여야 한다. 이러한 경우에 얻어낸 중요한 정보를 기록하거나 검사가 적절히 이루어지는 것이 불가능했는지 여부를 꼭 남겨야 한다.

그림 8.13은 심초음파 결과지의 일례이다.

결론

- 심초음파의 많은 부분은 간단한 생리학으로 설명할 수 있다.
- 심초음파는 심장의 중요한 해부학적/기능적인 정보를 제공한다.
- 심초음파는 환자의 치료에 종종 영향을 끼친다.
- 심초음파는 환자의 병력과 진찰 정보에 추가적인 정보를 제공한다는 점에서 유용하지만 대체재가 될 수는 없다.